A batalha de todo homem

A batalha de todo homem

Vencendo a tentação sexual, uma vitória por vez

Edição revisada e atualizada de 20º aniversário
Inclui caderno de exercícios

STEPHEN ARTERBURN
FRED STOEKER
com MIKE YORKEY

Traduzido por Aline Grippe e Emirson Justino

MC
MUNDO CRISTÃO

Copyright © 2000, 2020 por Stephen Arterburn, Fred Stoeker e Mike Yorkey
Publicado originalmente por WaterBrook, selo da Random House, uma divisão da Penguin Random House LLC.

Os textos bíblicos foram extraídos da *Nova Versão Transformadora* (NVT), da Tyndale House Foundation, salvo as seguintes indicações: *New International Version* (NVI) e *Nova Versão Internacional* (NVI), ambas da Bíblica Inc.

Todos os direitos reservados e protegidos pela Lei 9.610, de 19/02/1998.

É expressamente proibida a reprodução total ou parcial deste livro, por quaisquer meios (eletrônicos, mecânicos, fotográficos, gravação e outros), sem prévia autorização, por escrito, da editora.

CIP-Brasil. Catalogação na publicação
Sindicato Nacional dos Editores de Livros, RJ

A825b

    Arterburn, Stephen, 1953-
      A batalha de todo homem : vencendo a tentação sexual, uma vitória por vez / Stephen Arterburn, Fred Stoeker, Mike Yorkey ; tradução Aline Grippe, Emirson Justino. - 1. ed. - São Paulo : Mundo Cristão, 2022.
    304 p.

    Tradução de: Every man's battle : winning the war on sexual temptation one victory at a time
      "Edição revisada e atualizada de 20º aniversário"
      "Inclui caderno exercícios"
      ISBN 978-65-5988-162-8

    1. Sexo - Aspectos religiosos - Cristianismo. 2. Homens - Comportamento sexual - Cristianismo. 3. Homens - Vida cristã. I. Stoeker, Fred. II. Yorkey, Mike. III. Grippe, Aline. IV. Justino, Emirson. V. Título.

22-79987   CDD: 241.664
                                              CDU: 27-447-055.1

Meri Gleice Rodrigues de Souza - Bibliotecária - CRB-7/6439

Edição
Denis Timm

Revisão
Natália Custódio

Produção
Felipe Marques

Diagramação e capa
Marina Timm

Colaboração
Ana Luiza Ferreira

Ilustração de capa
Kamylla Flores

*Categoria:*Relacionamentos
1ª edição: fevereiro de 2004
2ª edição: novembro de 2022
1ª reimpressão: 2024

Publicado no Brasil com todos os direitos reservados por:
Editora Mundo Cristão
Rua Antônio Carlos Tacconi, 69
São Paulo, SP, Brasil
CEP 04810-020
Telefone: (11) 2127-4147
www.mundocristao.com.br

De Stephen Arterburn:
Para meu amigo Jim Burns.
Você tem demonstrado um grande amor
e tem sido um exemplo genuíno de integridade sexual.

De Fred Stoeker:
Ao meu Pai celestial (obrigado por me socorrer);
minha esposa, Brenda;
aos meus amigos Dave Johnson e Les Flanders.

Sumário

Uma carta para as esposas por Brenda Stoeker — 11
Introdução à edição atualizada e revisada — 13

Parte I: Onde estamos
1. Nossas histórias — 21
2. O preço a pagar — 27
3. Vício? Ou outra coisa? — 34

Parte II: Como chegamos aqui
4. Mistura de padrões — 49
5. Obediência ou mera excelência? — 60
6. Simplesmente por ser homem — 74
7. Opte pela verdadeira hombridade — 88

Parte III: Opção pela vitória
8. Tempo de decidir — 99
9. Seu plano de batalha 1: O objetivo é vencer — 107
10. Seu plano de batalha 2: Prestação de contas e irmãos de guerra — 120

Parte IV: Vitória com seus olhos
11. Desvie os olhos — 133
12. Pare de alimentar os olhos — 146
13. Sua espada e seu escudo — 155

Parte V: Vitória com sua mente
14. Sua mente indomável — 163
15. Aproximando-se do seu curral — 177
16. Dentro do seu curral — 184

Parte VI: Vitória no seu coração
    17. Cuide de seu único tesouro   195
    18. Carregue a honra   207

Parte VII: Restaurando sua sexualidade juntos
    19. Sexualidade deteriorada   217
    20. Daqui para a intimidade   226

Caderno de exercícios   241
Notas   299

Este livro muitas vezes é bastante explícito no modo como os coautores descrevem lutas passadas — suas próprias e de outros — com a pureza sexual. Em busca de uma comunicação honesta com os leitores que enfrentam lutas semelhantes, nosso objetivo tem sido buscar franqueza sem causar ofensa, de modo que seja mais fácil para o homem enfrentar qualquer impureza e, pela graça e poder de Deus, avançar no compartilhamento ativo de sua santidade.

Uma carta para as esposas

• • • • • • • • • •

Por Brenda Stoeker

Muito embora *A batalha de todo homem* seja um livro direcionado fundamentalmente a homens, recomendamos de maneira enfática que toda esposa e namorada séria o leia também.

Este livro dá às mulheres uma melhor compreensão daquilo que os homens enfrentam em sua luta contra o antigo problema dos olhos, uma vez que, por natureza, as mulheres não são nem de perto tão visuais em sua sexualidade quanto eles e, portanto, não compreendem essa batalha masculina a partir de uma experiência pessoal. Isso é importante, pois o fato é que a sexualidade masculina pode ser perturbadora — até mesmo chocante — para as mulheres.

Esta enorme diferença na constituição sexual entre homens e mulheres costuma confundir as esposas. Certa vez, por exemplo, escrevi o seguinte em resposta a uma pesquisa que Fred me apresentou sobre o assunto:

> Não quero parecer maldosa, mas pelo fato de as mulheres de modo geral não experimentarem esse problema com o pecado sexual da mesma maneira que os homens, pode nos parecer que os homens são pervertidos descontrolados que não pensam em outra coisa senão em sexo.

Palavras fortes, mas vindas diretamente do coração de uma mulher. Isso é para mostrar como essas diferenças podem parecer ultrajantes para nós como esposas e, quando se trata de um pecado sexual do marido, essas diferenças na constituição criam um cabo de guerra natural no coração de uma esposa, oscilando entre pena e nojo por essa situação, assim como uma luta entre misericórdia e julgamento.

O que a esposa deve fazer? Por causa dessas diferenças, creio firmemente que nada é mais importante do que ser instruída quanto à sexualidade masculina. A masculinidade é importante, de modo que nós, mulheres, precisamos entendê-la. A masculinidade não é tóxica nem pervertida; ela é apenas diferente. E, se quisermos abandonar a atitude de atirar pedras e nos envolver na construção de relacionamentos sexuais que sejam agradáveis a Deus, precisamos ler e aprender, ouvir e compartilhar. Seu marido precisa de você sexualmente falando, e você, como esposa, é a única resposta de Deus a essa necessidade.

Sou a primeira a admitir que nem sempre tive a atitude correta em relação a meu marido nessa questão. Nos nossos primeiros anos de casados, sofri profundamente em razão da sexualidade de Fred — especialmente por sua orientação visual e sua necessidade regular de expressão. A sexualidade masculina parecia bastante superficial e quase esquisita para mim! Mas não demorou muito e descobri que ela de fato não é superficial; é apenas diferente. E, dada a luta óbvia que os homens enfrentam com sua pureza sexual quando ficam sem sexo, comecei a entender por que Deus diria que "a esposa não tem autoridade sobre seu corpo" (1Co 7.4). Aprendi que o sexo é vital não apenas para a pureza de Fred, mas também para sua intimidade emocional comigo.

Isso não quer dizer que um marido deve ter sexo a qualquer momento e em todas as vezes que quiser! Estou simplesmente dizendo que a pureza sexual de um marido não é apenas a batalha de todo homem, mas a batalha de todo *casal*.

Nesta versão atualizada, Steve e Fred abordam os desenvolvimentos mais recentes no comportamento sexual masculino, em particular o preocupante desinteresse de alguns maridos pela intimidade sexual com sua esposa. Infelizmente, essa enigmática realidade costuma estar relacionada à pornografia cada vez mais vulgar e intensa, que pode causar a tão alardeada disfunção erétil (DE). É claro que a DE pode ter uma causa física, e nesse caso é necessário um acompanhamento médico, mas a DE também pode ser o resultado destrutivo de um rearranjo do cérebro. Esses tópicos são discutidos nesta edição de *A batalha de todo homem* e algumas ideias são apresentadas sobre como recuperar uma intimidade física apropriada em seu casamento.

Insisto que você abra seu coração para as palavras que se seguem. Aproveite o dia — para si mesma, para seu casamento e para sua família.

Introdução à edição atualizada e revisada

• • • • • • • • •

De Steve Arterburn

Assim que a editora me ligou pela primeira vez, em 1999, e concordei em ler o manuscrito de Fred Stoeker, inesperadamente me vi estimulado por uma mensagem que causaria um impacto no mundo cristão de maneiras maravilhosas.

O que Fred tinha a ensinar era diferente. Ele não envergonhava o leitor nem minimizava o problema. O melhor de tudo é que ele esboçou um caminho prático e de fácil compreensão rumo à vitória sobre uma praga comum que infecta o caráter de homens cristãos em todo lugar. Eu estava convencido de que *A batalha de todo homem* poderia transformar mais casamentos de maneira mais profunda do que praticamente qualquer outro livro sobre casamento no qual eu poderia pensar, e eu queria fazer parte disso.

Mas como um livro sobre pureza sexual masculina consegue fazer isso? Porque ele aborda de forma direta os pecados sexuais que são os cupins nas paredes e nas fundações de praticamente qualquer casamento hoje. Poderíamos facilmente fazer todos os dias da semana um especial de uma hora de duração do meu programa de rádio *New Life!* falando apenas sobre como a pornografia nos aprisiona. O fato é que recebemos muitas ligações telefônicas de homens desesperados para se verem livres de uma vida de pensamentos impuros e atos sexuais pecaminosos — são tantas ligações que nosso atendente precisa limitar as chamadas desse tipo. Tenho certeza de que ainda *mais* homens ligariam se não se sentissem tão envergonhados.

É por isso que posso declarar com convicção que o livro que você tem em mãos neste momento é capaz de libertá-lo do pecado sexual e de permitir que você ame sua esposa de uma maneira que jamais considerou ser possível. Por quê? Porque o ensinamento e os princípios que compartilhamos têm feito exatamente isso a milhões de leitores no decorrer dos últimos vinte anos. *A batalha de todo homem* já era um fenômeno cerca de um ano após seu lançamento.

Tornou-se o livro mais pedido nas livrarias cristãs, com uma lista infindável de pastores, líderes de ministérios de homens e leitores frequentes comprando dezenas de exemplares para seus estudos bíblicos, encontros de grupos de homens, amigos e membros da família.

Naturalmente, o impacto na vida desses homens foi imediato, e os efeitos colaterais curaram famílias, organizações, igrejas e comunidades. Um movimento popular de grupos de apoio e de estudo se formou nos porões das igrejas e nos alojamentos das faculdades. Milhares de homens compareceram aos congressos "A batalha de todo homem" da New Life. Ao olhar para trás, fico extremamente impactado e grato por fazer parte de um projeto que tem mudado tantas vidas.

Até o momento, Fred e eu já escrevemos e publicamos juntos seis livros para o público masculino, entre eles *A batalha de todo homem*, *A batalha de todo adolescente* e *Preparando seu filho para a batalha de todo homem*. Toda a série *A batalha de todo homem* — que também inclui vários livros semelhantes para homens e mulheres e uma série de guias de estudo e discussão e estudos bíblicos para melhorar a compreensão do leitor — vendeu mais de três milhões de exemplares no mundo inteiro, e *A batalha de todo homem* foi publicado em vinte e três idiomas.

Assim, aqui estamos nós, vinte anos depois, celebrando o que Deus tem feito e publicando esta edição comemorativa pelo vigésimo aniversário. Ao ler, tenha em mente que mudamos os nomes das pessoas retratadas neste livro e alteramos alguns detalhes de suas histórias para proteger sua identidade. Mas as histórias são reais. São histórias de homens de todo tipo: homens que trabalham em escritórios ou no chão de fábrica, além de pastores, líderes de adoração, diáconos e presbíteros. Todos eles estão presos em um laço terrível, assim como nós um dia estivemos.

Você está numa posição difícil. Vive em um mundo inundado por imagens sensuais disponíveis 24 horas por dia em uma variedade de meios: impressos, televisão, vídeo, internet e celular. Mas Deus oferece a você liberdade da escravidão do pecado por meio da cruz de Cristo, tendo criado seus olhos e mente com a capacidade de serem treinados e controlados. Precisamos simplesmente nos levantar e caminhar pelo caminho certo na força do poder de Deus. Para fazer isso, precisamos de um plano de batalha, e você encontrará um quando terminar de ler *A batalha de todo homem* — uma estratégia detalhada para viver em integridade sexual.

Fred e eu escrevemos a partir da perspectiva de homens casados, mas as defesas práticas que compartilhamos neste livro também se aplicam a adolescentes, jovens, adultos e homens divorciados que precisam lidar com a questão da integridade sexual enquanto estão solteiros. Queremos ajudar a manter homens solteiros de todas as idades longe da luxúria ou do desenvolvimento de um comportamento vicioso e, por outro lado, aumentar suas chances de casar com a mulher certa.

A batalha de todo homem mudará você em muitos aspectos. Contudo, ao enfrentar e superar essas barreiras, você encontrará um caminho que leva a uma integridade sexual gratificante.

De Fred Stoeker

Bem, como surgiu o livro *A batalha de todo homem*? A resposta é simples: houve um tempo em que a imoralidade sexual me manteve cativo e, depois de ser liberto, quis ajudar outros homens a se libertarem.

Depois de lecionar sobre o assunto da pureza sexual masculina na escola dominical no final dos anos 1980, fui abordado um dia por um homem que disse: "Sempre pensei que por ser homem eu não seria capaz de controlar meus olhos errantes. Não sabia que poderia haver um jeito. Agora sou livre!". Conversas como essas animavam meu coração e confirmaram o desejo que Deus tinha me dado de ajudar outros homens a sair desse atoleiro.

Enquanto homens compartilhavam comigo as histórias de seu pecado sexual, muitos me pediam para escrever um livro. No início, interpretava isso apenas como uma forma de elogio. Afinal de contas, qualquer coisa que eu colocasse no papel teria pouca chance de ser publicado. Nunca havia escrito um livro antes, não era apresentador de nenhum programa de rádio de alcance nacional, não tinha doutorado e não havia estudado em um seminário. Sendo assim, por que comecei a escrever um livro? Porque sentia profundamente que se Deus me concedesse tamanha voz em seu reino, eu poderia ensinar a mais homens ainda alguns passos práticos rumo à vitória e, assim, eles seriam libertos para ajudar outros.

A passagem a seguir me inspirou a continuar a trabalhar arduamente neste livro noite após noite, mês após mês:

> Tem misericórdia de mim, ó Deus,
>   por causa do teu amor.
> Por causa da tua grande compaixão,
>   apaga as manchas de minha rebeldia.
> Lava-me de toda a minha culpa,
>   purifica-me do meu pecado. (...)
>
> Restaura em mim a alegria de tua salvação
>   e torna-me disposto a te obedecer.
> Então ensinarei teus caminhos aos rebeldes,
>   e eles voltarão a ti.
>
> Salmos 51.1-2,12-14

Entendeu? O plano de Deus é libertar pecadores e lavá-los de modo que eles possam ensinar outros. Deus tem me usado exatamente dessa maneira. Quarenta anos atrás, Deus me resgatou para si e limpou-me completamente. Vinte anos atrás, ele me enviou para ensinar seus caminhos a outros por meio do lançamento de *A batalha de todo homem*. Hoje, e com esta edição de vigésimo aniversário, Deus continua a fazer com que homens se voltem a ele. O plano que ele tem para você continua o mesmo que sempre teve para seus filhos: purificá-lo e enviá-lo para a grande aventura de libertar outros.

E precisamos de você lá fora. Os pornógrafos se tornaram ainda mais vis e depravados nos últimos vinte anos. Agora, sem qualquer pudor, criam e transmitem pornografia para mulheres, conseguindo assim viciar nossas irmãs e filhas numa escala sem precedentes na história, muito embora a sexualidade delas não seja tão visual quanto é nos homens. Autoras e palestrantes antigamente confiáveis se perderam no meio dessa ofensiva, profundamente chocadas diante da explosão de depravação. Em vez de assumir uma posição agressiva contrária à influência corruptora da pornografia, algumas se tornaram presas dos encantos da indústria. E, como se isso já não fosse suficiente, a pornografia atual para *homens* é muito mais viciante e distorcida, infligindo uma deterioração dramática na habilidade masculina de ter um desempenho sexual adequado no quarto. Assim, esta edição inclui uma Parte 7 totalmente nova para ajudar a explicar como a pornografia e a masturbação podem ter arrasado sua sexualidade e degradado sua habilidade de compartilhar intimidade genuína e interpessoal com sua esposa, de coração para coração — juntamente com passos que você pode dar para reverter a situação.

Também atualizamos *A batalha de todo homem* incluindo alguns dos avanços mais importantes no estudo sobre o cérebro alcançados nas duas últimas décadas, explicando como essas descobertas dão apoio às nossas posições originais e fortalecem sua habilidade de aplicar os passos práticos que compartilhamos, de modo que você possa vencer a batalha de uma vez por todas.

Está ansioso para começar? Ótimo... eu também! Hoje, mais do que nunca, precisamos de homens honrados e decentes, com suas mãos no devido lugar, com os olhos e a mente focados em Cristo. Se olhos errantes, pensamentos sexuais impuros ou até mesmo vício em sexo são problemas em sua vida, Steve e eu queremos que você faça alguma coisa em relação a isso.

Já não é hora?

Parte I

Onde estamos

1

Nossas histórias

• • • • • • • • •

Efésios 5.3 diz: "Mas entre vocês não deve haver nenhum indício de imoralidade sexual ou de qualquer tipo de impureza" (NIV). Este é um versículo bíblico que captura bem o padrão de Deus quanto à pureza sexual.

E essa passagem instiga esta questão: Em relação ao padrão de Deus, existe qualquer indício de impureza sexual em sua vida?

Para nós dois, a resposta para essa pergunta era sim.

Steve: Colisão

Numa manhã ensolarada no sul da Califórnia, entrei em nosso Mercedes 450 SL branco com a capota preta. O clássico cupê já tinha dez anos, mas ainda era o carro dos meus sonhos. Fazia apenas dois meses que eu o havia comprado, e naquela manhã espetacular, com a capota abaixada e o vento soprando em minha cara, estava me sentindo muito bem em relação à vida e ao futuro.

Estava dirigindo em direção ao norte, pela rota de Malibu, a caminho de Oxnard pela PCH, como as pessoas do lugar chamam a estrada *Pacific Coast Highway*. Eu sempre amei dirigir por essas quatro faixas de asfalto que abraçam a costa dourada e fornecem uma visão privilegiada da cultura litorânea de Los Angeles.

Minha intenção naquele dia não era ficar olhando para as garotas, mas avistei uma a alguns metros logo à minha frente, à esquerda. Estava correndo em minha direção ao longo da calçada que contornava a costa. Sentado em meu banco revestido de couro de carneiro, achei aquela vista maravilhosa, mesmo para os altos padrões da Califórnia.

Meus olhos se fixaram naquela deusa loira; gotas de suor deslizavam por seu corpo bronzeado, enquanto ela corria em um ritmo decidido. Sua roupa de corrida — se assim poderia se chamar naqueles dias os *tops* e *shorts* esportivos agarrados — era, na verdade, um sumário biquíni. Quando ela chegou ao meu lado, dois pequeninos triângulos de tecidos tingidos se esforçavam ao máximo para conter seus generosos seios.

Não consigo nem dizer como era seu rosto, pois absolutamente nada acima do seu pescoço ficou registrado em minha mente naquela manhã. Meus olhos se deleitaram com aquele banquete de carne resplandecente, enquanto ela passava à minha esquerda, e eles continuaram a seguir aquela forma graciosa durante sua corrida em direção ao sul. Simplesmente por instinto lascivo, como se hipnotizado por sua maneira de correr, eu virava cada vez mais a cabeça, estendendo o pescoço para capturar cada momento possível em minha câmera de vídeo mental.

E então, *blam*!

Eu ainda poderia estar maravilhado com aquele inesquecível espécime de atletismo feminino se meu Mercedes não tivesse entrado em outro carro que havia parado em minha faixa. Felizmente, eu estava dirigindo a 25 quilômetros por hora em um trânsito que andava e parava, mas aquela leve colisão amassou meu para-choque dianteiro e deformou a capota. E o dono do carro com o qual colidi não gostou nada do dano considerável em sua traseira.

Saí do carro — envergonhado, humilhado, consumido pela culpa e incapaz de oferecer uma explicação satisfatória. Eu não podia explicar: "Bem, se você tivesse visto o que eu vi, certamente entenderia".

Infelizmente, fui eu que não percebi bem o que tinha feito ou o que se passava dentro de mim. Continuei naquela escuridão por algum tempo antes de perceber que precisava fazer mudanças drásticas na maneira como eu olhava para as mulheres e na maneira como eu estava me relacionando com Deus.

Fred: Muro de separação

Acontecia todo domingo pela manhã, durante o culto de adoração da nossa igreja. Eu olhava ao redor e via outros homens com os olhos fechados, adorando livre e intensamente ao Deus do universo. E eu? Só conseguia sentir um muro de separação entre mim e o Senhor.

De alguma maneira, eu não estava bem com Deus. Como um cristão recém-convertido, imaginei que ainda não conhecia Deus de um modo suficiente e que eu cresceria até alcançar essa conexão. Mas nada mudou com o tempo.

Quando comentei que me sentia vagamente desmerecedor de Deus, minha esposa, Brenda, não ficou nem um pouco surpresa.

— É claro —, exclamou ela. — Você nunca se sentiu digno do seu próprio pai. Todo pregador que conheci diz que um relacionamento de um homem com seu pai causa um impacto tremendo em seu relacionamento com o Pai celestial.

— Você pode estar certa — concordei.

Esperava que fosse simples assim. Então, comecei a meditar sobre isso, enquanto me recordava dos meus dias de juventude.

Meu pai, um homem bonito e valentão, foi campeão nacional de luta greco-romana na escola e era muito pertinaz nos negócios. Desejando ser como ele, comecei a lutar quando estava no antigo ginásio. Mas os melhores lutadores são matadores natos, e eu não tinha um coração para tal coisa.

Na época, meu pai era o treinador interino de luta greco-romana em um colégio em nossa pequena cidade chamada Alburnett, em Iowa. Embora eu ainda estivesse no ginásio, ele queria que eu lutasse com garotos mais velhos, então ele me levava para os treinos do colegial.

Uma tarde, estávamos exercitando técnicas de fuga e meu parceiro estava em uma posição inferior. Ao lutarmos corpo a corpo no tatame, ele, de repente, precisou assoar o nariz. Ele se levantou, puxou a camiseta até o nariz e violentamente limpou o conteúdo do nariz na parte da frente de sua roupa. Voltamos rapidamente a lutar. Como eu era o homem na posição superior, deveria segurá-lo firmemente. Ao agarrá-lo pela barriga, minha mão deslizou por aquela coisa viscosa em sua roupa. Enojado, eu o deixei ir.

Meu pai, vendo-o escapar tão facilmente, veio me repreender: "Que tipo de homem você é?", ele rugiu, e então ficou gritando comigo sem parar pelo que pareceu uma eternidade. Enquanto fitava o tatame, percebi que, se eu tivesse um coração de lutador, teria retorcido e acabado com meu oponente, talvez esmagando sua cara no tatame em retaliação. Mas eu não agi assim, e depois de mais dois anos vazios e sem alegria no tatame, desisti dessa luta para sempre.

Eu ainda desejava agradar meu pai, então tentei outros esportes e me destaquei no futebol e no beisebol. Mas meu pai nunca me perdoou por parar de lutar, e eu não poderia provar a ele como eu era homem, não importa o quão bem eu jogasse no campo. E ele nunca me deixou esquecer disso.

Ele era verbalmente implacável. Em um jogo de beisebol, após receber a ordem de sair do jogo, lembrei-me de ter abaixado a cabeça quando voltava para o banco de reservas. "Levante a cabeça!", ele chamou minha atenção para que todos ouvissem. Eu me senti humilhado. No carro, voltando para casa, ele me humilhou tanto que eu vomitei no meu boné. Uma vez, depois de me deixar em casa e voltar para sua própria casa do outro lado da cidade (ele estava divorciado da minha mãe na época), ele me escreveu uma longa carta detalhando cada erro que eu tinha cometido naquele dia e a postou no correio.

Quer saber? Nunca cheguei à altura de um homem, pelo menos não na mente *dele*. Anos mais tarde, após me casar com Brenda, meu pai achava que tinha muito controle em nosso casamento e um dia me disse: "Homens de verdade são os que põem ordem na casa".

O monstro

Depois disso, enquanto Brenda e eu discutíamos meu relacionamento com meu pai, ela sugeriu que eu poderia precisar de aconselhamento e disse: "Não vai doer nada".

Então, li alguns livros e me aconselhei com meu pastor, e meus sentimentos em relação ao meu pai melhoraram muito. Mas eu continuava a sentir aquela distância de Deus durante os cultos de adoração das manhãs de domingo, o que mostrava que o palpite de Brenda estava incorreto. Meu relacionamento pobre com meu pai não era o principal culpado, afinal.

A razão verdadeira para aquele distanciamento lentamente se tornou evidente para mim: havia um indício de imoralidade sexual em minha vida. Havia um monstro espreitando, e ele aparecia todo domingo de manhã, quando me jogava em minha poltrona confortável e abria o jornal. Rapidamente encontrava os encartes de lojas de departamentos e começava a olhar as páginas coloridas, cheias de modelos posando somente de calcinha e sutiã. Sempre estavam sorrindo. Sempre disponíveis. Eu adorava admirar aquelas páginas de publicidade. Eu mesmo me justificava: *Sei que está errado, mas é algo tão pequeno. Está muito longe de ser uma revista erótica, certo? E eu já desisti disso, não foi?*

Então, eu me divertia com o jornal de domingo, procurando as calcinhas nas propagandas e criando fantasias na mente. Eu acabava me masturbando ali mesmo no sofá. De vez em quando, uma modelo me fazia recordar de uma garota que conhecia, e minha mente reacendia as memórias do nosso tempo juntos.

À medida que me examinava mais profundamente, descobri que tinha mais do que um indício de imoralidade sexual. Até mesmo meu senso de humor refletia isso. Às vezes, a frase inocente de uma pessoa — até mesmo do pastor — me fazia pensar em um sentido duplo e sexual. Queria rir, mas me sentia desconfortável.

Por que esses duplos sentidos vinham à minha mente tão facilmente? Pode uma mente cristã criá-los de uma forma tão ágil? Lembrei-me de que a Bíblia dizia que tais coisas não deveriam nem mesmo ser mencionadas entre os santos. Eu fazia algo até pior, pensava... eu ria delas!

E meus olhos? Eles eram como radares de visão térmica analisando o horizonte, fixando-se em qualquer alvo que apresentasse um calor sensual: jovens mães inclinando-se para tirar as crianças dos carros, cantoras na igreja usando camisas de seda, universitárias com vestidos decotados.

Minha mente também era livre para pensar o que quisesse. Isso tudo havia começado em minha infância, quando encontrei algumas revistas eróticas debaixo da cama do meu pai. Ele também assinava uma publicação que era cheia de piadas e tiras cômicas com temas sexuais. Quando meu pai se divorciou de minha mãe e se mudou para o seu "cantinho de solteiro", ele pendurou em sua sala de estar uma mulher de veludo gigante e nua, que ficava sempre nos observando enquanto jogávamos cartas em minhas visitas nos domingos à tarde.

Meu pai me dava uma lista de tarefas domésticas para fazer em sua casa enquanto eu estava lá. Uma vez eu achei uma foto de sua amante nua. Em outra ocasião, eu descobri um vibrador de 20 centímetros que, obviamente, ele utilizava em suas excêntricas "brincadeiras sexuais" com sua nova parceira.

Esperança para o desesperançado

Toda essa coisa sexual se agitava violentamente dentro de mim, destruindo uma pureza que demoraria anos para voltar. Quando entrei na Universidade Stanford, logo me encontrei afogado em pornografia. Na verdade, memorizava as datas em que minhas revistas pornográficas chegavam às bancas, então, naqueles dias pré-internet, eu podia colocar as mãos nas novas fotos o mais rápido possível a cada mês. Gostava principalmente da seção "As garotas da vizinhança" de uma revista, onde apareciam fotos de garotas nuas tiradas por seus namorados e enviadas à revista.

Longe de casa e sem nenhum fundamento cristão, eu fui descendo passo a passo em direção ao abismo sexual. A primeira vez que tive uma relação sexual foi com uma garota com quem *sabia* que me casaria. A vez seguinte foi com uma garota com a qual eu *pensava* que me casaria. Depois daquela vez, foi com uma amiga a quem eu *poderia* aprender a amar. Depois foi com uma mulher que eu nem conhecia — ela só queria ver como era fazer sexo antes de se formar em Stanford. No final, eu fazia sexo com qualquer uma a qualquer hora.

Depois de vários anos na Califórnia, de repente eu tinha quatro namoradas "fixas" ao mesmo tempo. Eu dormia com três delas e estava noivo de duas. Nenhuma delas sabia das outras.

Por que estou compartilhando tudo isso?

Primeiro, para que você saiba que eu entendo o que é estar sexualmente preso em um abismo profundo. Segundo, quero dar-lhe esperança. Como logo verá, Deus trabalhou em mim e me tirou desse abismo.

Se houver algum indício de imoralidade sexual em sua vida, Deus agirá em você também.

2

O preço a pagar

• • • • • • • • •

Fred: Saiba a quem recorrer

Apesar do chiqueiro sexual cada vez mais sujo e malcheiroso que em que vivia nos meus dias de solteiro, quando morava na Área da Baía, não percebia nada de errado em minha vida. Eu estava na faculdade, pelo amor de Deus! Eu só estava fazendo o que os caras da faculdade fazem, certo? *Não havia nada de errado com isso.*

Ah, é claro que eu ia esporadicamente à igreja, e de vez em quando as palavras do pastor penetravam em meu coração, mostrando um pouco da sujeira e despertando culpa em mim. Mas quem ele era? Além disso, eu amava minhas namoradas. *Ninguém está se machucando*, eu justificava.

Mas Deus tinha uma linha de raciocínio diferente, e ele pretendia ser ouvido sobre esse assunto. Meu pai finalmente tinha casado de novo, mas quando entrou no caminho do casamento, ele não tinha apenas convidado uma nova esposa para morar em seu coração. Ele também tinha pedido a Jesus Cristo para entrar nele. Assim, sempre que eu visitava a minha casa em Iowa durante as férias da faculdade, meu pai e a minha madrasta atravessavam o rio Mississippi e me arrastavam para uma igreja em Moline, Illinois.

O evangelho era pregado claramente lá, mas para mim toda aquela cena era ridícula. Eu ficava rindo cinicamente. *Aquelas pessoas eram loucas!*

Externamente, este jovem e orgulhoso intelectual parecia à prova de bala para a verdade. Mas por baixo de tudo isso havia um segredo bem guardado: uma extrema e esmagadora solidão devorava minha alma.

Solitário? Mas, Fred, você não tinha quatro namoradas?

Eu sei. Eu estava confuso também. Eu sempre ouvia que a melhor maneira de conhecer uma garota era dormir com ela, mas quanto mais namoradas eu acrescentava à minha vida e ao meu quarto, mais desesperado e desligado eu me tornava.

Eu estava mal informado. A verdade é que fazer sexo precocemente é a maneira mais rápida de destruir um relacionamento em fase de florescimento. Então agora, como um hamster em sua roda, eu corria e girava para lugar nenhum. O desespero tomou conta de minha própria alma. Eu estava exatamente onde Deus queria que eu estivesse.

Depois de me formar com honra em Sociologia na Universidade Stanford, decidi arrumar um emprego na área de São Francisco como consultor de investimentos. Certa vez, fiquei até mais tarde no escritório para fazer alguns telefonemas. Quando terminei e tirei os olhos do telefone, vi que todos os outros funcionários tinham ido embora, deixando-me sozinho com alguns pensamentos perturbadores. Olhei pela janela e fiquei impressionado com a adorável explosão de cores que se arqueavam no céu que começava a escurecer. Imediatamente, girei minha cadeira e apoiei os pés sobre a mesa para apreciar um típico e maravilhoso pôr do sol californiano.

Ainda não sei como Deus fez isso naquela ocasião, mas de repente as cores sumiram da minha atenção. Enquanto o sol se colocava além do horizonte, percebi repentinamente, de forma muito esclarecedora, o tipo de homem em que eu havia me tornado, especialmente em relação às mulheres. Antes eu estava cego, mas agora conseguia enxergar, e o que eu via era desesperadamente horrível. Naquele instante, vi minha profunda necessidade de um Salvador. Por causa da igreja em Moline, eu sabia a quem recorrer.

Minha oração naquela hora crepuscular foi simples: "Senhor, estou pronto para trabalhar contigo se o Senhor estiver pronto para trabalhar comigo". Levantei-me e saí do escritório, sem entender totalmente o que eu havia acabado de fazer. Mas Deus sabia, e foi como se o céu inteiro tivesse entrado em minha vida. Em duas semanas, arrumei um emprego e voltei para Iowa, onde uma nova vida me esperava. E sem namoradas!

Sensação boa

Uma vez estabelecido em Des Moines, comecei a frequentar um curso sobre casamento ministrado por Joel Budd, o pastor assistente de minha nova igreja. Você pode estar pensando por que um cara solteiro e sem namorada ia querer participar de um curso sobre casamento. A resposta era simples para mim: eu sabia muito bem que, se havia algo que Deus precisava me ensinar, era como tratar as mulheres corretamente. Então, quando visitei aquela igreja pela primeira vez e vi a lista de classes de escola dominical, eu sabia que a classe sobre casamento era para mim. Tudo o que eu sabia sobre as mulheres vinha das aventuras de uma noite e dos relacionamentos amorosos casuais inundados com meu próprio egoísmo e pecado sexual. Eu estava decidido a mudar isso, então pensava que a classe sobre casamento seria o lugar perfeito para aprender como homens e mulheres deveriam se relacionar.

Eu não namorei durante aquele ano em que estive sob os ensinamentos de Joel, esperando que isso também ajudasse a redefinir minha abordagem quanto às mulheres. Acho que devo ter sido o único homem da história a frequentar um curso para casais durante um ano inteiro sem nem mesmo ter namorado, no mínimo, um dia! Mas antes de terminar o período de doze meses, fiz uma oração muito simples: "Senhor, tenho frequentado essas aulas durante um ano e tenho aprendido muito sobre as características das mulheres piedosas, mas não sei ao certo se já vi essas coisas na vida real. Nunca conheci nenhuma garota cristã. Por favor, mostre-me uma mulher que reúna essas características divinas".

Eu não estava pedindo um encontro, uma namorada ou uma esposa. Eu queria apenas ver esses ensinamentos na prática, na vida real, pois assim eu os compreenderia melhor.

Deus fez muito mais do que isso: uma semana depois, ele me apresentou aquela que viria a ser minha esposa, Brenda. Ela era simplesmente fascinante para mim. Eu conseguia ver nela todas as características gloriosas sobre as quais eu estava aprendendo durante esses nove meses, e quanto mais eu conhecia Brenda, mais desesperadamente eu desejava ser digno dela e viver de acordo com os padrões de Deus como um homem. Não demorou muito até nos apaixonarmos e querermos casar.

Com base em nosso compromisso com Cristo, Brenda e eu decidimos nos manter puros antes do casamento. Ela era virgem e eu queria muito ser. Mas trocamos um beijo e... uau! Nosso deslizar de lábios foi maravilhoso! Foi minha primeira experiência de algo que chamarei de paradoxo da obediência: a recompensa física gratificante que vem da obediência às leis de Deus a respeito do sexo.

Como explicação, considere este pensamento: Em uma canção de Eric Carmen que se tornou popular durante meu último ano da faculdade, o cantor lamentava-se sobre a dificuldade em se lembrar de como era a sensação de um beijo especial. A letra da música me parecia muito triste porque, naquele momento da minha vida, um beijo não tinha muito significado. Mas agora, com Brenda, tendo deixado de lado as coisas físicas para obedecer aos padrões de Deus, um simples beijo havia se tornado emocionante de novo. Para um ex-viciado em sexo como eu, isso era uma surpresa inesperada e agradável. Eu estava aprendendo como os caminhos de Deus eram bons para mim.

Durante o trabalho contínuo de Deus em minha vida, Brenda e eu nos casamos, passamos a lua de mel no Colorado, depois mudamos para um novo apartamento. Devia ser o céu. Eu certamente pensei que era.

Eu me dediquei a minha carreira de vendas e a minhas funções de liderança na igreja. Depois, tornei-me pai. Eu apreciava muito tudo isso, e minha imagem como cristão brilhava cada vez mais forte. Para os padrões mundanos, eu estava ótimo. Havia apenas um pequeno problema: para o padrão de pureza sexual de Deus, eu ainda não estava perto de viver a visão dele para o casamento.

Houve um tempo em que eu havia sido noivo de duas mulheres ao mesmo tempo, e agora eu estava casado e feliz com apenas uma mulher. Se no passado, eu estava afogado na pornografia, desde antes do dia do meu casamento eu não tinha mais comprado nenhuma revista pornográfica. Considerando toda minha trajetória passada, isso era notável. Mas essas mudanças me tornaram sexualmente puro? Provavelmente não! Como filho de Deus, eu não deveria ter nenhum indício de imoralidade sexual na minha vida. Embora eu claramente tinha dado passos em direção à pureza, ainda estava aprendendo que os padrões de Deus eram mais altos do que eu já havia imaginado e que meu Pai tinha expectativas ainda maiores para mim do que eu havia sonhado.

Abaixo do padrão

Logo ficou muito claro que eu estava muito abaixo do padrão de santidade. Eu ainda precisava lidar com os encartes de propaganda, as insinuações e os olhos sempre atentos em busca de algo, bem como os filmes e a masturbação enquanto viajava. Minha mente continuava sonhando acordada e fantasiando com as antigas namoradas, demorando-se nos rostos bonitos e nos corpos das mulheres no trabalho. Isso era muito mais do que um indício de imoralidade sexual. Eu estava pagando o alto preço por essas fantasias, e as contas estavam se acumulando. Minha intimidade com Deus estava sumindo.

As pessoas ao meu redor discordavam, dizendo: "Oh, deixe disso! Essa não pode ser a razão pela qual você se sente distante de Deus! Essas são apenas coisas pequenas que você está fazendo, que fazem parte de ser homem. Ninguém pode controlar os olhos nem a mente. Deus ama você! Deve ser algum outro problema". Mas eu pensava diferente.

Como mencionei antes, eu já tinha achado difícil me conectar com o Senhor em adoração, mas agora eu não conseguia nem mesmo olhar em seus olhos na oração. Afinal, em meio a lágrimas, eu continuava prometendo a ele que eu iria limpar minhas ações, mas continuava quebrando esses votos sempre de novo. Eu não passava de um hipócrita e mentiroso. *Como Deus poderia se dar ao trabalho de ouvir mais uma vez minha oração?* Eu me perguntava. Na época, eu não podia acreditar que ele ouvia.

Minha vida de oração era débil. Uma vez nosso filho Jasen ficou muito doente e teve de ser levado rapidamente ao pronto-socorro. Você acha que eu me apressei a orar? Não, eu só conseguia pedir aos outros que orassem por mim. "Você pediu para nosso pastor orar?", perguntei para Brenda. "Você ligou para Ron? Ligou para Red pedindo que orasse?" Eu não tinha fé em minhas próprias orações por causa do meu pecado.

Na igreja, eu andava bem vestido, mas era vazio por dentro. Chegava à igreja precisando desesperadamente de ministério e perdão e *nunca* chegava pronto para ministrar a outros. Afinal, eu me "preparava" para a ir à igreja exercitando a luxúria e me masturbando com anúncios de *lingerie*. Minhas orações não eram mais eficazes na casa de Deus e em nenhum outro lugar.

Eu era vendedor e ganhava por comissão, então se eu perdesse alguns negócios para a concorrência, nunca sabia se essas derrotas tinham sido ou não causadas pelo meu pecado. Eu não tinha paz.

Eu estava pagando pessoalmente um preço espiritual muito alto pelo meu pecado.

Meu casamento também passava por maus momentos. Brenda tinha vindo de quatro gerações de pessoas apaixonadas por Deus, e eu pensava que ela me deixaria se descobrisse o que eu andava fazendo em segredo. Por causa do meu pecado, eu não conseguia me dedicar 100% a Brenda, sempre temendo que ela pudesse me abandonar mais tarde, o que me deixaria 100% acabado emocionalmente. Brenda também pagou um preço: eu vivia distante.

Mas isso não era tudo. Às vezes, ao amanhecer, quando cobiçava as mulheres naqueles anúncios de *lingerie*, eu ouvia Brenda vindo do quarto, descendo as escadas para me encontrar na sala. Ela ainda estava ofegante de terror e lágrimas depois de mais um pesadelo assustador em que ela estava sendo perseguida por Satanás. "Fred, onde você estava?", ela lamentava. "Eu corria por corredores longos e escuros, enquanto Satanás me perseguia e chegava cada vez mais perto! Eu abria todas as portas, procurando você para me defender. Onde você estava?". Então ela caía nos meus braços, chorando histericamente em pânico e pavor.

Como você acha que eu me sentia naqueles momentos? Tente algo como *horrível*! Eu sabia que minha imoralidade estava comprometendo minha proteção espiritual sobre Brenda, permitindo que o inimigo a agarrasse em seus sonhos. (Se você estiver se perguntando, saiba que Brenda nunca teve outro sonho desses depois que eu consegui minha vitória sobre o pecado sexual.)

Durante aqueles dias, meu pastor estava pregando uma série sobre "pecado geracional" — padrões de pecado passados de pai para filho (Êx 34.7). Sentado no banco da igreja, lembrei-me de que meu avô havia abandonado sua esposa durante a Grande Depressão, deixando-a com seis crianças para cuidar. Meu pai deixou a família em busca de vários casos sexuais e um estilo de vida libertino. Esse mesmo padrão havia sido transferido para mim, fato que era comprovado pelo meu mergulho profundo no mesmo lamaçal de pornografia e pela minha busca por várias namoradas ao mesmo tempo.

E agora o meu primogênito angelical, Jasen, não cansava de vir até mim com seu sorriso e seus olhos brilhantes que jorravam alegria: *Papai, quando crescer quero ser assim como você!*

Vendo Jasen, eu gritava em silêncio: *Não, filho! Não queira ser como eu! Eu não consigo me libertar desta prisão sexual. Não siga meu exemplo!* Embora salvo, eu havia descoberto que o problema da pureza não estava bem resolvido em minha vida, e eu ficava assustado com a ideia de transmitir esse padrão para meus filhos.

Talvez ninguém mais tenha visto, mas eu não podia mais negar a conexão entre minha imoralidade sexual e minha distância de Deus. Como eu já tinha cortado a pornografia e não tinha desejo de intimidade com ninguém além da minha esposa, eu aparentava pureza diante dos outros. Mas para Deus, eu simplesmente estava aquém de seus padrões, descansando em algum lugar entre o paganismo e a obediência aos padrões de Deus.

Desespero

Deus desejava mais para mim. Ele havia me libertado através da salvação, e mesmo sendo eternamente grato por isso, eu percebia que nunca tinha realmente tomado aquele bom e longo banho que eu precisava para ficar totalmente limpo. Em resumo, eu tinha parado de ir na direção dele, e minha santificação tinha estagnado.

Esperava que a jornada da pureza fosse mais fácil que isso. Pensava que conseguiria me livrar facilmente de todo o lixo sexual em minha vida. Mas não conseguia. Toda semana eu dizia que não olharia para aqueles encartes publicitários, mas todo domingo pela manhã acabava seduzido por aquelas belas fotos. Toda semana eu prometia que não assistiria a filmes eróticos quando viajasse a negócios, mas toda semana eu falhava; lutava contra a tentação, mas sempre perdia. Toda vez que eu olhava para alguma corredora que chamava atenção, prometia nunca mais fazer aquilo de novo. Mas eu sempre fazia.

Eu simplesmente estava trocando a pornografia de revistas eróticas pela pornografia dos encartes publicitários e dos anúncios de revistas. Eu não pensava em ter casos extraconjugais físicos, mas *mentalmente* eu tinha casos e fantasias — prazeres com os olhos e o coração.

Em suma, abandonei a pornografia, mas o pecado não me abandonou. Eu nunca tinha realmente escapado da escravidão sexual. Eu nunca tinha realmente abandonado meu banquete visual sobre as mulheres. Eu apenas tinha mudado o local onde buscar a refeição.

Alguns meses se passaram, depois alguns anos. Minha distância de Deus crescia cada vez mais, as contas amontoavam-se e a impureza ainda governava minha vida. Minha fé era destroçada aos poucos com cada falha. Cada perda irremediável me causava mais desespero. Mesmo sempre dizendo "Chega!", não colocava isso em prática.

Algo me agarrava com força, algo implacável, algo mau.

Ainda assim, contrariando as expectativas, acabei encontrando liberdade total, assim como Steve Arterburn. Desde aquele momento, tanto Steve como eu tivemos a oportunidade de conversar com muitos homens que se viam como escravos de seus próprios desejos sensuais, lutando desesperadamente para ser livres. Agora que compartilhamos nossas histórias, vamos compartilhar algumas das histórias desses homens no próximo capítulo, esperando que você se identifique não apenas com lutas, mas também com as vitórias deles sobre o pecado e os caminhos que os levaram à liberdade.

3

Vício? Ou outra coisa?

• • • • • • • • •

Antes de experimentar a vitória sobre o pecado sexual, você se sente ferido e confuso. *Por que não consigo vencer esta batalha?*, você reclama, frustrado. À medida que a luta avança e a pilha de perdas aumenta, você pode começar a duvidar de tudo sobre si mesmo, até mesmo de sua salvação. Na melhor das hipóteses, você acha que está profundamente ferido; na pior, acha que é uma pessoa maligna. Você deve se sentir muito sozinho, visto que um homem fala muito pouco sobre essas coisas.

Mas você não está sozinho. Muitos homens têm caído em seus próprios abismos sexuais, como você está prestes a ver.

Fred: Você está percebendo?

Estas armadilhas surgem facilmente, visto que a maior parte da imoralidade sexual em nossa sociedade é tão sutil que às vezes nem reconhecemos como ela é de verdade.

Um dia, um amigo chamado Mike estava me contando sobre o filme *Forrest Gump*:

— Cara, foi muito bom! —, ele exclamou. — Tom Hanks estava brilhante, e não é à toa que ele ganhou o Oscar de melhor ator. Eu ri e chorei o filme inteiro. Sei que você e Brenda costumam ver filmes com seus filhos. Vocês deveriam ver este também, achei uma história bonita e inspiradora.

— Bem, eu não posso ver *Forrest Gump* com meus filhos. Na verdade, eu mesmo não posso ver isso, Mike — eu respondi.

— Por quê? — Mike perguntou perplexo. — É um ótimo filme!

— Bem, você se lembra daquela cena do começo, quando a mãe de Forrest faz sexo com o diretor a fim de colocar seu filho na escola "certa"?

— Hum...

— E aquela cena em que aparecem seios nus na festa de Nova York? A cena de nudez da guitarra? E no fim, quando Forrest finalmente "pegou a garota" na cena de sexo e ela concebeu uma criança fora do matrimônio? Claro, no filme, tudo deu certo para o Forrest. Mas normalmente não é assim que a vida acontece nessas situações, então não quero ensinar isso aos meus filhos. Não quero que ouçam gemidos nem vejam nudez num filme.

Mike desabou em uma cadeira:

— Acho que tenho assistido a filmes por tanto tempo que nem percebo mais essas coisas.

E você? Ainda percebe essas coisas ou também perdeu a sensibilidade? Pense nisso. Imagine que você deixe seus filhos na casa dos avós para passarem o fim de semana e decida ver *Forrest Gump* com sua esposa. Você estoura um pouco de pipoca, coloca seu braço ao redor da sua esposa e começa o filme. Depois de muitos risos e lágrimas, ambos chegam à conclusão de que *Forrest Gump* é um ótimo filme.

Mas você teve muito mais do que apenas entretenimento, não teve? Lembra-se dos gemidos e palpitações entre a mãe de Forrest e o diretor? Quando ela apareceu novamente na tela, você logo a mediu de cima a baixo e pensou como seria tê-la sob seus lençóis. Você estava abraçado com sua esposa enquanto pensava nisso. Mais tarde, depois de ter se retirado e ido para cama "praticar" com sua esposa, você substituiu o rosto e corpo de sua esposa pelo da atriz, e se perguntou por que ela não o poderia fazer gemer e palpitar como o diretor.

Deixe disso!, você responde. *Isso acontece a toda hora*. Pode ser, mas ouça estas palavras ditas por Jesus: "Eu, porém, lhes digo que quem olhar para uma mulher com cobiça já cometeu adultério com ela em seu coração" (Mt 5.28).

À luz desse versículo, coisas insignificantes como fazer oposição ao filme *Forrest Gump* podem não passar de uma interferência legalista e de pouca importância. Mas influências sutis como essa, somadas a centenas de outras, com o tempo fornecem mais do que um indício de imoralidade sexual em nossa vida. Logo, o efeito não será mais tão sutil e divertido.

Outras lutas

Permita-nos compartilhar outras histórias com você.

Thad está se recuperando da dependência de drogas em um ministério cristão local. Eis o que ele nos disse:

Estou me esforçando para deixar minha vida em ordem. No centro de tratamento, aprendi mais sobre mim mesmo e sobre meu vício. Isso era exatamente o que eu esperava, pois era essa a razão pela qual eu estava lá. Mas fiz outra descoberta inesperada: eu tinha um problema com a luxúria e a impureza.

Eu quero ser livre, mas estou ficando cada vez mais frustrado e enfurecido com a igreja. A Bíblia diz que as mulheres devem se vestir de forma modesta, mas elas não agem assim. Algumas mulheres do grupo de louvor usam as saias mais justas e mais curtas da moda. Eu olho para elas adorando a Deus, mas tudo o que vejo são curvas e pernas. Fico frustrado porque o modo como as mulheres se vestem pode tornar a pureza mais difícil para mim, mesmo que eu esteja na igreja, que é onde eu deveria estar.

Howard, um professor de escola dominical, descreveu um caso impressionante que aconteceu na sua época de ginásio:

Eu estava indo para minha casa a pé com um colega chamado Billy. Eu nem gostava muito de Billy, mas sentia pena dele. Ele não tinha muitos amigos, mas estava se esforçando para conseguir alguns. Em nosso caminho até a lanchonete para comprar uma bebida, ele falou sobre uma coisa chamada masturbação. Eu nunca havia escutado aquela palavra, e ele então me explicou o que era. Ele disse que todos os garotos estavam experimentando.

Não consegui tirar da minha mente o que ele tinha me dito, então naquela noite eu experimentei fazer aquilo. Daquele momento em diante, durante 15 anos, não passei mais de uma semana sem me masturbar!

Sempre pensei que o casamento acabaria com esse desejo, mas não melhorou em nada e isso me envergonha demais. Nem tanto pelo ato em si, mas pelos pensamentos que tinha e pelos filmes a que assistia enquanto praticava aquilo. Eu sei que isso é uma forma de adultério.

Outro homem, chamado Joe, nos disse que ele ama vôlei de praia feminino. Ele confessou:

À noite, tenho sonhos vívidos e impactantes com essas mulheres. Alguns sonhos são tão divertidos e reais que acordo na manhã seguinte certo de que eu estive na cama com elas. É tão real que me sinto culpado, perguntando onde está minha esposa — tenho certeza de que ela me deixou por causa desses casos — e como eu poderia ter feito tal coisa. Finalmente, quando todo este enredo vai sumindo, lentamente percebo que aquilo era apenas um sonho. Mesmo assim me sinto desconfortável. Você quer saber o porquê? Porque embora saiba que isso foi só um sonho, não tenho tanta certeza de que não tenha sido uma forma de adultério.

Wally, um empresário que viaja com frequência, contou-nos que tinha pavor de hotéis:

> Eu sempre tenho um jantar longo e demorado. Passo muito tempo antes de voltar para meu quarto, porque eu sei o que está por vir. Depois de muito tempo, eu pego o controle remoto da TV nas mãos. Digo a mim mesmo que vai ser apenas por um minuto, mas sei que estou mentindo. Na verdade, sei o que quero. Estou sempre na expectativa de conseguir uma cena de sexo enquanto passeio pelos canais. Digo a mim mesmo que vou assistir apenas por um instante ou que vou parar antes de me empolgar demais. Então meu motor começa a funcionar e fico ávido por mais, e às vezes acabo até mesmo assistindo aos canais pornográficos.
>
> As rotações começam a ser tão altas que tenho de fazer algo, caso contrário meu motor explodirá. Então eu me masturbo. Em algumas poucas vezes eu luto contra isso, mas se eu o fizer, mais tarde, quando eu apagar as luzes, fico inundado de pensamentos e desejos sensuais. Fico olhando para o teto, não vejo nada, mas sinto literalmente um bombardeio, um desejo palpitante. Não consigo dormir, e isso começa a me matar aos poucos. Então, digo: "Se eu me masturbar, terei paz, e posso finalmente pegar no sono". Faço isso e adivinhe o que acontece? A culpa é tão forte que ainda não consigo dormir. Eu acordo totalmente exausto pela manhã.
>
> O que há de errado comigo? Outros homens também têm esse problema? Tenho medo de perguntar. E se isso não acontecer com mais ninguém? O que isso demonstra sobre mim? E o pior, e se isso acontece com os outros também? O que isso demonstra sobre os homens da minha igreja?

John se levanta de manhã para assistir àqueles vídeos de exercícios no YouTube, embora não esteja muito preocupado em manter a forma.

> A verdade é que eu me sinto completamente *compelido* a ver esses vídeos, a fim de pegar aqueles *closes* de bumbuns, de peitos e especialmente do interior das coxas, e eu cobiço aqueles corpos cada vez mais. Às vezes fico pensando se os produtores fazem esses *closes* apenas para atrair os homens e fazê-los assistir aos programas. Todos os dias eu digo a mim mesmo que vai ser a última vez. Mas na manhã seguinte estou lá, em frente ao computador novamente.

Esses homens não são pessoas estranhas, eles são seus vizinhos, seus colegas de trabalho, até mesmo seus parentes. Cada um deles poderia ser você mesmo. São líderes de pequenos grupos, zeladores, diáconos. Até mesmo os pastores não estão imunes. Em meio a lágrimas, um jovem pastor nos detalhou seu ministério e seu desejo de servir a Deus, expressando de forma profunda e tocante sua devoção para o chamado. Mas suas lágrimas se transformaram em soluços violentos quando falou sobre sua dependência da pornografia. Seu espírito estava pronto, mas a carne era fraca.

Andando em círculos

E você? Talvez seja verdade que quando você e uma mulher chegam a uma porta simultaneamente, você a espera entrar primeiro, mas não por educação. Você deseja segui-la escada acima para ficar admirando. Talvez você entre com seu carro em um estacionamento de uma academia local, entre um compromisso e outro, só para observar mulheres em trajes minúsculos pulando e andando de um lado para o outro, enquanto você cobiça e cria fantasias — até mesmo se masturbando — no carro. Talvez não consiga ficar longe da região onde as prostitutas fazem seus negócios. Não que você vá contratar uma. Ou talvez não queira dar uma olhada em *sites* pornográficos em seu celular, mas quando está sentado sozinho em seu cubículo, não consegue resistir.

Você ainda está dando aulas na escola dominical para as crianças, ainda toca violão para o grupo de louvor, ainda frequenta o grupo de homens, ainda sustenta sua família. Você tem sido fiel à sua esposa... bem, pelo menos não tem nenhuma relação física real. Você está progredindo, vivendo em uma boa casa, tem um bom carro, boas roupas e um grande futuro. Você pensa: *as pessoas olham para mim como um exemplo, então estou bem.*

Mas, lá no íntimo, sua consciência torna-se frágil até o ponto em que você não consegue mais dizer o que está certo e o que está errado, assistindo aos últimos lançamentos de Hollywood sem nem mesmo perceber a sexualidade presente ali. Você está sufocado na prisão sexual que criou, imaginando para onde as promessas de Deus se foram. Você anda em círculos, repetindo os mesmos pecados, ano após ano.

E, importunando você, está a adoração. Os momentos de oração. A distância, sempre a distância de Deus. Enquanto isso, seu pecado sexual permanece tão regular que você pode acertar seu relógio com base nele.

Rick, por exemplo, caminha pelo corredor na hora do intervalo para olhar pelas portas de vidro de outro escritório, onde uma assistente jovem e sensual atende as ligações e direciona os clientes. "Todos os dias, às 9h30, eu aceno para ela e ela sorri para mim", diz ele desejoso. "Ela é linda e suas roupas...

vamos dizer que elas realmente acentuam suas melhores características. Não sei o nome dela, mas fico deprimido quando ela não está no escritório."

De forma semelhante, Sid se apressa para chegar em casa às 4 da tarde todo dia, na época do verão. Este é o horário em que sua vizinha toma sol no quintal, bem abaixo de sua janela. "Às 4, ela deita com seu biquíni e nem imagina que consigo vê-la. Eu fico pasmo com o contentamento do meu coração. Ela é tão *sexy* que não consigo resistir, eu me masturbo todo dia que a vejo."

E o que aconteceu hoje, vinte anos depois de *A batalha de todo homem* ter sido lançado? Lembre-se do que escrevemos na introdução: "Os pornógrafos se tornaram ainda mais vis e depravados nos últimos vinte anos [o que significa que a coisa que produzem] é muito mais viciante e distorcida, infligindo uma deterioração dramática na habilidade masculina de ter um desempenho sexual adequado no quarto".

Por causa dessas mudanças, as histórias que ouvimos hoje em dia são ainda mais terríveis do que aquelas que mencionamos anteriormente. Jacob, um cristão de vinte e poucos anos, me disse que depois de assistir a vídeos pornôs por alguns anos, ele conheceu uma mulher bonita no trabalho. "Ela era muito provocante. Eu sabia que ela estava aberta a qualquer coisa, então eu a levei para fora da cidade e passamos um fim de semana de três dias em um belo resort. O quarto tinha uma banheira de hidromassagem na varanda e uma cama redonda gigante. Eu fiz com ela tudo o que eu já tinha visto nos vídeos pornôs, e ela fez o mesmo comigo. Ela disse que eu era muito bom. Mas, quer saber? Quando o fim de semana prolongado acabou, então realmente me dei conta de que não tinha sentido nada."

Jacob procurou encontrar a intensidade que sentia ao ver seus vídeos eróticos, mas já não era capaz de conseguir a mesma paixão com uma mulher de verdade, mesmo num quarto de hotel majestoso, porque ela não conseguia levá-lo aonde as suas mãos e fantasias o tinham levado com a pornografia. Em suma, a pornografia e a masturbação tinham-se infiltrado e tomado conta de seu imaginário sexual, acabando por fritar suas inclinações naturais como se fosse uma batata frita. Vemos isso acontecer com os homens em um ritmo acelerado.

Claro, a pornografia sempre foi capaz de empurrar alguém para padrões de pensamento bizarros e irresponsáveis quanto ao sexo com mulheres reais. Mas isso agora parece pouco quando comparado com os efeitos intensificados dos temas pornográficos de hoje, que deformam e levam seus horizontes sexuais até poder desfrutar de pornografia em todos os tipos de configurações diferentes: às vezes envolvendo dois homens, às vezes uma mulher com um animal, talvez uma mulher com vários homens, ou mesmo uma garota frenética e resistente sendo violentamente subjugada e estuprada diante de seus olhos. É possível encontrar todo tipo de coisa que você poderia imaginar nesses vídeos — e ainda mais do que você nunca teria imaginado. Na verdade, tornou-se irrefutavelmente claro que a internet não apenas pode *revelar* seus gostos sexuais, mas também *criá-los*, até inconscientemente, à medida que você navega de *site* para *site*. Se alguma coisa não chama sua atenção, você simplesmente parte para o próximo nível, que é muitas vezes mais intenso e, geralmente, mais violento.

Em pouco tempo, você é apenas mais uma estatística em uma nova epidemia que aflige homens entre vinte e trinta e poucos anos, chamada de "disfunção erétil induzida por pornografia" (DEIP). Não, você não tem baixa testosterona, e não, você não quebrou seu pênis por usá-lo por horas quando estava *on-line*. O seu pênis ainda funciona bem, desde que esteja diante de um computador.

O que você realmente "quebrou" foi outro órgão sexual, seu cérebro, que é amplamente considerado o maior órgão sexual no corpo de um homem. Para ser perfeitamente preciso, é claro, você não o quebrou, mas o reprogramou. O uso extensivo da pornografia induz uma mudança neuroplástica a longo prazo no cérebro que literalmente altera o modo como o prazer sexual é encaminhado e processado lá. É por isso que você luta para obter uma ereção com sua esposa, mesmo que ela tenha o que é preciso e seja para sempre o amor de sua vida. É por isso que você luta para manter uma ereção, mesmo quando tenta fazer com que ela atue como uma estrela pornô para você.

Temos a intenção de desmistificar todo este tópico para você. No momento em que você virar a última página deste livro, saberá exatamente como o cérebro é reprogramado por seu pecado, e você saberá exatamente como reverter os efeitos. Casado ou solteiro, você pode aplicar esses princípios e voltar ao caminho da pureza.

Vamos começar por abordar a questão mais básica neste campo de batalha.

A grande questão

Esses homens são viciados em sexo? Os desejos e compulsões sexuais são, com certeza, uma forte evidência. Ainda assim, vamos dar uma olhada rápida e histórica no estudo do vício sexual em homens para ter uma melhor ideia do que o vício significa para nossos propósitos neste livro.

Quando publicamos *A batalha de todo homem*, em 1999, a compulsão sexual era uma área relativamente nova da ciência biológica humana. Na verdade, o primeiro livro sobre o tema só foi lançado em 1983, *Out of the Shadows*, de Patrick Carnes. Quando terminei de escrever e editar meu próprio manuscrito, peguei uma cópia desse livro por sugestão da minha editora.

Naquela época, pesquisadores e conselheiros estavam simplesmente tentando reunir a gama de comportamentos envolvidos, e Carnes elaborou uma escala de níveis comportamentais para ajudar a chegar a uma definição clínica de vício sexual.

Na verdade, Steve e eu usamos essa mesma definição clínica como um ponto de partida na versão original de *A batalha de todo homem* e vamos usá-lo novamente agora para marcar o lugar onde a maioria dos homens está quando se trata de seus desejos sexuais irresistíveis.

Fred: Um raio

Posso me lembrar claramente das minhas lutas internas entre as consequências e o prazer do meu pecado. Sim, odiei o meu pecado e amaldiçoei-o no meu íntimo, como a maioria dos cristãos. Ainda assim, parecia que não importava o quão dolorosamente esse pecado partisse meu coração e alma, seu prazer nunca poderia ser superado, então eu não conseguiria — ou não queria — parar. Meus desejos sexuais me dominaram completamente. É o mesmo com os homens cujas histórias acabei de compartilhar. Talvez você também esteja dominado.

Mas eu podia ser considerado um "viciado"? Muitos homens se perguntam isso.

A resposta é meio complicada. Deixe-me explicar. Quando li a descrição de Carnes sobre o ciclo do vício com quatro etapas — preocupação, ritualização, comportamento sexual compulsivo e, por último, desespero — eu sabia que estava vivendo dentro daqueles padrões.[1] Eu estava certo de que aquilo que eu e esses outros homens havíamos experimentado era um vício.

Mas um raio me atingiu quando o mesmo autor passou a apresentar uma definição clínica de vício sexual usando seus três níveis de comportamento viciante[2] (lembre-se de que isto não foi retirado de um livro cristão):

Nível 1: "Comportamentos que são considerados normais, aceitáveis ou toleráveis. Exemplos incluem masturbação, pornografia e prostituição."

Nível 2: "Comportamentos que claramente causam vítimas e pelos quais sanções legais são impostas. Estes casos são vistos geralmente como ofensas incômodas, tais como exibicionismo ou voyeurismo."

Nível 3: "Comportamentos que têm graves consequências para as vítimas e consequências legais para os viciados, como incesto, abuso de crianças ou estupro."

Você leu esta lista com cuidado? Eu li e percebi que os exemplos do nível 1 não incluem apenas masturbação, o que a maioria dos homens pratica às vezes (para mim, a masturbação parecia fora de lugar aqui no nível 1, a menos que você esteja falando de masturbação compulsiva, feita muitas vezes ao dia), mas incluem também homossexualidade e prostituição.

Ocorreu-me que a maioria dos homens que luta contra maus hábitos sexuais nunca atinge realmente esse primeiro nível de vício. Definir o vício sexual dessa forma pode fazer todo o sentido do ponto de vista clínico na área do aconselhamento, mas minha própria experiência no campo de batalha me convenceu de que esses níveis não se aplicavam aos homens que eu conhecia na igreja. Claro, a pornografia e a masturbação pareciam corriqueiras entre meus irmãos cristãos, mas não a um grau compulsivo. E a homossexualidade? Prostituição? Em alguns casos, sim, mas não com a grande maioria.

A julgar pela definição clínica de vício sexual de Carnes, talvez eu não fosse um viciado. Claramente, você pode viver a preocupação, a ritualização, o comportamento sexual compulsivo e o desespero do ciclo do vício como eu tinha feito, sem nunca subir para um desses três níveis de comportamento viciante.

Mas se eu não era um viciado e os outros caras que mencionei neste capítulo não eram viciados, o que então nós *éramos*?

Steve: Vício parcial

Para ajudar a responder essa pergunta, vamos pensar sobre aqueles "três níveis de vício", conforme descritos acima. Da nossa perspectiva cristã, vamos inserir mais um nível naquela escala. Se colocarmos a categoria de ser puros e santos como o nível zero, a maioria dos homens cristãos que conhecemos ficaria em algum lugar entre o nível 0 e o nível 1.

Se você é um dos muitos homens nessa área, provavelmente não é útil rotulá-lo de "viciado" no sentido clínico ou sugerir que, para chegar à vitória, serão necessários anos de terapia, porque não é o caso. Em vez disso, a vitória pode ser medida em semanas e meses, como descreveremos mais tarde.

Nem todos os comportamentos "compulsivos" estão enraizados em algum labirinto sombrio, escuro e profundo de intensa dor emocional e abuso passado, como geralmente acontece com homens nos níveis 1, 2 e 3. Porém, estão baseados em picos de prazer. Obviamente, por causa da forma como fomos criados, os homens recebem uma alta química de imagens carregadas sexualmente.

O hormônio epinefrina faz parte dessa química do prazer. Ele é lançado na corrente sanguínea, que mantém na memória qualquer estímulo que estiver presente no momento do excitamento emocional. Na verdade, a epinefrina pode ser liberada usando simplesmente o olho *da mente*. Tenho aconselhado homens que se tornam emocional e sexualmente estimulados apenas com pensamentos de atividade sexual. Um rapaz determinado a buscar seus *sites* pornográficos favoritos está sexualmente estimulado muito antes de tocar em um determinado aplicativo para realizar uma pesquisa. Seu estímulo começa em seu processo de pensamento (o olho da mente), o que provoca seu sistema nervoso, que lança epinefrina na corrente sanguínea, que o leva a pegar seu celular.

Ao longo dos últimos vinte anos, a ciência do cérebro tem detalhado muito da química do cérebro envolvida nesses padrões de vício que nos unem, e esta é uma razão importante pela qual estamos atualizando *A batalha de todo homem*. Vamos compartilhar muito mais sobre isso no capítulo 6. Para agora, o que precisamos entender é que os produtos químicos do prazer estão na raiz do nosso comportamento sexual compulsivo.

Com base na minha experiência de conselheiro, acredito que aqueles homens que vivem nos níveis mais altos têm problemas psicológicos profundos que levarão anos para serem sanados. Mesmo assim, uma vida de integridade sexual poderia começar agora. Mas são poucos os homens que vivem nessa faixa. Acreditamos que a grande maioria dos homens que estão presos ao pecado sexual esteja vivendo entre o nível 0 e o nível 1.

Fred e eu chamamos isso de "vício parcial", já que representa viver em um nível que seja uma fração entre o zero e o um. Quando somos parcialmente viciados com certeza experimentamos fortes e aparentemente irresistíveis atrações compulsivas, mas geralmente não somos compelidos a agir para evitar alguma dor, pelo menos não na mesma intensidade que os homens nesses níveis mais altos de dependência. Em vez disso, somos compelidos pela euforia química e pela satisfação sexual que ela proporciona.

Como descrevi anteriormente, eu vivia nessa área de vício parcial durante a primeira década do meu casamento, bem como na minha adolescência e na época da faculdade. Meu interesse no corpo feminino começou quando eu tinha entre quatro e cinco anos de idade, quando visitei a loja de máquinas do meu avô em Ranger, Texas. Eu gostava muito de andar por aquela antiga loja cheia de tornos e prensas, onde vovô fazia ferramentas para recuperar a tubulação de reservatórios de petróleo. O escritório dele era decorado com pôsteres de mulheres nuas, e eu olhava para essas mulheres peladas e exuberantes com assombro.

Quando cresci, costumava ver as mulheres mais como objetos do que como pessoas que também possuíam sentimentos. A pornografia havia se tornado, para mim, uma incitação ao amor proibido. Muitas mulheres jovens com quem eu namorava no colegial e na faculdade eram sexualmente puras e permaneciam assim enquanto namorávamos, mas eu estava sempre manipulando e sendo calculista na busca do que era proibido.

Mais tarde, experimentei o fruto proibido quando entrei no período de promiscuidade da minha vida. Quando pratiquei o sexo antes do casamento, isso me deu uma sensação de conexão, como se essas jovens me aceitassem plenamente. Elas estavam lá para minha validação como homem e, infelizmente, eu as usei exatamente como meu avô havia usado aquelas fotos na parede de sua loja.

O que eu precisava fazer era treinar meus olhos e minha mente para me comportar, tal como Fred. Eu precisava alinhar meus olhos e minha mente com as Escrituras e evitar qualquer indício de imoralidade sexual. Mas antes de entrarmos em um plano de ação para realinhar nossos olhos e mente, precisamos falar mais sobre as raízes dessa escravidão sexual.

Por que estamos lá?

Embora o conceito de vício parcial tenha sido útil para explicar onde está a maioria de nós, homens cristãos, isso não explica por que estamos lá e em tão grande número. Embora seja notoriamente difícil realizar pesquisas sobre pornografia, por uma série de razões, o Grupo Barna descobriu que até 57% dos pastores e 64% dos pastores de jovens admitem lutar contra a pornografia de vez em quando.[3]

Na superfície, isso não faz sentido. Afinal, como cristãos, todos nós entregamos nossa vida a Deus e nos comprometemos a viver de acordo com seus caminhos. Seu padrão de pureza sexual é parte de seus caminhos. Por que, então, quase todos nós estamos neste estado de vício parcial, quando a maioria de nós não quer estar lá e poucos de nós tomaram a decisão consciente de estar lá em primeiro lugar?

Hmmm. Pare aí por um momento e analise o que foi dito. Nós não queríamos estar lá e não escolhemos estar lá, mas quase todos nós acabamos lá.

Isso diz algo, não é? E só pode significar uma coisa. Deve haver algo *dentro* de nossa constituição como homens que nos torna particularmente suscetíveis ao vício sexual, e deve haver algo *fora* de nós, em nossa cultura, que torna essa ladeira traiçoeira assim tão escorregadia.

Este algo dentro de você é sua constituição como um homem, incluindo a capacidade do olho masculino de levar prazeres químicos sexualmente gratificante para o cérebro quando se fixa em objetos sensuais a seu redor. Este algo lá fora é uma cultura que está focada em certificar-se de que tudo ao seu redor esteja cheio de sensualidade para inundar seus centros de prazer, desde a moça escultural de fio dental na praia, passando pelos filmes picantes dos cinemas, até aquela fogosa colega da faculdade seminua fazendo biquinho para tirar *selfies* e mandar para seu celular.

A questão de saber se você oficialmente se classifica como um viciado é muito menos importante do que entender que esses impulsos são quimicamente carregados e, portanto, parecem impossíveis de resistir. Para que possamos ficar livres, devemos primeiro explorar nossa constituição como homens e por que nossa cultura sensual é tão atraente para nós, apesar do nosso amor por Cristo. Só então seremos capazes de nos defender do vício sexual, por isso vamos estudar nossa constituição masculina juntos na próxima seção.

Uma nota final: Vício ou não vício, os conceitos e princípios aqui apresentados funcionam para ambos. Se você está se perguntando se é pecado ou vício, a resposta é "sim"! Todos pecaram, e todo viciado peca em muitas áreas da vida. Eu nunca conheci um viciado sem pecado. E quanto aos pecadores, eu nunca conheci alguém que não é viciado em seu pecado favorito.

Parte II

Como chegamos aqui

4

Mistura de padrões

• • • • • • • • •

Para a maioria de nós homens, ser seduzido pelo pecado sexual é algo que acontece fácil e naturalmente, assim como escorregar em um chão molhado. Por quê? É assim porque somos alvos fáceis. Afinal, temos dois elementos naturais em nossa composição física como homens que nos prepararam para cair em pecado sexual sem qualquer esforço se não formos ensinados cedo como ficar firmes.

Vamos parar por aí. Pode ser muito fácil vaguear pelos parágrafos iniciais de um novo capítulo sem um foco claro, então vamos um pouco mais devagar para ponderar o que esse último parágrafo realmente quer dizer, e é o seguinte: *pela nossa composição física como homens, estamos inclinados a cair em pecado sexual sem qualquer esforço consciente quando vivemos em uma cultura sensual e cheia de apelos sexuais como esta.*

Você *precisa* perceber isso se espera defender-se de forma eficaz, e você deve entender como esses dois elementos naturais trabalham juntos para torná-lo presa fácil na batalha. Vamos sinalizar esses elementos agora.

Em primeiro lugar, como homens, tendemos mais naturalmente a correr para o *mundo* em busca de valores e princípios em vez de correr para a *Palavra*. Esta tendência está enraizada em nossa estrutura cerebral masculina e instintivamente domina nossas interações com os homens a nosso redor.

Nossa segunda vulnerabilidade natural ao pecado sexual reside no modo como nossos olhos e nosso cérebro processam o prazer sexual. Estes dois aspectos de nossa constituição masculina ajudam a explicar a alta porcentagem de homens cristãos presos pelo pecado sexual, apesar de seu amor por Deus.

Podemos olhar para trás em nossa vida como homens para ver como isso acontece facilmente. A maioria de nós escorrega no pecado sexual durante a adolescência, antes mesmo de saber o que está acontecendo. Como por natureza estamos inclinados a cair, não precisamos tomar uma decisão firme ou consciente de se rebelar contra os padrões de Deus — isso simplesmente acontece, e de maneira muito fácil, como quando entramos no escritório do avô e damos de cara com as mulheres nuas na parede, ou quando esbarramos nas revistas eróticas debaixo da cama do nosso pai, ou ainda quando um amigo descreve algo chamado masturbação e nós inocentemente ficamos curiosos para experimentar. Nesta cultura, há uma infinidade de maneiras de se tropeçar, e isso fica ainda mais fácil com a pornografia na internet e no celular.

Curiosamente, como muitos de nós escorregou em pecado sexual sem mesmo ter feito uma escolha deliberada, ficamos mais perplexos do que preocupados com a situação. Ainda não percebemos exatamente em que nós caímos, nem que temos uma batalha diante de nós. Como não tínhamos compreensão da natureza viciante do pecado sexual, imaginamos que poderíamos fugir disso sem muito esforço, como aquele primeiro passo para a armadilha.

Fred: Confiança equivocada

Assim, a maioria dos homens espera se libertar da tentação sexual de forma tão natural como se envolveu nela — como uma espinha que estoura. Talvez você esperasse que, em cada aniversário, estaria livre da impureza sexual, como eu pensava. Mas isso nunca aconteceu.

Depois, talvez você tenha pensado que o casamento o libertaria naturalmente, sem luta. Mas — como foi o caso para muitos de nós — isso também não aconteceu.

Quando Mark se inscreveu para minhas aulas de assuntos pré-matrimoniais, ele me disse:

— Toda essa questão de impureza tem sido uma bagunça. Fui fisgado há anos e estou contando com meu casamento para me ver livre disso. Poderei fazer sexo sempre que desejar. Satanás não poderá mais me tentar!

Quando nos encontramos alguns anos depois, não foi surpresa ouvir que o casamento não tinha resolvido o problema dele. Ele disse:

— Sabe, Fred, minha esposa não quer fazer sexo tanto quanto eu quero.

É mesmo?

— Não quero parecer um viciado em sexo ou coisa parecida, mas provavelmente tenho muitos desejos não correspondidos agora, assim como os tinha antes de me casar. E além de tudo isso, algumas áreas da exploração sexual parecem embaraçosas e indecentes para ela. Às vezes, ela até as considera "depravadas". Acho que ela é puritana demais, mas o que posso dizer?

Em minha experiência, não há muito o que dizer!

Casamento: Sem nirvana sexual

O fato de o casamento não eliminar a impureza sexual não é nenhuma surpresa para os homens casados, embora o seja para adolescentes e jovens solteiros. Bowen, um jovem pastor em Minnesota, disse que quando desafia homens jovens a se manterem sexualmente puros, a resposta deles é: "É muito fácil para você, pastor, dizer isso. Você é casado! Pode fazer sexo a qualquer hora!". Os jovens solteiros acreditam que o casamento cria um estado de nirvana sexual. Antes fosse.

Mas por que não é assim?

A resposta é muito fácil em retrospectiva. Em primeiro lugar, o sexo possui significados diferentes para homens e mulheres. Os homens primariamente recebem intimidade apenas antes e durante o ato sexual. As mulheres conquistam a intimidade através do toque, do compartilhamento, do abraço e da comunicação. É mesmo surpreendente que a frequência do sexo seja menos importante para as mulheres do que para os homens, como Mark infelizmente descobriu? Por causa das diferenças entre homens e mulheres, desenvolver uma vida sexual satisfatória no casamento é mais difícil do que dar uma enterrada em um jogo de basquete. Está mais para fazer um arremesso do meio da quadra.

Segundo, a vida nos apresenta curvas muito sinuosas. Lance se casou com a pessoa que amava, mas descobriu que sua esposa tinha uma deficiência estrutural que fazia da relação sexual algo muito doloroso. Por causa disso, ela passou por uma cirurgia e por meses de reabilitação para corrigir o problema. No caso de Jayden, sua esposa ficou tão doente que ele não pôde ter relação sexual com ela durante oito meses. Será que tais circunstâncias deixam Lance e Jayden livres para dizer: "Deus, vou continuar utilizando pornografia até o Senhor curar minha esposa"? Nós achamos que não.

Terceiro, sua esposa pode, de repente, se tornar muito diferente daquela mulher que você namorava. Larry, um jovem pastor de Washington D.C., além de ser bonito e forte, teve uma ótima herança cristã. Seu pai era um pastor maravilhoso, e Larry ficou bastante emocionado quando Deus também o chamou para o ministério. Quando Larry conheceu Linda, uma loira notável e encantadora, parecia que eram feitos um para outro, como Barbie e Ken.

Depois do casamento, porém, Larry descobriu que Linda estava muito mais interessada em sua própria carreira do que em satisfazê-lo sexualmente.

Ela não era apenas desinteressada em sexo, mas utilizava isso como uma arma manipuladora para fazer tudo do seu jeito. Consequentemente, Larry não fazia sexo com frequência. Duas vezes no mês era muito, e uma vez a cada dois meses era a norma.

O que Larry deveria dizer a Deus? *Senhor, a Linda está sendo impiedosa. Mude-a, e então paro de me masturbar*. Muito difícil. O casamento não satisfazia as necessidades sexuais de Larry, mas Deus ainda assim espera a pureza (assim como Deus esperaria que Linda mudasse, pois suas ações *também* estão muito fora do padrão bíblico e devem ser chamadas de pecado). Sua pureza não deve depender da saúde ou do desejo do seu parceiro. Deus o considera responsável, e se *você* não assumir o controle da sua sexualidade antes do dia do seu casamento, pode esperar que a mesma velha escravidão o domine depois da lua de mel. Se você é solteiro e costuma assistir a filmes censurados, a felicidade depois de casado não irá mudar esse hábito. Se seus olhos seguem as garotas que andam por aí, eles ainda vão continuar passeando quando você disser "Sim". Você se masturba hoje em dia? Colocar aliança em seu dedo não manterá suas mãos longe de si próprio.

O que está acontecendo aqui?

Então, você não saiu naturalmente do seu pecado sexual, e o casamento também não resolveu o seu problema. Mas talvez você ainda esteja agarrado a uma última esperança de que, com tempo suficiente, o casamento ainda possa libertá-lo naturalmente, sem uma batalha.

Andy nos contou o seguinte: "Uma vez li que a atividade sexual de um homem cai em seus trinta ou quarenta anos, enquanto a atividade sexual de uma mulher atinge seu pico durante essa idade. Por um momento, pensei que Jill e eu nos encontraríamos em algum feliz terreno intermediário. Mas isso não aconteceu".

Veja, é hora de você se livrar das falsas esperanças e aceitar a verdade.

Sua constituição masculina fez com que os primeiros passos subconscientes por essa ladeira escorregadia fossem fáceis e sem esforço, mas por causa dessa mesma constituição masculina, uma volta ao topo nunca acontecerá sem esforço. Então, se você está cansado da impureza sexual e do relacionamento medíocre e distante de Deus que é resultado disso, pare de esperar que o casamento ou alguma queda de hormônios resolva os problemas.

Se você deseja mudar, terá de lutar por isso. A liberdade nunca é de graça. A pureza lhe custará algo. Você vai precisar se impor, encontrar suas vulnerabilidades e, então, lutar contra elas com todo o seu coração. Espere uma batalha. É o caminho de volta ao topo.

O padrão de Deus na Bíblia

Para lutar e voltar ao caminho, você deve começar reconhecendo que é impuro porque, em algum lugar ao longo da vida, você misturou o padrão de pureza sexual de Deus com o seu próprio, por escolha ou por acaso. Dissemos anteriormente que o padrão de Deus é que evitamos qualquer indício de imoralidade sexual em nossa vida. Se você tivesse seguido esse padrão desde a infância, nunca teria visto a escravidão sexual, apesar de sua composição masculina.

Então, se você quiser ganhar esta guerra, é claro que você deve reverter a direção e seguir o caminho de Deus. Você deve *parar* de misturar o padrão de pureza sexual de Deus com suas próprias ideias, e deve *começar* a evitar cada indício de impureza sexual em sua vida.

E uma vez que esse é o caminho para a vitória, é vital que tenhamos um momento para delinear os padrões de Deus mais completamente para que você saiba exatamente onde você deve focar, porque hoje muitos homens não têm a mínima ideia sobre qual é o padrão de Deus para a pureza sexual ou mesmo como este se parece para evitar qualquer indício de imoralidade sexual.

O que vem a seguir é uma seleção de versículos no Novo Testamento que ensinam sobre a preocupação de Deus com a nossa pureza sexual. O itálico mostra palavras-chave indicando o que devemos evitar no campo sexual.

> Eu, porém, lhes digo que quem *olhar para uma mulher com cobiça* já cometeu adultério com ela em seu coração.
>
> Mateus 5.28

> Pois, de dentro, do coração da pessoa, vêm maus pensamentos, *imoralidade sexual*, roubo, homicídio, *adultério*, cobiça, perversidade, engano, *paixões carnais*, inveja, calúnias, orgulho e insensatez. Todas essas coisas desprezíveis vêm de dentro; são elas que os contaminam.
>
> Marcos 7.21-23

> Abstenham-se [...] de praticar a *imoralidade sexual*.
>
> Atos 15.29

Portanto, deixem de lado as obras das trevas como se fossem roupas sujas e vistam a armadura da luz. Uma vez que pertencemos ao dia, vivamos com decência, à vista de todos. Não participem de *festanças desregradas*, de bebedeiras, de *promiscuidade sexual* e de *práticas imorais*, e não se envolvam em brigas nem em invejas.

Romanos 13.12-13

O que eu queria dizer era que vocês não devem se associar a alguém que afirma ser irmão mas vive em *imoralidade sexual*, ou é avarento, ou adora ídolos, ou insulta as pessoas, ou é bêbado ou explora os outros. Nem ao menos comam com gente assim.

1Coríntios 5.11

Vocês, contudo, não podem dizer que nosso corpo foi feito para a *imoralidade sexual*. Ele foi feito para o Senhor [...].

1Coríntios 6.13

Fujam da *imoralidade sexual*!

1Coríntios 6.18

Sim, temo que, ao visitá-los outra vez, Deus me humilhe diante de vocês e eu venha a me entristecer porque muitos de vocês não abandonaram os pecados que cometiam no passado e não se arrependeram de sua *impureza*, sua *imoralidade sexual* e seu anseio por *prazeres sensuais*.

2Coríntios 12.21

Por isso digo: deixem que o Espírito guie sua vida. Assim, não satisfarão os anseios de sua natureza humana. Quando seguem os desejos da natureza humana, os resultados são extremamente claros: *imoralidade sexual, impureza, sensualidade*.

Gálatas 5.16,19

Que não haja entre vocês *imoralidade sexual, impureza* ou ganância. Esses pecados não têm lugar no meio do povo santo. As *histórias obscenas*, as conversas tolas e as piadas vulgares não são para vocês.

Efésios 5.3-4

Portanto, façam morrer as coisas pecaminosas e terrenas que estão dentro de vocês. Fiquem longe da *imoralidade sexual*, da *impureza*, da *paixão sensual*, dos desejos maus e da ganância, que é idolatria. É por causa desses pecados que vem a ira de Deus.

Colossenses 3.5-6

A vontade de Deus é que vocês vivam em santidade; por isso, mantenham-se afastados de todo *pecado sexual*. Cada um deve aprender a controlar o próprio corpo e assim viver em santidade e honra, não em *paixões sensuais*, como os gentios que não conhecem a Deus. Pois Deus nos chamou para uma vida santa, e não *impura*.

1Tessalonicenses 4.3-5,7

Vigiem para que ninguém seja *imoral* ou *profano*.

Hebreus 12.16

Honrem o casamento e mantenham pura a união conjugal, pois Deus certamente julgará os *impuros* e os *adúlteros*.

Hebreus 13.4

No passado, vocês desperdiçaram muito tempo praticando o que gostam de fazer aqueles que não creem: *imoralidade* e *desejos carnais*, *farras*, bebedeiras e *festanças desregradas*, além da detestável adoração de ídolos.

1Pedro 4.3

E não se esqueçam de Sodoma e Gomorra e das cidades vizinhas, cheias de *imoralidade* e de *perversão sexual* de todo tipo, que foram destruídas pelo fogo e servem de advertência do fogo eterno do julgamento.

Judas 1.7

Contudo, tenho contra você algumas queixas. Você tolera em seu meio pessoas cujo ensino é semelhante ao de Balaão, que mostrou a Balaque como fazer o povo de Israel tropeçar. Ele os instigou a comer alimentos oferecidos a ídolos e a praticar *imoralidade sexual*.

Apocalipse 2.14

Contudo, tenho contra você uma queixa. Você tem permitido que essa mulher, Jezabel, que se diz profetisa, faça meus servos se desviarem. Ela os ensina a cometer *imoralidade sexual* e a comer alimentos oferecidos a ídolos.

Apocalipse 2.20

Mas os covardes, os incrédulos, os corruptos, os assassinos, os *sexualmente impuros*, os que praticam feitiçaria, os adoradores de ídolos e todos os mentirosos estão destinados ao lago de fogo que arde com enxofre. Esta é a segunda morte.

Apocalipse 21.8

Não é incrível? Mais da metade dos livros do Novo Testamento está representada aqui. Embora possamos concordar que alguns tópicos nas Escrituras sejam um pouco confusos, nosso chamado à integridade sexual não é um deles.

Com base nessas passagens, vamos resumir o padrão de Deus em relação à pureza sexual:

- A imoralidade sexual começa com as atitudes luxuriosas de nossa natureza pecaminosa. Ela está enraizada nas trevas dentro de nós. Portanto, a imoralidade sexual, assim como outros pecados que escravizam os não crentes, atrairá a ira de Deus.
- Nosso corpo não foi feito para a imoralidade sexual, mas para o Senhor, que nos criou e nos chamou para viver em pureza sexual. A vontade dele é que todo cristão seja sexualmente puro — em seus pensamentos, em suas palavras e também em suas ações.
- Portanto, evitar completamente a imoralidade sexual é uma atitude santa e honrada — devemos nos arrepender da impureza, fugir e deixar nosso corpo distante dela, enquanto vivemos pelo Espírito. Passamos muito tempo vivendo como pagãos na entrega à paixão. É hora de mudar.
- Não devemos ter uma relação próxima com outro cristão que persiste em sua imoralidade sexual.
- Se você atrair outros para a imoralidade sexual (talvez no banco traseiro ou na sala dos fundos), o próprio Jesus estará contra você!

Claro, Deus espera *sim* que você viva de acordo com o padrão dele, e não o seu. Na verdade, como você acabou de ler em 1Tessalonicenses 4.3, a Bíblia declara de forma bem direta que essa é a vontade de Deus para a sua vida. Então leve a sério a vontade dele e fuja da imoralidade sexual. Abandone seus próprios padrões e escolha a liberdade. Você consegue, você sabe.

Então por que *não* escolhemos ser puros? Apesar de nossa cultura ser completamente sensual, também não somos vítimas indefesas de uma vasta conspiração para nos enredar sexualmente. Afinal, Fred criou dois filhos e duas filhas até a idade adulta bem no meio dessa cultura; mesmo frequentando escolas públicas, eles permaneceram livres.

Steve: Não somos vítimas

Como Fred com seus filhos, eu também criei uma criança pura — no meu caso foi em Laguna Beach, Califórnia, o coração do Condado de Orange. Drogas, bebida e sexo faziam parte da cultura escolar, mas minha filha fez escolhas excelentes que a diferenciaram. Antes de chegar ao Ensino Médio, ela aprendeu a dizer não e ainda se sentir bem consigo mesma, então quando ela se formou na Laguna Beach High School, ela fazia parte de uma pequena minoria que nunca tinha bebido e nunca tinha fumado, usado droga ou feito sexo. Quando se trata de dizer não, ela era uma superstar, prova viva de que você não tem de ser governado por sua cultura, mesmo nos dias de hoje.

Fica claro que, embora tenhamos uma propensão natural para cair em pecado sexual, não somos vítimas indefesas aqui. A verdade é que, como homens, simplesmente escolhemos, consciente ou subconscientemente, misturar nossos próprios padrões de conduta sexual com os padrões de Deus. Em algum lugar ao longo do caminho, o padrão de Deus pareceu antinatural ou difícil, então nós criamos um combinado mais suave, mais leve — algo novo, confortável, medíocre.

Fred: Nem mesmo um indício

Agora vamos dar um passo mais firme na definição do nosso alvo neste campo de batalha:

> Entre vocês não deve haver nenhum indício de imoralidade sexual.
>
> Efésios 5.3 (NIV)

Por causa do meu passado promíscuo, esse verso me chamou a atenção. Pensei comigo mesmo: *Cara, um indício não parece muita coisa.* Bem, não é.

Quando comecei a levar a sério a batalha, esse versículo me levou a fazer uma inspeção minuciosa em minha vida para buscar qualquer indício de imoralidade sexual que poderia me levar a tropeçar. Também queria montar a seguinte lista do que evitar no meu caminho para a vitória. Talvez esta lista possa ajudar você em seu processo de inspeção:

- Você conta piadas impróprias? Usa palavras grosseiras ou de duplo sentido?
- Você navega nos canais de TV ou na internet na esperança de encontrar algo excitante?
- No seu trabalho, quando uma mulher em especial não está presente, você se sente um pouco para baixo naquele dia?

- Se você é um gerente, a última mulher que foi contratada entre outras candidatas foi escolhida por ser a mais bonita e ter os melhores atributos físicos?
- Você fica excitado com anúncios de *lingerie* em mídia impressa ou *on-line*?
- Você costuma assistir a filmes em que outras pessoas fazem sexo?
- Você assiste a vídeos ou programas de exercícios só para ter *closes* das mulheres?
- Seu olhar fica seguindo as corredoras com shorts curtos e as moças curvilíneas em suas roupas de ginástica?
- Você se vira para olhar as meninas bonitas que passam e diz para si mesmo: "Que belo traseiro!"?
- Você está flertando de maneiras que não honram a sua mulher ou o seu Deus?
- Você tem fantasias sexuais com a mulher com quem se comunica *on-line*?
- Você fica fantasiando com outra mulher quando está na cama com sua esposa?
- Você se imagina com outras mulheres além de sua esposa?
- Você está tendo sonhos sexuais com outras mulheres à noite?
- Você tem saudade de antigas namoradas (sexualmente falando)?
- Enquanto dirige por aí, você fica pensando naquela mulher no trabalho, mesmo quando sua esposa está junto?
- Perguntas como as seguintes surgem em sua mente? *Será que ela pensa em mim quando não está no trabalho? O que será que ela está fazendo agora? Ela é mesmo feliz com o marido?*
- Você se irrita e fica com raiva por responder perguntas como estas?

Muitos homens ignoram essa lista como sendo coisas "pequenas" que realmente não importam. Eu até poderia concordar, se não fosse pela orientação de Deus em Efésios 5.3. E então, quando eu declarei guerra a esses "pequenos" pensamentos e atos e os eliminei da minha vida, uma grande pressão sexual saiu da minha vida. Logo, vemos que não são coisas "pequenas". Mesmo que apenas um item dessa lista seja evidente em sua vida, você não está evitando todo indício de imoralidade sexual. Na verdade, seus padrões de pureza estão misturados.

Destruição e aversão

Uma mistura de pureza pode enredar um homem e destruir um povo. Quando os israelitas entraram na Terra Prometida, Deus lhes disse para cruzarem o rio Jordão e destruírem tudo que fosse ruim em sua nova terra. Isso significava matar todas as pessoas pagãs e destruir seus deuses até virarem pó. Deus os advertiu, dizendo que se fracassassem nessa tarefa, sua cultura seria "misturada" com a dos pagãos e eles acabariam adotando suas práticas depravadas.

Mas os israelitas não foram cuidadosos o suficiente para destruírem tudo. Achavam mais fácil parar quando estavam cansados da guerra. Além disso, logo perceberam a beleza das moças daquelas terras, e assim se afastaram da obediência completa. Ao seu tempo, as coisas e pessoas que foram poupadas se tornaram uma armadilha e, por fim, os israelitas se tornaram adúlteros em seu relacionamento com Deus e repetidamente viravam suas costas a ele. Conforme prometido, Deus os tirou de sua terra. Mas antes da destruição de Jerusalém e da deportação final de seus habitantes, Deus havia profetizado sobre seu povo e seu cativeiro:

> Então, quando estiverem exilados entre as nações, se lembrarão de mim. Reconhecerão quanto me entristece seu coração infiel e seus olhos lascivos por seus ídolos. *Por fim, terão nojo de si mesmos por causa de todos os seus pecados detestáveis.*
>
> Ezequiel 6.9

Quando você entrou na Terra Prometida da *sua* salvação, foi-lhe dito para eliminar qualquer indício de imoralidade sexual em sua vida, para que não se tornasse uma armadilha em seu relacionamento com Deus. Desde que entrou em sua terra, você falhou em destruir o pecado sexual? Todo indício dele? Se não, não importa o quão inocentemente isso tenha começado, você deve ter chegado ao ponto de sentir aversão a si próprio por causa dessa falha, assim como os israelitas. Se é deste modo que você se encontra, ainda há esperança para você.

Mas você deve declarar guerra, e essa mistura deve parar. Você deve seguir o caminho de Deus.

Discutiremos mais detalhes no próximo capítulo.

5

Obediência ou mera excelência?

• • • • • • • • •

Por que achamos tão fácil misturar nossos padrões de pecados sexuais e tão difícil criar um firme compromisso com a pureza? Porque nós nos acostumamos com isso, por um motivo: toleramos facilmente a mistura de padrões de pureza sexual porque toleramos padrões mistos na maioria das áreas de nossa vida. Entender a razão para isso pode ser tão simples quanto entender um aspecto único do cérebro masculino.

Por mais que lhe tenham dito que os homens e as mulheres são iguais em todos os aspectos fundamentais, esperamos que perceba como essa noção é simplista. As mulheres não são como os homens. Os homens não são como as mulheres. A Bíblia nos diz isso, e a ciência moderna tem provado isso várias vezes. Diferenças cerebrais significativas entre homens e mulheres estão na raiz dessas distinções de gênero, e uma dessas diferenças explica por que os homens diluem tão facilmente os padrões de Deus.

Primeiro, um pouco de contexto. O psicólogo inglês Simon Baron-Cohen explica os contrastes entre o cérebro masculino e o feminino em seu excelente livro *The Essential Difference*. Ele escreve que a maioria dos homens tem cérebros do tipo "S" predominantemente programados para compreensão e construção de *sistemas* (incluindo sistemas sociais), enquanto as mulheres predominantemente têm cérebros do tipo "E" programados para *empatia*. Como o cérebro masculino é do tipo "S", o lugar que ocupa na hierarquia social é de máxima prioridade para eles. Deixados por suas tendências naturais, eles evitarão *qualquer coisa* que possa derrubar seu *status* em relação a seus colegas, o que explica por que os homens facilmente abandonam seus padrões de pureza diante da pressão dos colegas. Baron-Cohen diz assim:

> As mulheres tendem a valorizar o desenvolvimento de relacionamentos altruístas e recíprocos. Tais relacionamentos requerem boas habilidades de empatia. Em contraste, os homens tendem a valorizar o poder, a política e a competição. [...]

Os meninos estão mais sujeitos do que as meninas a apoiar questões competitivas [...] e a classificar o *status* social como mais importante do que a intimidade. [...]

Em um grupo, os meninos são rápidos para estabelecer uma "hierarquia de dominância". [...]

Os meninos passam mais tempo monitorando e mantendo a hierarquia. Parece ser mais importante para eles. [...]

No estudo do acampamento de verão [...] quando um menino foi rebaixado [verbalmente] [...] *outros* meninos (de *status* inferior) na cabana agiram para consolidar o *status* ainda mais baixo dessa vítima. Este foi um meio de estabelecer o próprio domínio deles sobre o menino. [...] Os meninos costumam estar mais atentos para oportunidades de subir socialmente. [...]

A agenda social masculina é mais *autocentrada* em relação ao grupo, com todos os benefícios que isso pode trazer [como os melhores convites e as melhores garotas], e protege seu *status* dentro deste sistema social.[1]

Fred: A batalha começa quando você é jovem

Mesmo tendo diante de você este material bastante esclarecedor, eu gostaria de destacar essas verdades com uma história de minha adolescência que ilustra perfeitamente como nosso cérebro tipo "S" nos impacta no dia a dia, especialmente em relação à batalha de cada homem.

Acredite ou não, meu compromisso com a pureza sexual era absolutamente rígido quando entrei no ensino fundamental, mesmo que eu ainda não estivesse comprometido com Deus. Mas eu tive minhas próprias boas razões, pois meus pais se divorciaram quando eu estava na quinta série. Talvez tenha vivido anos piores do que aquele, mas não me lembro de nenhum outro. O coração da minha mãe estava despedaçado, e como o meu quarto era ao lado do dela, os seus gritos angustiados muitas vezes atravessavam as paredes para me acordar à noite. Eu entrava no quarto dela para consolá-la, e às vezes ela pegava minhas mãos e buscava desesperadamente perdão em meus olhos. Suas desculpas atormentadas me destroçavam o coração: "Sinto muito por não poder ser a mulher que seu pai queria! Sinto muito por não poder ser o pai que você vai precisar e sem o qual você vai crescer! Estou me esforçando para compensar por isso".

Ela voltava a cair na cama em soluços de dor, chorando muito. Tudo o que eu podia fazer era sentar impotente, acariciando seu braço em silenciosa simpatia.

Naqueles momentos sentia desprezo por meu pai. Seu caráter egoísta, miserável. Suas amantes patéticas em suas desprezíveis minissaias e botas altas. Noite após noite cruel, eu jurava com todas as forças que nunca faria com as mulheres o que ele fez ou nunca usaria as mulheres para meu divertimento sexual. Esse voto foi levado ao fundo de minha alma pelas lágrimas da minha mãe. Parecia inabalável, mas eu ainda não tinha ouvido falar ou experimentado o tipo "S" do cérebro masculino.

Dois anos dolorosos se passaram. Eu entrei na sétima série e me preparei naquele outono para o meu primeiro ano de futebol. Eu fui uma sensação durante a noite e virei a estrela do time de futebol americano do colégio Linn-Mar em Marion, Iowa. De repente, fui colocado no topo da hierarquia social como um dos "populares". Logo fui convidado para a primeira festa da elite no outono, e foi na casa de Kathy Johnson. Quando andava pela entrada da casa naquela sexta à noite, eu soube que tinha conseguido, em mais de uma maneira.

Ainda assim, senti-me muito nervoso ao aproximar-me da casa porque não tinha certeza do que acontecia nessas ocasiões. Quando entrei pela porta lateral da cozinha, estava pensando: *Espero que seja uma noite de gargalhadas e brincadeiras com os rapazes.*

Eu me senti um pouco melhor quando os pais da Kathy me receberam de braços abertos, mas a calma desapareceu rapidamente depois que o Sr. Johnson apertou minha mão e me mostrou as escadas que levam à sala de jogos no porão.

— Você vai se divertir —, ele disse. E deu uma piscadela.

O que tinha sido aquilo, *afinal?* Eu meditava enquanto entrava pela porta do porão. A piscadela parecia assustadora e inquietante. Mas eu ainda não tinha visto *nada*.

Meu pé mal tinha encostado no chão do porão quando uma colega de classe chamada Janice pulou na minha frente como uma tarântula gigante. *Aquilo* é que era assustador!

Janice tinha se desenvolvido cedo lá em cima; enquanto ela sorria e esfregava seu peito em mim, meus alarmes começaram a tocar. Acenando timidamente para o quarto de hóspedes à sua direita, ela ronronou:

— Quer brincar de escola? Vou ser sua professora, e você vai ser meu bicho de estimação. Vou ensinar tudo o que você precisa saber. Bons alunos realmente aprendem muito na minha classe.

— Ah, não tenho tanta certeza...

Procurei freneticamente alguma forma de escapar, mas as luzes estavam muito fracas para enxergar algo; além disso, o pouco que eu *conseguia* ver me deixava atônito. Meus colegas de classe formavam pares nos sofás ou encolhidos pelos cantos, e a maioria deles estava se beijando. Fiquei chocado por eles se beijarem na frente de todos. *Mas que diabos?*

Janice exigiu minha atenção mais uma vez.

— Ouça, se você se esforçar na minha aula, eu vou dar nota máxima —, brincou Janice.

Janice não ia desistir facilmente da oportunidade de me "ensinar", e algo me dizia que seu primeiro plano de aulas nos levaria para além dos beijos de nível fundamental que eu estava vendo na sala de jogos. Eu ainda não tinha feito isso com uma garota antes, então eu travei por um tempo. Só consegui gaguejar:

— É que... Bem... Janice, eu gosto da Amy agora.

Só então, nossa anfitriã, Kathy, apareceu para se juntar à conversa. Eu nunca tinha ficado tão feliz ver uma menina na minha vida!

— Ouviu o que o Freddie me disse? — Janice contou à Kathy. — Ele gosta da Amy.

A dupla se olhava com o mesmo sorriso do gato de *Alice no país das maravilhas*.

— Ah, é *mesmo*? —, disse Kathy. — Acho que podemos fazer algo quanto a isso, não é, Janice?

Com isso, as duas meninas desapareceram. Extremamente aliviado por ter escapado da linha de tiro, comecei a andar na ponta dos pés, terrivelmente envergonhado, passando pelos casais aos beijos à procura de um canto vazio onde eu pudesse desaparecer nas sombras. Não tive sorte. Quando estava prestes a desaparecer na escuridão com um profundo suspiro, as duas meninas me encontraram, trazendo Amy presa em seus braços.

— Amy, Freddie acabou de nos dizer que gosta de você!

Janice anunciou com estardalhaço e, então, ela e Kathy desapareceram.

Meu amigo! Agora estou morto!

Eu me senti completamente nu! Nunca tinha falado com Amy antes, e sabia que ela era demais para mim. Na verdade, ela era demais para *todos*. Amy era a menina mais bonita da escola, e todo mundo sabia disso, inclusive eu.

— Oi, Amy.

Comecei desajeitadamente. Tentei inventar algo espirituoso para dizer, mas este plebeu social não conseguia pensar tão rápido.

— Como vai você?

Ok, eu sou o maior idiota deste lado das Montanhas Rochosas, pensei, gemendo por dentro.

— Estou bem —, disse Amy, mexendo os pés sem parar.

Um silêncio desconfortável ficou no ar. Olhei para os meus pés e disse:

— Ouça, eu não sou...

— Não se preocupe com isso —, Amy respondeu.

A coisa estava esquentando.

— Vou ver se tem algo para comer —, disse sem pensar direito.

Minha cara ardia de humilhação enquanto subia as escadas. Depois de comer alguma coisinha, saí pela porta lateral enquanto ninguém olhava, desmoralizado e me sentindo um idiota. Não gostei desse sentimento, e no pouco tempo que levei para percorrer os seis quarteirões até minha casa e colocar a chave na fechadura, algo tinha mudado em mim.

Antes daquela noite na festa de Kathy Johnson, eu pensava por mim e defendia meus padrões. Claro, eu era jovem, mas tinha considerado cuidadosamente como planejava tratar as mulheres durante a minha vida. A dor da minha mãe me ensinou a distinguir o certo do errado e, como qualquer homem de verdade, pretendia proteger as mulheres à minha volta vivendo corretamente, sem me importar com o que os outros pensassem. Isso é o que os homens fazem, ou era assim que eu pensava quando estava na sétima série.

Enquanto voltava da festa para casa, no entanto, descobri outra coisa que os homens fazem como resultado do seu cérebro tipo "S". Outras vozes começaram a falar sobre o assunto na minha cabeça, pressionando-me para ajustar meu pensamento. Quando cheguei e acendi as luzes da cozinha, eu parecia um pouco menos comigo e um pouco mais com eles. Eu tinha caminhado em direção ao grupo e ao meu lugar no grupo, afastando-me de quem eu sempre tinha sido.

O meu voto de tratar as mulheres com respeito e ternura já não parecia tão importante. Enquanto eu evitava festas por algum tempo, eu estava claramente me desviando de minha postura original e pensada sobre como iria tratar as meninas.

Um evento social doloroso na casa de Kathy foi o suficiente para pôr em xeque meus padrões frouxos. Só um evento...

Uma volta para a multidão

Décadas mais tarde, ainda é difícil acreditar no que aconteceu naquela noite. Afinal, eu odiava a maneira como meu pai tratava as mulheres. Por que eu me deixei levar tão facilmente depois de uma festa miserável? Bem, esse é o impacto natural do cérebro masculino tipo "S". Por natureza, se os homens não estão cientes dessa característica, eles muitas vezes vão fazer qualquer coisa para proteger seu lugar na ordem social. Se você não respeitar essa vulnerabilidade e defendê-la corretamente, seus padrões escorregarão em direção a esse meio-termo nebuloso toda vez.

Não se engane, você *pode* defendê-la. Se alguém tivesse explicado como meu cérebro estava estruturado, eu teria visto minha dor angustiante pelo que era: uma falsa pressão descarregada pelo meu cérebro tipo "S", totalmente fora da minha vontade consciente. Se eu soubesse como eu estava naturalmente ligado, poderia ter optado por ignorar.

Em vez disso, meu cérebro programado para a escalada social estava mais preocupado com minha posição e grau na sociedade, mesmo que a dor de minha mãe tenha moldado um coração heroico dentro de mim. Só isso pode explicar por que um jovem astro do futebol e no auge de seu jogo abriria mão de seus padrões ao primeiro sinal de problemas sociais. Eu não deveria ter me importado tanto de beijar uma garota quando a noite começou, mas enquanto eu corria para casa naquela noite, meu cérebro masculino do tipo "S" estava gritando: *Ouça! Seu lugar com a turma está escorregando!* Em pouco tempo, ser eu mesmo e ser honrado não significavam mais a mesma coisa.

Essa estrutura cerebral única é que nos faz ficar acostumados a diluir os padrões de Deus em todas as áreas da vida, porque esse tipo de pressão social não é exercido apenas por alguns amigos de vez em quando em festas nas noites de sexta-feira. A pressão para misturar nossos padrões e querer se encaixar no grupo é exercida *constantemente* por toda nossa cultura. E por causa dessa vulnerabilidade em nosso cérebro, somos rápidos para deixar o chamado de Deus a fim de facilitar nosso caminho em situações sociais. Acabamos valorizando mais o que está a nosso redor no *mundo* em vez de valorizar a *Palavra*.

Vejo isso refletido em todos os lugares aonde vou porque o cérebro masculino é o mesmo em todos os lugares.

Será que nossa vulnerabilidade à pressão social e cultural significa que podemos ignorar as Escrituras? Deus daria a homens cristãos passagens falando de seus padrões se o fato de segui-los colocasse nosso *status* em risco? Ou o Senhor espera que vivamos de maneira diferente de quem está à nossa volta, em verdadeira obediência à sua Palavra, custe o que custar?

Se responder a essas perguntas de forma errada, você pode colocar em perigo seu desenvolvimento como filho de Deus. Isso não vai mudar o seu *status* como membro da família, é claro. Cada cristão — todo que é "nascido de novo" — tem o DNA de seu Pai. Mas apenas o filho *maduro* tem o caráter de seu Pai. Cristianismo significa aprender a pensar e agir como Deus, não importa como isso afete nosso lugar na escada social. Mas trazer para o cristianismo nossas próprias crenças culturais — a forma humana de pensar — fará que esse processo de maturação em nossa vida seja abortado.

Se você deseja a liberdade sexual, não pode misturar os padrões de Deus com os padrões de nossa cultura obcecada por sexo. Considere o que a mentalidade cultural comum diz aos homens:

- Ei, olhar e cobiçar significa apenas que você está agindo como homem e se divertindo um pouco.
- Deus não teria feito as mulheres tão bonitas se não quisesse que as olhássemos. Afinal, apreciar as mulheres não é diferente de ir a um museu para apreciar belas artes.
- Pornografia e masturbação não passam de formas úteis de se libertar das pressões.
- Por que me preocupar com o que eu olho? O sangue de Jesus cobre tudo de qualquer maneira. Eu não vou para o inferno! Estou perdoado.
- Pornografia não passa de fotos no papel. Nada que eu fizer na privacidade da minha casa pode machuca alguém.

Enquanto você acreditar em qualquer uma dessas coisas moldadas pela mente secular, nunca será puro. Nunca.

Algum tempo atrás, eu estava na Costa Rica para gravar um programa de rádio para o ministério latino do *Focus on the Family*. O apresentador me disse que, naquele mesmo dia, tinham acabado de divulgar uma pesquisa feita com trezentos homens evangélicos na Costa Rica. Uma vez que aquilo tinha relação com nosso programa, ele também compartilhou comigo uma das perguntas da pesquisa, que perguntava se esses homens casados já tinham tido um caso sexual fora do casamento. Duzentos e noventa e nove disseram que sim! Que mistura havia lá!

O apresentador do programa explicou que o adultério sempre foi um comportamento aceitável na cultura da Costa Rica, de modo que os homens cristãos viviam um padrão misto. Era comum que fizessem sexo fora do casamento, apesar dos ensinos bíblicos.

Eu não conseguia acreditar nos resultados da pesquisa. Só um homem em cada trezentos tinha permanecido fiel aos princípios bíblicos? Na minha mente, tal nível de mistura só poderia ser explicado pelo cérebro masculino do tipo "S" e seu foco total e subconsciente de se adaptar à cultura local. Essa mesma ciência do cérebro explica a justificativa desenfreada entre os cristãos americanos e outros crentes que buscam desculpas para seu comportamento sexual ilícito e mantêm atitudes casuais em relação ao pecado sexual.

Não deveria ser assim no reino de Deus. Quando Jesus chamou seus doze discípulos para o serviço, poderia ter dado a eles qualquer título. Mas ele escolheu chamá-los de "apóstolos", e fez isso por causa da mensagem que o nome transmitia na época. Naqueles dias, as legiões romanas geralmente varriam e arrasavam cidades poderosas antes de passar para a seguinte. Era comum acontecer que, quando retornavam a essas cidades conquistadas, teriam de batalhar para retomá-las, porque nada tinha sido feito para manter uma vitória completa naquele lugar da primeira vez.

Assim, os romanos desenvolveram um novo tipo de líder militar chamado *apostolos*. O trabalho desse general era se mudar para o lugar depois que a batalha terminasse, a fim de substituir a cultura local existente pela cultura romana, incluindo sua arte, escultura e música. Ao colocar em prática um novo modo de vida, o povo conquistado começaria a pensar e agir como romanos e seria muito menos provável que se rebelasse contra o governo de seus conquistadores.

Embora seja verdade que Jesus pode ter usado o termo *apostolos* porque seu significado mais comum na época era "enviado", eu pessoalmente acredito que Jesus batizou seus discípulos de "apóstolos" para transmitir uma mensagem relacionada ao contexto militar da palavra. Afinal, nunca foi sua intenção meramente misturar seus caminhos com a sopa cultural podre dos povos locais desta terra, apenas para colocar um novo tempero na panela. Não, ele tinha vencido sua guerra e agora estava enviando seus *apostolos* para selar sua vitória no nível cultural. Ele pretendia virar os potes completamente e derramar sua própria receita viva para enchê-los, substituindo totalmente as culturas ímpias pela cultura do seu reino.

Mas como fica evidente a partir das estatísticas sobre o uso de pornografia e a infidelidade dentro da igreja, na América e em todo o mundo, poucos de nossos irmãos em Cristo estão fazendo o que Jesus esperava que eles fizessem. Em vez disso, os padrões bíblicos estão sendo rejeitados em favor das normas culturais. Isso nem sequer é visto como um problema. É tudo normal, certo e válido porque é comum. Se todo mundo pensa assim, então é assim que os cristãos devem pensar também. O comum é confortável.

Talvez a cultura em torno de você também esteja dirigindo seu pensamento. Talvez você seja um daqueles cristãos que regularmente espiam os quartos de outras pessoas para assistir casais fazendo sexo, por exemplo. Claro, chamamos isso de ir ao cinema. Parece que comer pipoca e sentar na mesma sala com dezenas de outras pessoas pode tornar as coisas mais decentes, mas a verdade é que achamos até normal, certo e válido que um cristão seja um *voyeur*.

Ah, eu sei. É comum, e talvez todo mundo pense dessa forma. Mas ainda é mistura. Ele ainda está parando em uma falsa linha de chegada.

Acima de tudo, ainda é devastador e desastroso para a pureza sexual. Como você pode esperar, Jesus não está tão interessado em seu conforto social ou seu *status* com seus pares. Ele busca seu caráter e busca uma mudança cultural completa. Então, vamos fechar este capítulo inspecionando sua abordagem atual quanto aos padrões de Deus e os círculos sociais em que você está.

Excelência ou obediência?

O que você almeja na vida: excelência ou obediência? Qual é a diferença? Almejar a obediência é almejar a perfeição, não a "excelência", o que na verdade é algo inferior. Sua resposta a esta pergunta revela se o seu espírito ou o seu cérebro masculino está pensando por você.

Sua resposta revela também qual é a cultura que possui seu coração: a cultura do reino de Cristo ou a do mundo.

Espere um pouco!, você pensa. *Eu achava que excelência e perfeição eram a mesma coisa.*

Às vezes parecem ser. Mas a verdade é que, em muitas áreas, a excelência é um padrão misto, não um padrão fixo.

Vamos demonstrar o que queremos dizer. As empresas norte-americanas estão em busca de excelência. Elas *poderiam* estar em busca da perfeição, é claro — produtos perfeitos, serviços perfeitos —, mas a perfeição é muito cara e consome grande parte dos lucros. Em vez de serem perfeitas, as empresas sabem que o suficiente é *parecerem* perfeitas aos seus clientes. Ao ficarem aquém da perfeição, elas encontram um equilíbrio lucrativo entre qualidade e custos. Para encontrarem esse equilíbrio, elas sempre observam suas rivais a fim de descobrir as melhores práticas da indústria: *Até onde podemos ir e ainda parecer perfeitos? Em que ponto podemos parar e ainda ser considerados um bom negócio?*

Agora vamos pensar em nossas igrejas. Em vez de procurar na Palavra quais as melhores práticas, os cristãos muitas vezes usam uns aos outros como referências, assim como fazem as empresas: *Até onde posso ir e ainda ser considerado um bom cristão?* Quando você faz essa pergunta, está procurando um meio-termo onde você possa encontrar um equilíbrio rentável entre uma vida cristã aparentemente de qualidade e os custos sociais de ser perfeito demais ou diferente demais.

Mas será que é realmente lucrativo para os cristãos se contentar com esse meio-termo de excelência? É suficiente este lugar onde os custos são baixos e onde existe um equilíbrio entre o paganismo e a obediência? É claro que não! Enquanto nos negócios é muito lucrativo *parecer* perfeito, no domínio espiritual é meramente *confortável* parecer perfeito. Mas espiritualmente nunca é lucrativo.

É evidente que a excelência não é o mesmo que obediência ou perfeição. Na vida cristã, a busca pela excelência nos deixa muito vulneráveis a ciladas após ciladas, uma vez que ela abre espaço para que misturemos nossos caminhos com os caminhos de Deus. A busca pela obediência não nos deixa espaço para isso. Como seguidores de Cristo, devemos aspirar pelo padrão fixo da obediência se desejamos um dia encontrar a liberdade sexual. Temos de nos sentir confortáveis em ser diferentes.

Fred: Fazendo a pergunta errada

Eu fui o exemplo perfeito de alguém que não tinha como alvo o padrão fixo de Deus quanto à obediência. Estava dando aulas na igreja, liderando grupos de atividades e frequentando cursos de discipulado. Minha frequência na igreja era exemplar, e eu falava a linguagem dos cristãos. Assim como os homens de negócios que buscam as melhores práticas comerciais, eu estava me comparando com os outros homens na igreja, perguntando: *Até onde posso ir e ainda ser chamado de cristão?* Isso era o suficiente para mim no início.

Mas isso nunca é suficiente para Deus porque ele não quer que seus filhos tenham apenas seu DNA; ele quer que tenhamos também seu caráter. Eu nunca teria desenvolvido um caráter divino se ficasse nesse meio-termo, ponderando: *Até onde eu posso ir e ainda parecer cristão o suficiente?* Para atingir a maturidade, eu precisava fazer uma pergunta diferente: *Quão santo eu posso ser?*

Deixe-me usar uma história para demonstrar a diferença entre excelência e obediência. Pete e Mary frequentaram meu curso pré-matrimonial, e Pete me impressionou logo no primeiro dia. Ele aceitava tudo o que eu falava, balançando a cabeça em consentimento até mesmo nos ensinamentos mais difíceis relacionados às responsabilidades do marido, como, por exemplo, a de servir.

No fim da sétima semana, Pete e Mary me pararam depois da aula. "Sua discussão sobre pureza sexual realmente nos tocou fundo na semana passada", começou Pete, "especialmente quando você disse que assistir a filmes pornográficos não fortaleceria nossa vida sexual. Minha primeira esposa costumava alugar filmes eróticos para mim, e assistíamos juntos antes de ir para a cama. No final, aquilo nos machucava demais." Depois, ele acrescentou: "Mary e eu não agiremos assim em nosso casamento".

Parece impressionante. Mas se Pete tivesse se firmado na verdadeira obediência, descartando a pornografia e os filmes eróticos, ele teria se contentado com mera excelência?

A resposta veio quando Mary entrou na conversa. "Estamos passando por uma luta constante com relação ao que assistimos juntos. Sempre alugamos um filme para assistirmos em meu apartamento, mas você sabe como é. A maioria dos filmes populares tem algumas cenas picantes, e tenho me sentido cada vez mais desconfortável com isso. Quando o clima fica excitante, digo a Pete que precisamos desligar, mas ele se irrita, argumentando que estamos pagando por isso. Então, eu vou para a cozinha fazer outras coisas enquanto ele termina de assistir."

Com o olhar baixo, uma lágrima pelo seu rosto, Mary continuou: "Não acho que esses filmes sejam bons para nós. Tenho pedido que ele pare por minha causa, mas sei que ele não fará isso. Criamos o hábito de orar em conjunto antes de ele voltar para sua casa, mas depois desses filmes sempre me sinto vil e desprezível. Acho que esses filmes estão se colocando entre nós como casal e também entre nós e Deus".

É claro que Pete estava envergonhado. Ele estava em busca de excelência ou de obediência? Conscientemente ou não, julgando pelos padrões mistos de seus colegas, pensava que poderia assistir a filmes populares com situações sexuais picantes e ainda "parecer" cristão o suficiente na igreja, sem ter de pagar o custo total da verdadeira obediência. Até aquele momento, isso era tudo o que ele precisava saber.

Para ser justo, Pete me perguntou o que deveria fazer. Disse-lhe para seguir a sugestão de Mary: não assistir a mais filmes sensuais. E ele aceitou.

A excelência é enganosa. Ela ajuda para que possamos parecer bem e nos encaixar confortavelmente na multidão, em vez de pagar o preço da verdadeira obediência. Nem sempre há uma voz desafiadora como a de Mary nos chamando para a obediência e para a perfeição. Tudo o que ouvimos é a nossa cultura e as vozes dos nossos amigos nas escadas sociais à nossa volta, e essas vozes nunca nos chamam para um lugar mais alto. Satisfeitos com a mera excelência e desejando nos encaixar, paramos aquém dos padrões de Deus e misturamos com alguns dos nossos. Nós nos aproximamos das pessoas apenas para nos distanciarmos de Deus.

Em muitas áreas, costumamos estar sentados juntos no meio-termo da excelência, a uma boa distância de Deus. Quando desafiados por padrões divinos mais elevados, nosso cérebro tipo "S" subconscientemente toma conta nos bastidores. O problema é que não parecemos muito diferentes dos que nos rodeiam. Também não parecemos muito diferentes dos não cristãos.

Ficamos cegos? O que podemos esperar do nosso compromisso geral com o meio-termo?

A resposta correta

Josias, o rei de Israel, tinha apenas 26 anos de idade quando, em *sua* cultura, enfrentou uma situação parecida de negligência nos padrões de Deus. Em 2Crônicas 34, lemos a história de como uma cópia das Leis de Deus, há muito esquecidas, havia sido encontrada durante uma grande restauração do templo. Depois disto, ele escutava as leis enquanto eram lidas em voz alta

— chamando sua atenção, inevitavelmente, para os padrões de Deus e para o fracasso do povo em tentar segui-los.

Josias não disse: "Ah, deixem isso pra lá, temos vivido desta maneira há anos. Não vamos nos tornar legalistas em relação a isso!". Não, ele ficou absolutamente horrorizado. Rasgou suas vestes como um sinal de tristeza e desespero. "A grande ira do Senhor foi derramada sobre nós" (v. 21), foi o que ele disse quando reconheceu imediatamente a negligência do seu povo e buscou uma orientação de Deus.

Deus rapidamente respondeu com estas palavras sobre a reação de Josias:

> Você se arrependeu e se humilhou diante de Deus quando ouviu as palavras dele contra esta cidade e contra seus habitantes. Você se humilhou, rasgou suas roupas e chorou diante de mim. E eu certamente o ouvi, diz o Senhor.
>
> 2Crônicas 34.27

Neste ponto, note que Josias levou toda a nação a um retorno completo à obediência aos padrões de Deus:

> Josias mandou chamar todas as autoridades de Judá e de Jerusalém. Subiu ao templo do Senhor com os sacerdotes e os levitas e com todo o povo de Judá e de Jerusalém, dos mais importantes até os mais simples. Leu para eles todo o Livro da Aliança encontrado no templo do Senhor. O rei tomou seu lugar de honra junto à coluna e renovou a aliança na presença do Senhor. Comprometeu-se a obedecer ao Senhor e a cumprir seus mandamentos, preceitos e decretos de todo o coração e de toda a alma. Prometeu cumprir todos os termos da aliança escritos no livro. Exigiu o mesmo de todos em Jerusalém e do povo de Benjamim. Os habitantes de Jerusalém fizeram essa promessa e renovaram sua aliança com Deus, o Deus de seus antepassados.
>
> Josias removeu todos os ídolos repulsivos de toda a terra de Israel e exigiu que todos adorassem o Senhor, seu Deus. E, pelo restante da vida do rei, eles não se afastaram do Senhor, o Deus de seus antepassados.
>
> 2Crônicas 34.29-33

Não havia misturas. Sabendo que os padrões de Deus são o padrão da vida verdadeira, Josias enfrentou e destruiu tudo que estava em oposição a Deus. Em certo sentido, ele estava desempenhando o papel de *apostolos* em seu reino, despejando a velha cultura inteiramente e estabelecendo a cultura de Deus em seu lugar.

Calculando o preço

E você? Obviamente, você não tem a posição ou autoridade para mudar toda a cultura de seu país, tal como Josias fez, mas você ainda pode desempenhar esse papel de *apostolos* em seu trabalho, seu casamento, sua família e talvez sua hierarquia social imediata. Você pode até mesmo transformar a cultura de sua igreja local.

Agora que você ouviu a Palavra de Deus e compreende o seu padrão de pureza sexual, será receptivo e humilde diante de Deus, como Josias? Você está disposto a fazer uma aliança para manter este padrão, com toda sua alma e de todo seu coração? Você destruirá todo indício sexual que estiver em oposição a Deus?

A impureza sexual tem se tornado excessiva na igreja porque, como indivíduos, temos ignorado o valioso trabalho de obediência aos padrões de Deus.

Se você não liquidar todo indício de imoralidade — até aqueles que são comuns —, será capturado pela sua inclinação, como homem, de ser atraído pelo prazer sexual e pela euforia química através dos olhos, e seus padrões mistos cairão nas mãos do inimigo.

Mas você não pode lidar com seus olhos masculinos enquanto não lidar primeiro com o seu cérebro tipo "S" e rejeitar seu direito de misturar seus padrões. Enquanto pergunta "Quão santo posso ser?", você deve orar e se comprometer com um novo relacionamento com Deus, completamente alinhado com seus caminhos e seu chamado à obediência.

6

Simplesmente por ser homem

• • • • • • • • •

Nossa própria masculinidade representa a principal razão para a disseminação da impureza sexual entre os homens. Já dissemos antes, mas queremos repetir: num sentido muito real, por natureza, estamos configurados para cair em pecado sexual.

Acabamos de explorar um aspecto de nossa masculinidade, nosso cérebro tipo "S", e vimos como isso nos leva a ficar aquém dos padrões de Deus. Mas os efeitos de nossa masculinidade não param por aí, nem de longe. Vamos mergulhar em outra vulnerabilidade ainda mais calamitosa em nossa natureza masculina que nos deixa fortemente expostos ao pecado sexual.

Fred: Nossa própria masculinidade

Antes mesmo de saber que minha esposa, Brenda, estava grávida de nosso quarto filho, eu estava convencido, por meio de orações, de que nosso futuro bebê seria um menino — e nosso segundo filho homem. Estava tão convencido disso que, durante a gravidez de Brenda, eu contei isso para ela e para alguns amigos íntimos. (Brenda fez alguns ultrassons, mas pedimos aos médicos que não nos dissessem o sexo do bebê.)

À medida que o dia do nascimento se aproximava, a pressão aumentava. "Por que eu falei para todos?", eu me lamentava. "E se for uma menina? E se eu estiver errado?"

Quando Brenda entrou em trabalho de parto, a pressão sobre mim parecia dobrar a cada minuto. Finalmente, ao me encontrar sob as luzes fortes da sala de parto e ao assistir a uma cabecinha apontar para o mundo, eu sabia que o momento da verdade estava próximo.

O bebê finalmente saiu e estava com o rostinho para cima. *Bem*, pensei, *terei uma visão perfeita*. Ansioso, apressei Brenda com muita delicadeza: "Vamos querida, empurre um pouquinho mais". Os ombros apareceram. *Mais alguns centímetros*, pensei. E então? *Ei! O que você está fazendo, doutor?* Ele virou o bebê para si no último momento, assim que o quadril e as pernas saíram. Agora eu só conseguia ver as costas do bebê. *Vamos, vamos!* Eu gritava por dentro.

Irritantemente, o médico e a enfermeira não responderam nada. De forma metódica e eficiente, eles limparam o bebê, fizeram a sucção da garganta e deram uma pequena palmadinha no recém-nascido. Quando o médico finalmente apresentou nosso novo bebê para mim, minhas pernas tremiam. Imediatamente olhei para baixo e vi o que precisava saber.

"É um menino!", exclamei.

Michael está agora com vinte e sete anos de idade, e seu irmão mais velho, Jasen, tem trinta e cinco, e eu posso afirmar que eles são definitivamente do sexo masculino. À medida que os educava, tinha consciência das tendências naturais inerentes à masculinidade que tocariam cada aspecto da pureza sexual deles, assim como aconteceu comigo.

Meus ensinos os ajudaram imensamente no campo de batalha porque a masculinidade é importante, e em nenhum lugar nossa masculinidade importa mais do que em nossos olhos.

Os homens recebem satisfação sexual através dos olhos

Os olhos fornecem aos homens os meios para cometerem o pecado a torto e a direito. Não precisamos de um encontro ou de uma amante. Não precisamos nem mesmo esperar que uma mulher apareça em nosso apartamento. Temos olhos e podemos atrair a satisfação sexual através deles, a qualquer momento. Somos ativados pela nudez feminina de qualquer modo, jeito ou forma.

Não somos exigentes. Isso pode acontecer com uma cena de dança sensual de alguma cantora famosa ou com uma fotografia de uma estranha sem nome nua, assim como em um momento romântico com a esposa. Temos uma chave de ignição visual quando se trata de visualizar a anatomia feminina.

As mulheres raramente compreendem isso porque elas não são sexualmente estimuladas da mesma forma e não experimentaram o que os olhos podem fazer da maneira que experimentamos. A ignição delas está ligada ao toque e ao relacionamento, o que para elas parece mais nobre e mais virtuoso. Como resultado, elas consideram este aspecto visual da nossa sexualidade como sendo algo superficial e sórdido, até mesmo detestável. Com frequência, qualquer esforço dos maridos em dar uma ênfase positiva a este "fator da visão", sugerindo que as esposas o usem para tirar vantagem entre as quatro paredes, é recebido com um desprezo arrogante. Por exemplo, ao ouvir tal sugestão minha (Fred), Brenda respondeu altivamente: "Então acho que eu preciso comprar aquelas peças íntimas baratas e dançar por aí como garotas de boate!"

Na época eu até ri disso! Mas o prazer sexual visual não é motivo de riso em sua luta pela pureza sexual. Considerando o que um sinal de nudez pode causar aos centros de prazer em nosso cérebro — e nestes dias está muito fácil encontrar mulheres nuas ou quase nuas —, não é de surpreender que os olhos e a mente resistam ao controle.

Fred: Um momento favorito no tempo

Meu momento favorito nas últimas duas décadas no debate em torno da pornografia ocorreu nas câmaras do Senado dos Estados Unidos, quando o senador Sam Brownback, do Kansas, introduziu uma audiência no Congresso sobre se a pornografia deve continuar a ser protegida como uma forma de liberdade de expressão ou se deve ser regulada como outras drogas tóxicas e viciantes. Pergunta interessante!

Regulamentada como drogas? Mas eu pensei que a pornografia não era nada mais do que fotos em papel ou em uma tela. Ver pornografia é apenas o homem sendo homem! Um homem normalmente reagiria desta maneira exata, e por que não? O uso de pornografia é algo comum, considerado até um comportamento normal. Não é assim que todos pensam?

Mas especialistas que analisam os efeitos da pornografia na química cerebral discordariam, e eles testemunharam nas audiências do Senado que era hora de parar de considerar a pornografia como apenas outra forma de expressão artística. Quando chegou a sua vez de falar, o Dr. Jeffrey Satinover fez uma das declarações mais vívidas, concisas e poderosas que já ouvi sobre o impacto da pornografia no cérebro:

> A ciência moderna nos permite entender que a natureza subjacente de um vício em pornografia é quimicamente quase idêntica a um vício em heroína: O diferente é apenas o sistema de entrega e a sequência de passos.[1]

Pare por um momento e assimile isso. O olho, ao ver pornografia, é como uma agulha cheia de heroína sendo injetada na corrente sanguínea.

Sério? Como heroína? Pega leve, Fred!

Quando você olha para a ciência, percebe que isso não é mera hipérbole ou exagero. De fato, o impacto da pornografia não é fisicamente tão marcante como o da heroína. Você não vai ser encontrado desacordado num canto de um armazém infestado de ratos, ou sentado num estacionamento, desmaiado ao volante, com os filhos amarrados no banco do carro, só por ter visto pornografia no seu celular. Mas a química da pornografia dentro do corpo de um homem é extremamente poderosa e cria uma dependência significativa, tanto física como emocionalmente.

Também posso dizer que uma das coisas mais perigosas que você pode fazer em sua batalha pela pureza é rir disso e subestimar o impacto viciante do prazer sexual que você recebe através de seus olhos. Enquanto você continuar vendo esta verdade tosca, vai continuar perdendo no campo de batalha, porque não estará proporcionando a defesa adequada e a proteção de que seus olhos precisam.

A Dra. Mary Anne Layden, da Universidade da Pensilvânia, talvez seja a principal pesquisadora sobre o impacto da pornografia no cérebro. Ela também foi convidada a falar com nossos senadores. Talvez se lembre de Steve dizer que os homens recebem uma alta química a partir de imagens sexualmente carregadas e que parte da química é a secreção de epinefrina na corrente sanguínea, fixando no cérebro uma imagem da sensualidade que você está vendo.

A Dra. Layden discutiu este mesmo processo quando disse: "Essa imagem está no seu cérebro para sempre. Se isso fosse uma substância viciante, você, em qualquer momento para o resto da sua vida, poderia em um nanossegundo recuperá-lo [e ficar eufórico]."[2]

Qualquer homem honesto sabe que isso é verdade por sua própria experiência, e se ele é ainda *mais* honesto, sabe que não precisa do tsunami de tecnologia digital de hoje em seu celular para congelar em seu cérebro essas imagens tentadoras da forma feminina. Tudo que ele precisa é dar um passeio casual por um *shopping*. Lembrei disso há cerca de dezesseis anos, depois que meu filho Michael voltou das compras com sua mãe e as duas irmãs. Chegaram carregados de grandes sacolas de compras. De meu escritório do porão, eu conseguia ouvi-los fazendo barulho enquanto vinham da garagem. De repente, tudo ficou quieto. Eu sabia que as meninas deviam ter corrido para o quarto no segundo andar para guardar seus novos tesouros.

Voltei a me concentrar no computador e só soube o que aconteceu mais tarde. O que aconteceu é que Michael, então com 11 anos de idade, esgueirou-se atrás de sua mãe na cozinha e envolveu seus braços curtos em torno da cintura de Brenda. Minha esposa se virou com um sorriso, pensando que ele estava agradecendo pelo tempo agradável no *shopping*.

— Também amo você, Michael! — ela disse enquanto se inclinava para ele com um belo sorriso de afeto.

Mas meu filho mais novo não estava sorrindo. Em vez disso, ela descobriu um par de olhos confusos mirando os dela como raios laser.

— Mãe, como é que se tira da cabeça as imagens de mulheres de calcinha?

Brenda, para seu crédito, continuou sorrindo, mas por dentro ela se perguntou se ela tinha ouvido seu filho corretamente. Quando ela percebeu que tinha, ela não perdeu a oportunidade.

— Acho que é uma ótima pergunta para o seu pai —, disse ela, bagunçando o cabelo dele e apontando para o porão. — Mas antes de ir, de que tipo de imagens você está falando?

— Lembra quando fomos à praça de alimentação hoje?

— Claro.

— Bem, quando passamos por aquela "loja de segredos", olhei para aquelas mulheres usando apenas roupa de baixo. Não consegui tirar essas imagens da cabeça o dia todo.

De repente, tudo fez sentido para Brenda — e para mim, quando Michael me contou o que tinha acontecido. Essa "loja de segredos" era a *Victoria's Secret*, a loja de roupas íntimas com manequins realistas em poses sugestivas e usando *lingerie* de renda. Talvez conscientemente, pela primeira vez, Michael tivesse experimentado a capacidade que os olhos masculinos têm de se prenderem quimicamente em tais imagens sensuais com apenas um olhar.

Agora, junte a história de Michael aos dois comentários do Dr. Satinover e da Dra. Layden perante o Senado americano. O que esses três exemplos nos dizem sobre os homens e sua sexualidade?

Primeiro, Deus criou os homens desta forma e não há razão para atribuir vergonha à natureza visual de um homem. Esse aspecto da nossa sexualidade não é superficial ou sujo; é simplesmente masculino.

Segundo, se um homem cai em pecado sexual, não é necessariamente um reflexo de sua vida espiritual, pelo menos não no início. Considere Michael, por exemplo. Na época, Michael era um dos pré-adolescentes mais espirituais que eu já havia conhecido. Mais tarde, ele desenvolveu uma profunda paixão pela oração e adoração durante sua adolescência e se tornou um dos jovens mais espirituais que eu conheço. Essas imagens ficaram presas no cérebro dele, mas não porque ele era espiritualmente deficiente quando criança.

Além disso, Michael ainda nem se interessava por garotas quando tinha 11 anos, então ele não estava olhando para a vitrine daquela loja em um momento de luxúria. Ele estava apenas cuidando da própria vida quando acabou olhando para a vitrine enquanto ia almoçar com a mãe e as irmãs.

O fato de que essas imagens ficaram presas em seu cérebro não era um reflexo de sua espiritualidade, mas sim um reflexo de sua masculinidade. Seus olhos estavam meramente fazendo o que foram criados para fazer. Ouvi os homens clamarem: "Eu sou cristão! Por que não consigo parar esse pecado sexual? Eu não devia ser mais espiritual?". Espero que possam ver que a maior parte deste problema tem mais a ver com a forma como somos feitos do que com o quão espirituais somos. A verdade é que, enquanto esta batalha pela pureza tem componentes espirituais, é realmente muito mais física do que a maioria dos homens percebem. Martirizar-se por "não ser espiritual o suficiente" é ser muito simplista e não ajuda. Para a maioria dos homens, o foco da batalha não é tanto guardar o coração, mas guardar os olhos.

Uma verdade inconveniente

Outra verdade fundamental sobre nossa natureza visual é que o olho de um homem por si só, pode executar preliminares sexuais. Isso é fato. E sem mesmo tocar numa mulher.

Normalmente pensamos nas preliminares sexuais como algo tátil ou físico, como acariciar ou beijar um seio. Mas as preliminares são qualquer ação sensual que naturalmente prepara o corpo para a relação sexual, que inflama a paixão, levando-nos por etapas que nos fazem querer ir até o fim. Não precisa ser tátil.

Então, quais atos constituem uma preliminar? Com certeza, a carícia mútua dos genitais é uma preliminar. Até mesmo acariciar a parte superior da coxa pode ser uma preliminar. (Os garotos novos podem não entender isso, mas os pais entendem! Se você visse um garoto passando a mão na coxa da sua filha, aposto que não iria apenas piscar o olho e dar meia volta.) Quando uma garota coloca sua cabeça no colo de um garoto, isso é uma preliminar. De forma sutil, talvez, mas esse ato fará com que o motor dele comece a funcionar de forma cada vez mais rápida. A dança lenta pode ser uma preliminar, se determinadas partes do corpo estiverem em um contato próximo.

Se você é casado, pode estar se perguntado: *O que tudo isso tem a ver comigo? Minhas preliminares acontecem apenas com minha esposa.*

Tem certeza? A impureza dos olhos fornece uma satisfação sexual concreta. Isso não é uma preliminar? Quando você assiste a uma cena picante de um filme, não acontece uma contração muscular debaixo de sua calça? No que você fica pensando quando está na praia e, de repente, encontra uma beleza de cair o queixo em um biquíni minúsculo? Você engasga enquanto a Central de Comando sussurra: "Motor ligado!" Você a imagina na cama ali mesmo, embora tudo aconteça apenas na mente. Ou você salva a imagem e fantasia com isso mais tarde.

Você fica olhando para uma modelo sexy e a cobiça; olha cada vez mais e a deseja cada vez mais. Seu motor aumenta a rotação até chegar na zona vermelha, então você precisa de algum tipo de alívio ou a máquina irá explodir. Você tem uma ereção e seu corpo está pronto para a relação sexual, embora você nem sequer tenha tocado uma mulher. O trabalho de seus olhos é a única preliminar envolvida. Em pouco tempo, você está se masturbando.

Não tenha dúvida quanto a isso: a satisfação sexual visual é uma forma de preliminar. Um jovem marido chamado Alex se lembra de uma ocasião em que assistia à TV com sua cunhada. O resto da família estava fazendo compras. "Ela estava deitada de bruços no chão, na minha frente, vestindo um *short* justo, e em um determinado momento ela caiu no sono diante da televisão. Eu estava no sofá e aconteceu de eu olhar para ela e ficar observando sua coxa e a marca de sua calcinha. Tentei ignorar, mas meu coração começou a bater forte e meus olhos continuaram olhando para a parte posterior da coxa dela. Fiquei tão excitado que comecei a olhar e a cobiçar. Tive que me aliviar de algum jeito. Enquanto ela dormia, eu me masturbei, descaradamente."

Note que a satisfação sexual desenhada através dos olhos era real e genuína o suficiente para preparar o corpo de Alex para o sexo apenas com os olhos, sem sequer tocar uma mulher. É fundamental reconhecer a impureza sexual visual como preliminar. Se olhar coisas sensuais fornece apenas uma onda de apreciação da beleza de uma mulher, é a mesma coisa que olhar o incrível poder de uma tempestade passando estrondosamente pelos milharais de uma fazenda. Sem pecado. Sem problema.

Mas se é uma preliminar, e se estamos recebendo satisfação sexual, em que posição isso nos coloca como homens? Bem, considere que metade de todos os jovens tem seu primeiro vislumbre de pornografia antes dos treze anos de idade.³

É esperado que a idade média caia ainda mais quando as crianças recebem seu primeiro aparelho eletrônico (*tablet*, celular ou computador) em idades mais jovens. Em muitas salas de aula do ensino fundamental hoje, cada criança tem seu próprio aparelho, e as crianças descobrem maneiras de burlar os controles de adultos.

O ponto é que muitas vezes somos atraídos para o pecado sexual muito antes mesmo de reconhecer os perigos. Como homens, somos vulneráveis por causa da nossa natureza criada. Isso também significa que, se nós pais estamos mantendo silêncio sobre este tema, estamos provavelmente condenando nossos filhos ao desastre. Pense nisso. O que teria acontecido ao meu filho Michael se eu não estivesse em casa, disposto e pronto para responder à pergunta dele quando Brenda o mandou para falar comigo no porão?

É suficientemente fácil descobrir. Quando foi ao *shopping* novamente, Michael pode ter olhado outra vitrine de loja com manequins escassamente cobertas e percebido que algo semelhante aconteceu. Ou ele pode ter tropeçado em um filme ou programa de televisão e encontrado imagens que ficaram gravadas em seu cérebro lá também. Muito em breve a sua curiosidade poderia levá-lo ao computador da família, as buscas teriam levado a imagens de mulheres nuas e, antes que ele se desse conta, seus olhos estariam cada vez mais buscando isso, como tinha acontecido comigo no passado.

Felizmente, ajudei Michael a organizar a sua interessante tarde no *shopping*. Mas quanto a outros meninos, fico pensando: e se um pai não estivesse lá ou estivesse muito assustado para trazer o assunto porque ele mesmo não é sexualmente puro? O campo de batalha de todos os jovens foi dramaticamente alterado por explosões nucleares sexuais da internet e por bombardeios de pornografia nos celulares. A exposição precoce é praticamente inerente aos dias de hoje.

Mas isso não significa que nossos jovens devem cair em uma década ou duas de perdas antes de finalmente encontrar a liberdade, se vierem a encontrar. A verdade é que os homens podem aprender a se defender cedo para que as perdas não tenham de acontecer. Aprender a controlar a sexualidade é apenas parte de se tornar um homem, e jovens como Michael precisam de alguém que lhes ensine o que é normal, certo e verdadeiro e como gerenciar seus olhos e seus impulsos sexuais. Não há razão para trazer vergonha para este quadro. Todo mundo precisa ser ensinado algum dia.

E isso vale para você também, qualquer que seja sua idade. *A batalha de todo homem* lhe dará esse conhecimento, e se você tem um filho que precisa de você para transmitir esse conhecimento, você encontrará ajuda em nosso livro *Preparando seu filho para a batalha de todo homem*. Envolva-se com ele, especialmente naqueles anos críticos entre os dez e treze anos de idade. Ele vai precisar muito de seu discernimento.

O cérebro plástico

Como dissemos, nosso projeto masculino nato — particularmente nossa natureza visual — ajuda a explicar a prevalência do pecado sexual entre os homens cristãos. Se deseja aprender como lidar com sua sexualidade de maneira apropriada, você obviamente precisará guardar seus olhos de maneira eficiente. Se não controlar seus olhos, eles continuarão a construir caminhos para o seu cérebro e a inundá-lo com substâncias químicas viciantes de prazer.

Vamos falar sobre esses caminhos cerebrais por um instante. No decorrer dos últimos vinte anos tem havido uma revolução tremenda em nossa compreensão sobre o cérebro humano, especialmente em termos de sua estrutura subjacente. Seu cérebro não é estático nem inflexível como se acreditava. Pelo contrário, o cérebro é tão "plástico" e maleável que até mesmo seus comportamentos e ações pessoais, incluindo o uso de pornografia e a masturbação, podem literalmente moldar e formar ligações subjacentes em seu cérebro — seus caminhos neurais — e prendê-lo cada vez mais profundamente no pecado quanto mais tempo você se envolver. Está claro que seu cérebro neuroplástico (e sua capacidade de mudar seus caminhos neurais através das escolhas que você faz) terá um impacto significativo no campo de batalha pela pureza, tanto para o bem quanto para o mal.

Talvez seja uma boa ideia termos uma breve aula de biologia humana aqui. Antes de mais nada, o cérebro é composto basicamente de neurônios, que são células especializadas que transmitem impulsos elétricos, permitindo que o cérebro faça o seu trabalho. As conexões que cobrem os espaços entre os neurônios e fornecem a coesa malha elétrica de comunicação são chamadas de sinapses.

As sinapses não são conexões elétricas rígidas entre dois neurônios, como se fossem um cabo de rede que conecta seu computador à internet. Em vez disso, uma sinapse é mais semelhante a um pedaço microscópico de espaço fluido *entre* os neurônios, por meio do qual os impulsos elétricos "flutuam" de forma neuroquímica de um lado para outro.

As sinapses exigem um uso regular para sua própria existência e são as responsáveis pela plasticidade do seu cérebro. Quando, por exemplo, você dá início a uma nova atividade e repete uma ação particular diversas vezes no decorrer do tempo, o cérebro se reconecta, criando caminhos neurais (neurônios conectados por sinapses e trabalhando juntos) para lidar com os impulsos de uma atividade particular de maneira mais rápida e mais eficiente. Essa reconexão acontece de fato nas próprias sinapses, onde o número de conexões entre os neurônios é aumentado e fortalecido pelo uso, algo bem semelhante à maneira como as fibras musculares do seu tríceps são fortalecidas ao levantar pesos diariamente.

Por outro lado, se você interromper uma atividade nova e não usar mais aquelas conexões, as sinapses daquele caminho neural enfraquecem e terminam se rompendo e morrendo. Todo o processo neuroplástico é governado pelo princípio de "usar ou perder", juntamente com esta frase memorável: "Neurônios que acendem juntos trabalham juntos".

Quando massas de neurônios acendem em concordância repetidamente — como quando você está tocando piano —, acontecem mudanças sinápticas que conectam poderosamente grandes grupos de neurônios, criando mapas neurais que transportam impulsos de forma mais rápida e eficiente por todo o cérebro. Quando necessário, novas regiões neurais são requeridas por essas novas atividades, mais uma vez com base no nível de uso.

Eu (Fred) quero pintar uma imagem mais clara desse processo para você. Se tivesse realizado uma pesquisa cerebral completa em Brenda três anos atrás, você não encontraria um traço sequer de região neural dedicado a tocar piano. Mas se escaneasse seu cérebro hoje, depois de ela ter passado dois anos praticando diariamente, você descobriria que um bloco considerável de terreno neural foi anexado por suas crescentes habilidades no piano e que um mapa sadio e complexo de conexões sinápticas está florescendo para processar tudo isso.

Brenda controla indiretamente todo o processo. Ela mantém as sinapses ao tocar piano; dessa forma, as sinapses sobrevivem e florescem. Se ela desistir de tocar piano, esses mesmos mapas sinápticos vão enfraquecer e suas habilidades terminarão se decompondo e morrendo. Embora cada parte das mudanças neuroquímicas e estruturais aconteça no nível subconsciente, fora da consciência de Brenda, ela ainda tem um genuíno controle de vida ou morte sobre esses caminhos neurais.

Se você pensar bem, todo esse processo neurológico é incrível. Com base em suas decisões conscientes em relação a seu comportamento e experiências diários, você pode tanto sustentar suas sinapses como permitir que elas definhem. Em outras palavras, você tem controle sobre seus caminhos neurais, o que é extremamente útil em sua batalha pela pureza. Voltarei a esse assunto em breve.

Fred: Um pouco mais perto de casa

Para ilustrar esse conceito um pouco mais, vamos deixar o piano e ir para a pornografia. Recentemente aconselhei Ethan com relação a olhar pornografia e se masturbar, incluindo um hábito particularmente teimoso que acontecia todas as segundas-feiras ao meio-dia, quando Sofia, sua esposa, estava fora do apartamento trabalhando e ele estava em casa em seu dia de folga, envolvido em tarefas e cuidado de sua filha pequena, Skylar. Toda vez que o relógio batia meio-dia e ele colocava sua filha para tirar uma soneca, Ethan sentia como que se um demônio o arrastasse pelo pescoço até o computador para ter uma sessão de pornografia *on-line* e masturbação. A atração era avassaladora e ele simplesmente não conseguia parar.

Como esse hábito se tornou tão rígido e obstinado, a ponto de ele quase poder acertar seu relógio com o momento em que a tentação o arrebatava durante a soneca de Skylar? A resposta é simples: Ethan havia reorganizado extensivamente os caminhos neurais que levam aos seus centros de prazer sexual por meio de repetição de comportamento diante da tela do seu computador todas as segundas-feiras ao meio-dia.

Juntamente com cada sessão e cada orgasmo, a dopamina, neurotransmissor ligado ao prazer, explodia por todo o cérebro de Ethan e acendia seus centros de prazer. Mas a dopamina também estimula mudanças neuroplásticas, de modo que a mesma explosão de dopamina que excitava Ethan também fortalecia as sinapses e consolidava as conexões neurais em seus mapas sexuais. Recentemente aumentados e fortalecidos, os mapas associados às suas ações podiam agora empurrá-lo de maneira eficiente na direção de momentos futuros de pornografia e masturbação, especialmente às segundas-feiras ao meio-dia.

Ora, a dopamina também ajuda a estabelecer lembranças em seu cérebro, de modo que da próxima vez que você estiver no mesmo lugar e na mesma hora, o cérebro se lembrará aonde deve ir para ter prazer novamente. No caso de Ethan, seu cérebro havia determinado exatamente o que significava a hora da soneca da segunda-feira ao meio-dia para seus centros de prazer sexual e havia aprendido como forçar na direção de conseguir aquilo que queria.

Reprogramar seu cérebro?

O cérebro de Ethan é capaz de desaprender aquilo que sabe em relação à hora da soneca de Skylar? Ethan é capaz de matar seu hábito semanal? Bem, vamos voltar àquilo que você acabou de ler há poucos instantes. Você tem controle indireto sobre seus processos neuroplásticos. Com base nas decisões conscientes ligadas ao seu comportamento e experiências diários, você pode tanto incrementar suas sinapses quanto permitir que elas enfraqueçam. Em outras palavras, você tem controle sobre seus caminhos neurais, o que é extremamente útil em sua batalha pela pureza.

Ethan tinha o mesmo controle indireto que todos nós temos, e ele interrompeu seu hábito por meio de um conjunto de decisões conscientes e consistentes. Antes de compartilhar os detalhes, permita-me apresentar uma imagem em palavras sobre trens e trilhos que o ajudará a entender como você pode *desaprender* mudanças neuroplásticas por meio do princípio de "usar ou perder".

A cerca de 50 quilômetros ao norte da minha casa há um conjunto de trilhos sobre os quais passam 150 vagões de carvão mais ou menos a cada meia hora; saindo do Wyoming, seguem seu caminho para a costa leste dos Estados Unidos. Aquela rota é tão intensamente usada e bem mantida que você teria enorme dificuldade para encontrar qualquer indício de mato ou grama entre os trilhos caso se desse ao trabalho de procurar. Dúzias de locomotivas passam por aqueles trilhos todo santo dia, duas vezes a cada hora, e nada que se coloque em seu caminho poderia diminuir sua velocidade.

Quando penso nos caminhos neurais de Ethan cobrindo seus mapas sexuais, penso naqueles trilhos de trem firmes e eficientes que se estendem pelo caminho, impecavelmente limpos. Os impulsos sexuais de Ethan poderiam correr por seus trilhos livremente (especialmente às segundas-feiras ao meio-dia) porque nada se colocava no caminho de seus poderosos motores sexuais.

Mas você já viu um conjunto de trilhos abandonados — sem uso, cobertos de vegetação e enferrujando pelo efeito da chuva? Com mato e ervas daninhas entre os trilhos, batendo nos seus tornozelos ou talvez chegando até a cintura, e com pequenos arbustos aprofundando suas raízes entre os dormentes, aqueles trilhos chegaram a tal ponto de deterioração que nenhuma locomotiva de carvão poderia passar por ali sem descarrilar.

Para desaprender as mudanças que seus caminhos neurais corrompidos causaram em sua vida, você deve abandoná-las da mesma maneira. De acordo com o princípio de "usar ou perder", você deve parar de usá-los para que suas conexões sinápticas venham a enfraquecer, se decompor e morrer. Quando isso acontece, aqueles trilhos neurais que um dia foram suaves ficarão irremediavelmente cobertos de vegetação.

Foi exatamente isso que ajudei Ethan a fazer. Ele precisava parar de reforçar seus caminhos neurais. Precisava fazer com que as segundas-feiras ao meio-dia significassem alguma outra coisa completamente diferente para o seu cérebro, e ele fez isso ao mudar de forma consistente o que acontecia nas segundas-feiras ao meio-dia.

Com o objetivo de colocar Ethan no caminho da pureza, pedi a ele que fizesse uma longa lista de coisas que poderia fazer em seu apartamento depois de colocar Skylar no berço para tirar uma soneca. Ele voltou com uma lista de cinquenta itens. Depois de colocá-la para dormir, ele pegaria aquela lista e escolheria três ou quatro coisas para fazer durante a hora seguinte que o ajudariam a manter sua mente longe do computador. As tarefas eram bastante rotineiras: lavar a louça, passar aspirador no apartamento, ouvir um sermão em *podcast*, ligar para um amigo — qualquer coisa que ele quisesse ou precisasse fazer naquele dia. No momento em que terminasse suas tarefas de casa ou depois de ter realizado todas as ligações telefônicas, Skylar já teria acordado e estaria pronta para brincar, e Ethan teria se esquecido completamente do computador.

Você consegue imaginar o que aconteceu? Depois de apenas quatro semanas, o impulso de ir para o computador todas as segundas-feiras ao meio-dia havia enfraquecido a tal ponto que ele não estava mais se masturbando e, assim, sustentando as sinapses e os caminhos neurais que o atraíam naquela direção. Ele havia abandonado seus trilhos, que foram tomados pelo mato e se deterioraram tão rapidamente que as tentações descarrilavam, por assim dizer, antes de chegar até ele.

O fato é que a sua masculinidade e o seu cérebro humano neuroplástico podem ter acabado com você no que se refere à sua sexualidade. Mas você não é uma vítima, e certamente existe esperança para sua vida. Você precisa simplesmente aprender a lidar de maneira eficiente com sua masculinidade se quiser obter vitória total sobre o pecado sexual. Você tem uma decisão a tomar.

7

Opção pela verdadeira hombridade

Você está perante uma importante batalha. Decidiu que a escravidão do pecado sexual não vale seu amor pelo pecado sexual. Você está comprometido a remover cada indício dele. Mas como? Sua masculinidade o assombra como seu pior inimigo.

Se entramos no pecado sexual naturalmente — pelo simples fato de sermos homens —, então como conseguiremos sair? Não podemos eliminar nossa masculinidade e também nem queremos fazer isso. Por exemplo, cada um quer olhar para sua esposa e desejá-la. Ela é considerada linda, e o prazer sexual é desfrutado quando a esposa é admirada, quando se sonha constantemente com a próxima noite e o que a cama oferecerá. No seu devido lugar, a masculinidade é maravilhosa.

Mas nossa masculinidade é a principal raiz do pecado sexual. Então, o que podemos fazer?

Devemos escolher ser mais do que masculinos. Devemos optar pela hombridade.

Fred: Masculinidade em contraste com hombridade

Mas o que exatamente é hombridade? A melhor descrição que eu li vem do autor John Eldredge, que escreveu o seguinte em seu livro *Wild at Heart*, um clássico sobre masculinidade:

> Há três desejos que estão escritos tão profundamente em meu coração que agora sei que não posso mais ignorá-los sem perder minha alma. São essenciais para quem e o que sou e anseio ser. Olho para a infância, procuro nas páginas da literatura, ouço com atenção muitos, muitos homens, e estou convencido de que esses desejos são universais, uma pista para a própria masculinidade. Eles podem ser extraviados, esquecidos ou mal direcionados, mas no coração de cada homem há um desejo

desesperado por uma batalha para se lutar, uma aventura para se viver e uma beleza para se resgatar.[1]

Nunca esquecerei a primeira vez que li a última frase. Eldredge disse estas palavras de forma tão simples e, no entanto, o que estava lá na página era tão infinito e profundo. Reconheci instantaneamente esses mesmos três desejos latejando em meu próprio coração.

E quanto mais eu pensava sobre isso, mais eu via que estes eram também os mesmos três desejos que energizavam meu desejo de pureza sexual: *eles estão no centro de quem eu sou e quem eu desejo ser*. O desejo ardeu, e declarar guerra me forneceu tudo o que o coração de um homem poderia desejar:

- Uma enorme batalha a travar, cujo fim era incerto.
- Uma grande aventura para viver, lutando com o mais hediondo dos inimigos.
- A vida como um herói, vindo da melhor maneira que eu já encontrei para proteger a minha beleza.

Ao me tornar puro, resgatei os sonhos da minha esposa para o casamento e a maternidade. Que heroico! Nunca me senti mais como um homem, e continua até hoje.

Quando você escolhe a hombridade, você está escolhendo ser fiel a sua essência criada. Você está escolhendo encontrar e lutar grandes batalhas para Deus, viver grandes aventuras em seu reino e proteger a beleza em sua vida, especialmente sua esposa e filhos. A vida dos homens genuínos sempre foi assim. Eldredge disse que esses três desejos são universais, marcas da própria masculinidade, e enquanto esses desejos podem ter sido extraviados, esquecidos ou mal direcionados em sua vida até agora, pessoalmente sei que lutar pela pureza é uma forma forte de restaurar a ordem de sua essência masculina, libertando-o para lutar e esmagar o inimigo.

Antes desta batalha, eu tinha tido um sucesso notável como atleta e como jovem empresário, mas no fundo eu ainda duvidava se realmente pertencia ao mundo dos homens. Foi esta batalha de pureza e esta aventura que estabeleceram minha hombridade para o bem.

Quando nossos pais nos aconselhavam para sermos "homens" em relação a algo, eles estavam nos encorajando a atingir um padrão de hombridade que eles já haviam compreendido. Eles desejavam que realizássemos nosso potencial, superássemos nossas tendências naturais para escolher a melhor saída.

Quando nossos pais diziam "Seja homem", estavam ordenando que fôssemos como eles, dispostos a lutar, viver, proteger a beleza e o bem.

De maneira similar, nosso Pai celestial nos exorta a sermos como ele: "O Senhor é guerreiro; Javé é seu nome!" (Êx 15.3). Embora ele saiba que seu padrão de pureza não vem naturalmente a nós, ele nos chama a nos elevar acima de nossas tendências naturais de ter olhos impuros, mente fantasiosa e coração errante. Devemos ser guerreiros pelo poder de sua presença interior, para entrar na hombridade, lutar bravamente, viver com aventura e proteger heroicamente.

E essa presença interior é suficiente na batalha. O apóstolo Pedro nos diz que esta nova vida nos dá tudo deque precisamos como homens para andar acima de nossa natureza:

> Deus, com seu poder divino, nos concede tudo de que necessitamos para uma vida de devoção, pelo conhecimento completo daquele que nos chamou para si por meio de sua glória e excelência. E, por causa de sua glória e excelência, ele nos deu grandes e preciosas promessas. São elas que permitem a vocês participar da natureza divina e escapar da corrupção do mundo causada pelos desejos humanos.
>
> 2Pedro 1.3-4

Antes de uma batalha importante de um exército comandado por Joabe, ele disse o seguinte para as tropas de Israel (2Sm 10.12): "Coragem! Lutemos bravamente por nosso povo e pelas cidades de nosso Deus". Em resumo, ele estava dizendo: "Conhecemos o plano de Deus para nós. Vamos lutar como homens e programar nosso coração e nossa mente para completar a tarefa!".

É hora de agir como homem. Em relação à integridade sexual, você tem o poder dentro de si, e em breve você terá o conhecimento necessário para vencer.

Levante-se, guerreiro! Escolha a hombridade e coloque-a em prática.

As mãos e os olhos de Jesus

Eu compreendi melhor como se parece a hombridade após a leitura de um boletim de notícias pelo autor e conferencista Dr. Gary Rosberg. Ele disse ter visto um par de mãos que o fez lembrar das mãos de seu pai, que já havia falecido. Gary continuou a se lembrar do que as mãos de seu pai significavam para ele. Então, transferiu seus pensamentos para as mãos de Jesus, ressaltando esta simples verdade: "Foram mãos que nunca tocaram uma mulher com desonra".

Quando li isso, o arrependimento dilacerou minha alma. Como eu queria poder falar isso sobre as minhas mãos! Defraudei muitas mulheres com minhas mãos e me arrependo do pecado. Enquanto pensava mais sobre isso, percebi que desde o meu primeiro ano de salvação, não havia tocado nenhuma mulher com desonra. Que grande motivo para celebrar!

Ponderei as palavras de Gary por mais algum tempo. As mãos de Jesus nunca tocaram uma mulher com desonra, mas Jesus disse que a cobiça com os olhos é a mesma coisa que o toque. Considerando que Jesus viveu sem pecado, percebi repentinamente que Jesus não apenas nunca *tocou* uma mulher com desonra, como também nunca *olhou* para uma mulher com desonra. Será que eu poderia dizer o mesmo?

Não, eu não podia. Embora já salvo e liberto para caminhar de forma íntegra, ainda tinha optado por olhar para as mulheres com desonra.

Ah, não seja tão duro consigo mesmo, alguém poderia dizer. *É natural que um homem olhe. Faz parte da nossa natureza.*

Mas veja, é exatamente essa mentalidade que vai mantê-lo preso em mera masculinidade, em vez de chegar até a hombridade. Claro, pode ser natural para um homem olhar, mas você é um guerreiro, chamado para crucificar sua natureza inferior.

Deixe-me ilustrar como a hombridade parece na prática com algumas histórias que eu compartilhei pela primeira vez em nosso caderno de exercícios de *A batalha de cada homem*.

Anos atrás, eu tomei meu assento perto do corredor em meu voo para Dallas, onde eu iria ensinar sobre a pureza sexual em um retiro de fim de semana para homens. Enquanto descansava meu cotovelo no apoio do braço e colocava minha cabeça na minha mão, meus olhos vagavam sem rumo à medida que os demais passageiros se acomodavam. Eu estava exausto e esperava que a pessoa que sentaria ao meu lado chegasse logo para que eu pudesse levantar-me uma última vez e, em seguida, cair no sono.

Uma mulher jovem olhou para mim com um leve sorriso e um aceno de cabeça para indicar seu assento, que era ao lado de meu. Levantei-me educadamente para deixá-la entrar, e então me acomodei e apertei o cinto. Cerca de dez minutos após a decolagem, olhei distraidamente em direção à janela para ver as nuvens ondulantes. Quando fiz isso, percebi que a moça ao meu lado já havia adormecido, e sua blusa decotada estava oferecendo uma festa para meus olhos. Se eu fiquei tentado? Não. Simplesmente virei para o outro lado. Nesta altura da minha vida, uma espiadela demorada pela blusa aberta de uma mulher era algo que não iria acontecer. Em relação àquela jovem bonita ao meu lado, tudo já tinha sido resolvido na minha mente anos atrás. Os trilhos do meu cérebro para olhares ilícitos foram cobertos com um crescimento excessivo de árvores e arbustos, e as vias sinápticas foram bloqueadas por falta de uso. Afinal, transformação é transformação.

Quando adormeci no meu lugar no corredor, pensei no que teria acontecido mais cedo na minha vida. Os meus olhos estariam por todo o lado, usando o corpo dela para minhas preliminares sexuais e egoístas sem o consentimento dela. *Não, teria sido pior do que isso*, eu pensei. *Eu teria usado aquela mulher sem o consentimento dela!*

E de repente me dei conta. Espreitar pela blusa aberta enquanto ela dormia não seria diferente de, digamos, observá-la pela janela com um telescópio enquanto ela se despia uma noite. Usá-la aqui no avião teria sido tão premeditado, tão enganador e tão assustador como isso.

Eu tremi. *Cara, eu nunca pensei nisso assim antes, e pensar que eu costumava agir assim o tempo todo!*

Alguns podem se perguntar sobre a minha escolha de fazer a coisa certa no avião. *E daí? Ela não saberia que você estava olhando para ela!* Isso é irrelevante. Eu teria feito uso dela para um momento sexual sem o seu consentimento ou mesmo sem o seu conhecimento. Isso é simplesmente degradante para qualquer um de nós, tão degradante como usar o celular para tirar fotos escondidas. Homens heroicos não fazem isso.

Além disso, eu também sou casado. Eu não tenho o direito de usá-la sexualmente desta forma, estando ela ciente disso ou não. De acordo com Jesus, essa é uma forma de adultério, então fim de discussão (Mt 5.27-28).

Antes de seguir em frente, quero que considere ainda outra coisa sobre esta jovem. Ela é uma filha do Deus Altíssimo, e o Senhor anseia por sua pureza sexual e proteção emocional. Como filho de Deus, sou responsável por tratá-la com absoluta pureza, como se fosse uma irmã (1Tm 5.2). É assim que os homens de verdade agem.

Anos atrás, quando eu estava frequentando outra igreja, o pastor sênior dos jovens foi dispensado por má conduta sexual com uma garota vulnerável de dezessete anos da igreja. Enquanto meu coração estava em pedaços por essa adolescente, a dispensa dele não foi grande surpresa para mim, pois eu tinha visto as bandeiras vermelhas na sua vida durante meses.

No dia seguinte à dispensa, porém, eu fui despedaçado por uma visão incrível e indelével, algo que meu coração implora para nunca mais ver enquanto eu viver. Meu querido amigo Randy, dono de um negócio local e amigo íntimo da família da vítima, entrou de rompante no meu escritório para discutir esse assunto chato; seu rosto estava transtornado de raiva e tormento, tornando-o quase irreconhecível.

— Fred, como ele pôde fazer isso? — Randy murmurou. — Ela era tão jovem e vulnerável. Ela precisava da proteção dele, não isso... Como isso pôde acontecer?

E então começou a soluçar.

Bem mais tarde naquela manhã, quando as emoções dele finalmente diminuíram, Randy disse-me algo que nunca esquecerei.

— Fred, tenho dezenas de moças trabalhando para mim nas minhas lojas, e sabe o que ouço constantemente delas? Elas me dizem: "Randy, nunca estive perto de um homem como você. Nunca fui capaz de confiar em um homem em minha vida, nem mesmo em meu pai, meus irmãos, meus primos, ninguém. Você é o único homem que me faz sentir segura quando está por perto".

As lágrimas voltaram a rolar. "Não posso dizer o quanto estimo essas palavras e a responsabilidade que carrego. Luto com todas as fibras do meu ser para honrar as moças que trabalham para mim. Tenho certeza de que algumas delas foram estupradas ou molestadas em casa, mas agora foram realmente capazes de ver Deus em mim, Fred. Como alguém poderia violar tal confiança, especialmente um pastor de jovens? Eu tenho de ser honrado com essas mulheres que estão sob meus cuidados!"

Meu amigo está fazendo muito bem isso de "ser homem", não é? Não haveria movimento pedindo isso hoje em dia se todos os homens agissem como Randy. Em algum lugar, em algum momento, ele escolheu a hombridade, e agora ele vive uma grande aventura todos os dias, protegendo as mulheres em sua vida em vez de usá-las.

É hora de começar a honrar as mulheres com nossos olhos e com nossa mente. Elas têm direito a nada menos que isso, e nós não temos direito a nada mais.

No fim das contas, somos homens. Isto é o que os homens de verdade fazem. Claro, aquela jovem sentada ao meu lado no avião adormeceu cedo demais para perceber se eu ia aproveitar ou afastar-me dela em honra. Mas eu escolhi a hombridade anos atrás, e hoje, mesmo que ninguém esteja olhando, continuo agindo da mesma maneira como faço quando estou sentado no santuário da minha igreja. Esse é talvez o componente-chave da verdadeira hombridade. Você é a mesma pessoa, independentemente de onde está ou se alguém está vendo?

Neste assunto, como Jesus nunca olhou para uma mulher com desonra, ele é claramente nosso modelo principal.

Está certo!, você pode dizer. *Ele era Deus, é injusto esperar que eu viva como ele.*

Talvez. Mas se, por causa de sua divindade, o padrão pessoal de Jesus parece inatingível para você, vamos olhar para um outro modelo de hombridade encontrado nas Escrituras que também diz respeito à pureza sexual.

Apenas um homem

Seu nome era Jó, e em nossa mente este homem é o modelo essencial de pureza sexual nas Escrituras. No livro da Bíblia que conta sua história, vemos Deus elogiar Jó perante Satanás:

> Você reparou em meu servo Jó? Não há ninguém na terra como ele. É homem íntegro e correto, teme a Deus e se mantém afastado do mal.
>
> Jó 1.8

Deus tinha orgulho de Jó? Não há dúvida disso! Ele aplaudia a fidelidade de seus servos com palavras do mais alto louvor. E se você caminhasse em pureza, de forma irrepreensível e correta, ele falaria a mesma coisa de você. A alegria seria abundante no coração do Pai. Você já tem a liberdade e a autoridade de caminhar de forma íntegra. Não precisa de mais aconselhamento. Não precisa de mais libertação.

Mas uma passagem como esta pode, na verdade, ser desencorajadora, se você tentar comparar o exemplo de Jó com sua própria vida. Então, vamos descobrir mais sobre como Jó conseguiu viver assim.

Em Jó 31.1, vemos Jó fazer esta revelação surpreendente:

> Fiz uma aliança com meus olhos
> de não olhar com cobiça para nenhuma jovem.

Uma aliança com os olhos! Você quer dizer que ele prometeu aos seus olhos não cobiçar uma mulher? Impossível, isto não pode ser verdade!

Mas Jó foi bem-sucedido; caso contrário, ele não teria feito esta promessa (Jó 31.9-10):

> Se meu coração foi seduzido por uma mulher,
>   ou se cobicei a esposa de meu próximo,
> que minha esposa se torne serva de outro homem;
>   que outros durmam com ela.

Jó tinha sido totalmente bem-sucedido ou ele não poderia ter feito essa declaração de todo o coração. Ele sabia que tinha uma vida correta e sabia que seus olhos e sua mente eram puros. Ele jurou por sua esposa e por seu casamento perante Deus e os homens.

Vamos voltar para o início da história e ler o versículo de abertura do livro de Jó:

> Havia um homem chamado Jó que vivia na terra de Uz. Ele era íntegro e correto, temia a Deus e se mantinha afastado do mal.

Jó era apenas um homem! Como você pode notar, essas palavras preciosas devem inundar sua alma: *Se ele conseguiu, eu também consigo*. Deus deseja que você saiba que, em sua hombridade, você também pode viver acima da impureza sexual.

Fred: Estabelecendo minha aliança

Quando pensei seriamente sobre o exemplo de Jó pela primeira vez, meditei sobre essas palavras durante dias sem fim. Jó e eu éramos diferentes em apenas um aspecto — nossas ações. Deus o chamou de "íntegro". Eu ainda não era íntegro, mas eu era um homem, assim como Jó, então ainda havia esperança.

Depois de alguns dias, minha mente se concentrou na palavra *aliança* — um acordo entre Deus e o homem. *O que tenho de fazer exatamente quando faço uma aliança?* Poderia pronunciar palavras para fazer uma promessa, mas eu não tinha certeza se conseguiria cumprir a palavra.

E meus olhos? Posso realmente esperar que eles cumpram sua parte? Olhos não pensam ou falam! Como podem manter uma promessa?

Dia após dia, minha mente se voltava para o conceito de aliança, tentando imaginá-lo, enquanto ainda permanecia no pecado. Mas algo se agitava lá no fundo de minha alma.

Eu me lembro muito bem daquele momento — o local exato na estrada Merle Hay, em Des Moines — quando tudo veio à tona imediatamente. Eu havia pecado contra Deus com meus olhos mais de um milhão de vezes. Meu coração se derretia em culpa, dor e tristeza. Dirigindo pela estrada, agarrei-me violentamente ao volante e, com os dentes cerrados, gritei: "É isso! Vou conseguir. Estou fazendo uma aliança com meus olhos. Não me importo o que vai me custar, e não me importo se eu morrer tentando. Tudo vai acabar aqui. Vai acabar aqui!"

Eu estabeleci uma aliança e a construí tijolo por tijolo. Mais tarde, Steve e eu lhe mostraremos a planta para fazer esta parede de tijolos, mas por enquanto estude a minha volta por cima:

- Tomei uma decisão objetiva.
- Decidi de uma vez por todas mudar.

Não consigo descrever como cheguei a esse ponto. Um dilúvio de frustrações de anos de fracasso fluiu de meu coração. Simplesmente aconteceu! Eu não estava completamente convencido de que poderia confiar em mim até então, mas tinha finalmente entrado na batalha. Por meio da aliança com meus olhos, todos os meus recursos mentais e espirituais estavam agora direcionados a um único alvo: minha impureza.

Em suma, eu também havia optado pela verdadeira hombridade. Resolvi batalhar para superar minhas tendências masculinas naturais e embarquei em uma grande aventura para colocar o inimigo sob meus pés.

Parte III

Opção pela vitória

8

Tempo de decidir

• • • • • • • • •

Deparamo-nos com uma história de jornal sobre um veterano da Segunda Guerra Mundial chamado B. J. "Bernie" Baker, que havia recebido a notícia de que estava morrendo de câncer nos ossos. Com a perspectiva de ter apenas dois anos de vida, ele disse aos médicos que combatessem a doença com tudo o que fosse possível. "Passem-me os tratamentos", ele disse, "continuarei levando minha vida." Enquanto isso, ele e sua esposa encontraram tempo para um passeio pelo Alasca, uma excursão de pescaria na Costa Rica e várias viagens para a Flórida.

Nove anos após seu diagnóstico, ele lutava contra a falta de fôlego e a perda de força, mas mesmo assim disse: "Vou continuar lutando. Pode dar certo".

Essas palavras não foram ditas em resignação. Foram palavras de um lutador, de um verdadeiro homem, um homem que enfrentou bombas e armas de fogo no Sul do Pacífico antes de retornar para os Estados Unidos e, finalmente, fundar a empresa Baker Mechanical Company com duas ferramentas e uma caminhonete de 125 dólares. (Esta empresa se tornaria, mais tarde, uma das maiores do seu setor nos Estados Unidos.) O câncer o atacou de forma implacável, mas ele não tinha planos de se render.

Pode dar certo continuar lutando. Qual era a alternativa de B. J.?

Desistir e morrer.

E você, em sua batalha contra olhos e mentes impuros? Qual a alternativa, a não ser lutar?

Permanecer preso e morrer espiritualmente?

Quando conversamos com homens corajosos da geração de B. J. — veteranos da Segunda Guerra Mundial que personificam o título do livro de Tom Brokaw, *The Greatest Generation* [*A maior geração*] —, eles dizem que não se sentem heróis. Eles simplesmente tinham um trabalho a ser cumprido. Quando as rampas dos aviões que aterrissavam eram abertas, eles engoliam em seco e diziam: "Chegou a hora!". Era hora de lutar.

Em sua luta contra a impureza sexual, essa hora já não chegou? Com certeza, responder ao ataque será difícil. Também foi para nós. Quando começamos nossa luta, esperávamos uma derrota logo de cara, e isso aconteceu. Nosso pecado nos humilhou. Mas desejávamos a vitória sobre esse pecado e o respeito do nosso Deus.

Sua vida e seu lar estão debaixo de um paredão devastador de uma sexualidade que metralha e fuzila a paisagem de forma impiedosa. Neste momento, você está em um avião aterrissando, aproximando-se cada vez mais da terra firme e da revelação final dos fatos. Deus lhe deu as armas e o treinou para a batalha.

Você não pode permanecer no avião para sempre. Mais cedo ou mais tarde, a rampa será aberta e, então, chegará a sua vez de correr bravamente e lutar. Deus correrá *com* você, mas ele não correrá *por* você.

É hora de ir adiante e agir como homem.

Fred: Vencendo no momento mais difícil da batalha

Se você se lembra da minha história, eu me livrei da pornografia antes do dia do meu casamento. Mas não tinha parado completamente de ceder à influência negativa da cultura sexual sobre mim, e então continuava seduzido. Por fim, estava tão cansado da batalha que só queria que ela terminasse.

Eu também estava com raiva. Estava cansado de pecar, cansado de Satanás e cansado de mim. Não queria mais esperar. Assim como o povo de Israel, comecei a me rejeitar (Ez 6.9). Desejava vencer imediatamente e de forma definitiva, não em algum lugar da estrada da vida, quando os anos poderiam trazer a vitória pela porta dos fundos. Eu queria vencer quando a batalha estivesse no auge.

Você também pode. Se você não vencer agora, nunca saberá se é verdadeiramente um homem de Deus que realmente está buscando seus propósitos.

Entre na guerra para vencer

O pecado sexual não é apenas um jogo ou apenas mais uma forma de entretenimento cativante. Ele deforma os caminhos para os centros de prazer do seu cérebro; literalmente muda seus gostos sexuais, e vai acabar por trancá-lo espiritualmente e jogar fora a chave. Se você vai se envolver na batalha, saiba disto: vai ter de lutar para sempre. Não haverá vitória nesta área de sua vida até que escolha a hombridade e escolha a vitória com todas as suas forças.

Para conseguirmos chegar ao ponto decisivo de optar pela pureza sexual, devemos tomar algumas decisões árduas e responder a algumas perguntas difíceis:
- Por quanto tempo pretendo continuar preso?
- Por quanto tempo minha família terá de esperar?
- Por quanto tempo ainda viverei sem poder olhar nos olhos de Deus?

Minha esposa, Brenda, me fez uma destas perguntas há alguns anos. Embora ela se relacionasse a algo diferente do pecado sexual, a história por trás dela ilustra as difíceis decisões necessárias para se escapar de uma escravidão sexual.

Quando fiz 35 anos, a falta de aceitação de meu pai de repente me causou um impacto profundo. Esse sofrimento afetou o relacionamento com minha esposa e com meus filhos. Eu era rude em minha expressão, rude em minhas palavras. Grosso, rude, áspero.

Brenda seguidamente tentava explicar meu comportamento para as crianças, mas depois de um ano colecionando frustrações, um dia ela explodiu: "Tudo bem, então! Você só precisa nos dizer por quanto tempo planeja ficar deste jeito, para que possamos estar preparados para isso!". Depois, saiu enfurecida da sala, batendo a porta.

Fiquei ali sentado, mudo, por um bom tempo. Claro que a raiva dela me chocou, mas o que ela apontava me chocou mais. Quanto tempo eu planejava *ficar* desse jeito? Dez anos? Por que dez? Por que não cinco? Se eu podia decidir mudar em cinco anos, por que não poderia decidir fazê-lo em um? E se eu podia fazer isso em um ano, por que não agora?

Depois daquela única apunhalada de Brenda em meu coração, reconheci que a hora havia chegado. Comecei imediatamente. Fui em busca de um conselheiro. Logo depois disso, comecei a frequentar a conferência dos *Promise Keepers* no Colorado. Naquela primeira noite, Deus falou comigo através do pregador e revelou um aspecto de seu amor para comigo que eu nunca tinha compreendido. Sentado naquela mesma noite nas arquibancadas do Folsom Field, o estádio da Universidade do Colorado, a dor de anos de abuso verbal que sofri com meu pai se dissipou em pouco tempo.

Minha família merecia mais do que o que eu estava dando a ela. Afinal, eu era um homem. Os homens lutam grandes batalhas, vivem grandes aventuras e defendem a beleza em sua vida. Eu tive de agir e tomar uma decisão diante do desafio de Brenda.

Mais perguntas

Da mesma forma, no domínio da pureza sexual, você está em seu próprio ponto de decisão. Sua família merece mais do que o que você está dando nessa área e ela espera uma resposta. É hora de você embarcar em sua própria grande aventura e lutar uma grande batalha para defender sua família.

Mas diferentemente de Brenda, sua própria esposa pode não estar consciente do seu problema com a impureza sexual, então ela não pode fazer as perguntas difíceis. Se este for o caso, vamos fazer aquelas perguntas no lugar dela:

- Por quanto tempo você permanecerá sexualmente impuro?
- Por quanto tempo defraudará sexualmente a sua esposa?
- Por quanto tempo retardará o crescimento da unidade com sua esposa, uma unidade que você prometeu a ela anos atrás, numa cerimônia matrimonial diante de muitas pessoas?

A visão de Deus é bem simples. Você precisa encarar essas questões e tomar uma decisão. Mesmo que esteja hesitante. Sabemos que está assim, porque nós hesitamos durante anos. Você está pensativo. *Espere um pouco. Não estou pronto.* Ou talvez este seja seu pensamento: *Eu pararia hoje, mas isso não é tão fácil assim!*

Tudo bem. Vamos concordar que a opção por parar de pecar não parece ser a coisa mais simples. Depois de ter caído em uma cilada, tudo parece muito mais complexo. Mas preste atenção nas palavras a seguir, ditas pelo pregador Steve Hill. Ele abordou sua própria saída do vício das drogas e do álcool, além do pecado sexual:

> Não existe tentação que seja incomum para o homem. Deus enviará uma rota de fuga, mas você precisa estar disposto a aceitar esse caminho, amigo...
>
> Eu era um alcoólatra de último grau. Bebia uísque, mas uísque puro mesmo, todos os dias. E também era viciado. A cocaína entupia meu nariz, meu braço. Eu fazia de tudo. E Deus nunca me livrou do desejo e do amor pelas drogas. Ele nunca fez isso. O que aconteceu foi que eu *decidi* nunca tocar nessas coisas ou me embriagar novamente...
>
> Vocês que se interessam por pornografia podem estar pedindo a Deus que os livre desse desejo lascivo. Vocês são homens com hormônios. *Sentem* coisas, e isso

acontece desde a época da adolescência, e irão sentir até o dia em que morrerem! Vocês são atraídos pelo sexo oposto.

Não estou dizendo que Deus não possa remover o desejo de vocês. Ele pode! Mas nunca fez isso em minha vida, ou para as centenas de pessoas com as quais tenho trabalhado durante anos. Isso inclui os viciados em pornografia. Noventa e nove por cento tiveram de *tomar uma decisão*. Eles decidiram não passar perto de estantes de revistas masculinas e permanecer fiéis a sua esposa e sua família.

Concordamos. Tudo começa com uma decisão. É hora de tomar uma decisão. Quanto tempo você vai demorar? Você vai esperar dez anos e depois optar por parar? Se não dez anos, que tal cinco anos? Um ano?

Por que não agora?

Fred: Este é seu momento

Enquanto você medita a respeito, considere o exemplo de Eleazar, um dos "três guerreiros" de Davi, neste breve registro de uma dura batalha contra os filisteus:

> O segundo era Eleazar, filho de Dodô, descendente de Aoí. Ele era um dos três guerreiros que estavam com Davi quando enfrentaram os filisteus depois que todo o exército israelita havia recuado. Eleazar matou filisteus até que sua mão ficou cansada demais para levantar a espada, e o Senhor lhe deu grande vitória naquele dia.
>
> 2Samuel 23.9-10

Eleazar se recusou a ficar acuado. Todos os outros estavam correndo do inimigo, mas ele fincou seu pé e disse: "Eu não vou fugir. Vou lutar até a morte ou até cair no campo de batalha exausto, mas vitorioso. Este é meu momento; é viver ou morrer".

Você já tentou fugir? Este é seu momento?

O escritor e pastor Jack Hayford uma vez falou de seu momento. Sentado em seu carro, depois de ir ao banco e ser atendido por uma jovem adorável, ele disse para si mesmo: *Ou eu tenho de purificar minha mente e me consagrar a Deus, ou terei de me masturbar aqui mesmo*. O Pastor Jack disse isso na frente de dezenas de milhares de homens naquela mesma conferência dos *Promise Keepers* que eu mencionei antes. Quando foi a última vez que você ouviu um alfinete cair num estádio de futebol cheio?

Como Eleazar, Jack Hayford manteve-se firme, implorando: "Estou farto desta corrida. Ela termina aqui!". E o Senhor lhe trouxe uma grande vitória naquele dia.

E você? Por quanto tempo permitirá que os filisteus o persigam? Está motivado a lutar? Este poderia ser o seu momento.

Motivado a vencer

Permita que eu (Fred) conte uma última história de alguém que ficou muito motivado para mudar. Algumas semanas antes da data programada para o seu casamento, Barry me ouviu falar sobre pureza sexual. Minhas palavras pesaram muito no coração dele porque ele tinha problemas com filmes eróticos, e isso às vezes o levava à masturbação. Estava planejando se casar com Heather, mantendo seu segredo muito bem encoberto, mas depois decidiu dizer-lhe a verdade.

Heather se lembra de sua reação à confissão de Barry: "Fiquei chocada quando conversamos no carro, naquela noite. Eu apenas olhava fixamente adiante, não sentia nada. Depois de deixá-lo na casa dele, chorei muito, não querendo conversar com ele durante dias. Quando eu finalmente concordei em vê-lo, ele comentou comigo que eu estava linda. A raiva tomou conta de mim quando percebi que sua definição de beleza vinha daquelas mulheres imundas que ele assistia nos filmes. Fiquei tão irritada e com aversão a ele que joguei a aliança de noivado em seu rosto e lhe disse para sumir do meu caminho. Eu me senti muito mal".

Como você pode ver, este tópico gera muita emoção. As mulheres levam para o lado *pessoal* quando descobrem o que os homens fazem em segredo.

Heather pediu que Brenda e eu nos encontrássemos com ela, e nós fomos. Depois de muita oração e aconselhamento, Heather deu a Barry um prazo de uma semana para ele abandonar o pecado.

Depois me encontrei com Barry. "Você pode me ajudar?", ele perguntou. "Sinto uma atração irresistível por filmes eróticos. Esperava que Heather entendesse, mas ela ficou horrorizada e me chamou de pervertido. Fred, estou desesperado! Os convites já foram enviados, mas se eu não parar com tudo isso, terei de explicar de alguma forma para minha sogra! Você tem de me ajudar!".

Você acha que Barry estava motivado? Certamente que estava. Raras vezes me encontrei com alguém que desejasse vencer uma guerra tão rapidamente.

E ele triunfou sobre seu problema. Ele se tornou um homem de integridade sexual, e hoje ele e Heather têm um casamento maravilhoso.

Você também pode vencer a guerra — então comece a vencê-la já.

Deus está esperando

Como dissemos anteriormente, você já tem tudo de que precisa dentro de si para vencer esta batalha (2Pe 1.3-4), assim como Barry e todos os outros homens cristãos. No milissegundo que é preciso para fazer essa escolha, o Espírito Santo vai começar a guiá-lo e caminhar com você através da luta.

Afinal, é a vontade de Deus que você tenha pureza sexual, embora possa não pensar assim, uma vez que esta não tem sido a sua experiência constante. Mas leia esta passagem das Escrituras:

> A vontade de Deus é que vocês vivam em santidade; por isso, mantenham-se afastados de todo pecado sexual. Cada um deve aprender a controlar o próprio corpo e assim viver em santidade e honra.
>
> 1Tessalonicenses 4.3-4

Deus está esperando por você. Mas ele não está esperando no altar da igreja, esperando que você apareça pela enésima vez para chorar um tanto. Ele já está no campo de batalha, olhando para seu relógio, esperando que você chegue e se disponha a entrar nessa batalha. Por meio do Senhor, você tem o poder espiritual para superar todos os níveis de imoralidade sexual, mas se não estiver disposto a fazer uso desse poder, nunca vai se libertar do hábito.

Você sabe muito bem que a impureza sexual não é como um tumor que está crescendo sem controle dentro de você. Você a trata assim quando o foco de suas orações é alguma dramática intervenção espiritual, como a libertação, enquanto suplica para que alguém venha e a remova. Na verdade, a impureza sexual é uma série de decisões infelizes de sua parte — às vezes como resultado de um caráter imaturo — e a libertação não o conduzirá a uma maturidade instantânea. O trabalho com o caráter precisa ser feito para que os caminhos sinápticos deformados em seu cérebro possam morrer, visto que, pela graça, "somos instruídos a abandonar o estilo de vida ímpio e os prazeres pecaminosos"; enfim, "neste mundo perverso, devemos viver com sabedoria, justiça e devoção" (Tt 2.12).

Lembre-se disto: Santidade não é uma coisa nebulosa ou mítica. Você não precisa esperar que alguma nuvem santa se forme ao seu redor. Da perspectiva da prática diária, é simplesmente uma série de escolhas acertadas. Você será santo quando optar por não pecar.

Pela graça de Deus, você já é livre do *poder* da imoralidade sexual. Mas ainda não está livre do *hábito* da imoralidade sexual até que escolha ser — até que diga: "Chega! Estou optando por viver de forma pura!".

Está na hora

Então, Deus está esperando para abençoá-lo.

Sua mulher precisa que você dê o primeiro passo.

Seus filhos precisam que você quebre o pecado geracional.

Concorda que está na hora?

Bom. Vamos montar um plano de batalha. As rampas de desembarque estão se abrindo, e é hora de agir.

9
Seu plano de batalha 1: O objetivo é vencer

• • • • • • • • •

Antes de começarmos a vencer nossas próprias batalhas em busca da pureza, já tivemos vários falsos começos — em parte porque não tínhamos tomado a decisão firme. Nós queríamos e não queríamos a pureza. Não entendíamos o inimigo, nem como deveríamos abordar essa batalha. Todo esse assunto de integridade sexual era misterioso.

Imagine que você está agora no avião aterrissando para atacar o pecado sexual. Você já tomou sua decisão. Já decidiu seguir seus líderes à medida que bombardeia a costa. A rampa se abre. Com um grito, você dá o primeiro passo de coragem em direção ao combate. Mas há algo desconhecido para você: as correntes enganosas do oceano fizeram um profundo buraco na areia, bem abaixo do avião. Você não tem ideia do que aconteceu, mas de repente se encontra com água até a cabeça, e o peso da sua mochila o está empurrando para o fundo. Você está se afogando.

Esta é a sua derrota na batalha antes mesmo de dar o segundo passo.

A maior arma de Satanás contra você é o engano. Ele sabe que Jesus já comprou sua liberdade. Ele também sabe que, depois que você perceber a simplicidade dessa batalha, irá vencê-la muito rapidamente, então ele o engana e o confunde. Ele o ilude com o pensamento de que você é uma vítima indefesa, alguém que precisará de anos de terapia. *De que adianta tentar, cara?*

Ele ri de você e adora dizer que essa coisa de olhar e desejar apenas mostra que você é homem. *Não há nada que você possa fazer em relação a isso. Deus não teria feito a mulher tão bonita se ele não quisesse que você aproveitasse a vista.*

E logo ele faz você acreditar que os estudos sobre o cérebro são exagerados e você realmente não tem mesmo um problema. *Não há nada de errado. Você não precisa viver de maneira diferente dos caras no trabalho.* Tal enganação é apenas uma das maneiras que Satanás usa para tentar derrotá-lo.

Seu objetivo nesta guerra

Seu objetivo é a pureza sexual. Aqui está uma definição boa e funcional dela — boa devido à sua simplicidade: *Você é sexualmente puro quando seu prazer sexual provém de ninguém ou nada além de sua esposa.*

Em outras palavras, vitória significa cessar a satisfação sexual que é obtida de coisas externas ao casamento. Mas como se pode parar com tudo isso?

Bem, primeiro você deve perguntar de onde vem isso. A resposta é que você é capaz de desfrutar o prazer sexual externo de apenas duas maneiras: com os *olhos* e com a *mente*. Portanto, para ser bem-sucedido na batalha, você deve definir um perímetro sexual para bloquear as "rotas de navegação" dos olhos e da mente. Além disso, você também precisa ter certeza de que suas afeições e atitudes são positivas e saudáveis nos relacionamentos com sua esposa. Em outras palavras, o que você quer é que seu coração seja correto e se torne um só com o dela.

Isso significa que seu objetivo na guerra contra a luxúria é o de delinear três perímetros de defesa em sua vida:

1. Com seus olhos.
2. Em sua mente.
3. Em seu coração.

Pense no primeiro perímetro (seus olhos) como sua defesa mais exposta, um muro com uma placa que diz "Mantenha distância". Isso defende seus olhos por conta da aliança (conforme Jó disse: "Fiz uma aliança com meus olhos de não olhar com cobiça para nenhuma jovem"), e você consegue agir desse modo treinando os olhos para se desviarem de objetos de cobiça. Seus olhos devem se desviar de tudo que for sensual, algo que eles não fazem atualmente.

Com o segundo perímetro (sua mente), você não só bloqueia os objetos de luxúria, como também os avalia e os captura. Um versículo-chave para suportá-lo nesse estágio está em 2Coríntios 10.5: "Levamos cativo todo pensamento rebelde e o ensinamos a obedecer a Cristo". Você deve treinar sua mente para interceptar os pensamentos.

Seu terceiro objetivo é construir seu perímetro mais fechado de defesa — em seu coração. Este perímetro é construído fortalecendo as afeições por sua esposa e seu comprometimento com as promessas e dívidas que você tem com ela. Seu casamento pode sucumbir começando pelo interior, caso você negligencie sua promessa de amar, honrar e cuidar de sua esposa. (E isto se aplica da mesma forma caso seja solteiro: você deseja honrar e demonstrar cuidado em cada encontro, assim como você espera que todo rapaz esteja honrando e cuidando de sua futura esposa quando sair com ela.)

Então, aqui está seu plano de batalha. É isso. Nada mais, nada menos. Ao estabelecer, em espírito de oração, esses três perímetros de defesa, você ao mesmo tempo está optando por não pecar. Você estará livre da impureza sexual assim que estes perímetros de defesa estiverem no lugar. Sexualmente, sua vida exterior finalmente corresponderá à vida interior que Deus criou em você. Você finalmente será quem as pessoas pensam que você é e quem você diz que é.

Por causa de sua longa batalha contra a impureza sexual, este plano de ataque pode parecer muito simples para ser eficaz. Não importa. À medida que estudar os atributos do seu inimigo, você perceberá que a simplicidade é mais do que suficiente.

Então, antes de passar para a parte da construção dos três perímetros de defesa, vamos remover o mistério que envolve o pecado sexual, adquirindo uma melhor compreensão do inimigo para que não sejamos derrotados na batalha.

A impureza é um hábito

É muito comum que os homens se vejam como vítimas da genética. *Sou homem, então terei olhos impuros e uma mente impura.* Mas não podemos colocar a culpa de nossos olhos errantes na genética, mesmo que os homens sejam definitivamente guiados pela visão com muito mais frequência que as mulheres. Apesar disso, nossa genética não nos isenta de toda responsabilidade.

Quer a verdade? A impureza é um hábito. Vive como um hábito. Quando uma garota atraente anda ao seu lado, seus olhos têm o mau hábito de acompanhá-la, deslizando para cima e para baixo. Quando uma corredora passa por você com aquelas roupas que marcam o corpo, seus olhos habitualmente correm com ela. Quando uma revista traz uma matéria especial sobre roupas de banho, o hábito o leva a fantasiar sobre as curvas e fendas, encantando-se com cada imagem que dá prazer aos olhos.

O fato de a impureza ser meramente um hábito surge como uma surpresa para muitos homens. É como descobrir que o valentão tem um queixo de vidro e que você não precisa mais se amedrontar.

Se a impureza fosse genética ou fosse um feitiço arrebatador, você não teria esperança. Mas, uma vez que a impureza é um hábito, isso pode ser mudado. Você tem esperança, porque se ela vive como um hábito, também pode morrer como um hábito. Para Fred, foram necessárias umas seis semanas para mudar o hábito de seus olhos, mas isso é quase um recorde. Os estudos de Caroline Leaf sobre a neuroplasticidade da mudança de hábito sugerem que um período de tempo um pouco mais longo pode ser necessário para outros. Ela ressalta:

> Como dizem, Roma não foi construída em um dia. É preciso tempo para mudar, então dê a si mesmo uma chance se você cometer um erro ou falhar! [...] Precisamos de, no mínimo, 63 dias para mudar um hábito automatizado — quando se trata da mente, realmente não há soluções rápidas e a maioria das pessoas desiste no quarto dia, então seja paciente!"[1]

Se leva quarenta e dois dias ou sessenta e três dias para você é irrelevante. O que importa é que a impureza é apenas um hábito. Essa é uma boa notícia, uma vez que abandonar hábitos é parte do terreno familiar e não algo muito misterioso. Todos nós lidamos com maus hábitos. O que você faz com eles? Simplesmente os substitui por hábitos novos e melhores. Isso mesmo. Se você pode praticar este novo hábito com empenho por seis a nove semanas, logo o velho hábito deixará de ser natural.

Os avanços da ciência confirmam a nossa posição de que a impureza vive como um hábito. Brian Anderson é um neurocientista cognitivo com especialidade em formação de hábitos. Sua pesquisa mostra que estímulos visuais ligados a uma recompensa — pense na dopamina — são mais difíceis de ignorar quando encontrados novamente. Em outras palavras, quando seu cérebro identifica evidências de um estímulo sensual que traz prazer no ambiente ao seu redor, ele prestará mais atenção e ainda bloqueará outros estímulos.[2]

Sendo assim, fica claro que a impureza sexual não é uma doença ou um desequilíbrio para a maioria dos homens. Nossos olhos amam as coisas sexuais, e nossos maus hábitos vêm da nossa masculinidade e desse viés de atenção. Temos o mau hábito de procurar emoções baratas em qualquer esquina obscura que tropeçarmos. Habitualmente temos optado pelo caminho errado e agora devemos optar habitualmente pelo caminho certo.

Não entenda errado. Não estamos dizendo que seus hábitos não tenham nenhuma relação com suas emoções ou circunstâncias. Glen nos disse: "Meu pecado sexual se tornou muito pior quando eu estava sob pressão para cumprir prazos no trabalho, e especialmente quando minha esposa e eu brigávamos ou não nos sentíamos amados e apreciados. Naquela época, parecia que eu era compelido a pecar sexualmente e não conseguia dizer não. Honestamente, não pensava que alguma vez mudaria só pelo fato de alterar os hábitos dos meus olhos. Mas adivinhem o que aconteceu? Quando coloquei meus olhos sob controle, esses mesmos prazos e essas lutas não mais me compeliram sexualmente. Minha impureza se enfraquecia por si só".

No caso de Glen, a impureza sexual era simplesmente uma maneira de lidar com essas emoções e circunstâncias estressantes. Em resumo, ele usou a impureza como uma forma de escape. Mas quando removeu a impureza sexual, começou a processar essas coisas de outras maneiras, não mais sexualmente.

Impureza funciona como um hábito

A impureza não apenas vive como um hábito, mas também *funciona* como um hábito. Isso também é verdade para a pureza; ela funciona como um hábito.

O que isso significa?

Depois que estabelecemos um hábito de maneira concreta, podemos até esquecê-lo. O hábito tomará conta das coisas com pouco pensamento intencional, permitindo que concentremos nossa atenção em outras coisas. Por exemplo, todos temos um modo habitual de levantar pela manhã. Muitos de nós saímos lentamente da cama, escovamos os dentes, tomamos banho, nos vestimos e tomamos o café da manhã com as crianças. Nem precisamos pensar muito sobre isso. Podemos realizar nossa rotina matutina mesmo com sono, e normalmente é assim mesmo que agimos.

Enquanto a impureza sexual funciona como um *mau* hábito, a *pureza* sexual funciona como um *bom* hábito, tão simples e consistente como levantar e ir trabalhar de manhã. Isso é feito sem esforço.

Isso deveria encorajá-lo. Quando você entra na luta contra a impureza, a batalha exaustiva pode fazer com que você diga a si mesmo: *Não posso trabalhar tanto assim em busca da pureza pelo resto da minha vida*. Mas se você puder se apegar a ela um pouquinho mais, o hábito da pureza encontrará um lugar seguro e lutará por você, exigindo muito menos esforço consciente.

Atualmente, seus hábitos impuros estão arraigados com unhas e dentes; você peca sem nem mesmo pensar. Por exemplo, seus olhos se desviam para qualquer minissaia que perambule ao seu redor. Sem perceber, seus maus hábitos começam a se intensificar. Mas, se o hábito da pureza estiver em ação, quando um vestido de mulher se esvoaçar em um dia de vento, você imediatamente olhará para o outro lado, sem precisar pensar. Se desejasse espiar, teria de forçar os olhos a agir assim.

Fred: Forçando um olhar

Difícil de imaginar? Então considere esta pequena história. Depois de treinar meus olhos para se desviarem, eu estava tomando sol com Brenda em uma praia da Flórida. Brenda chamou minha atenção para uma mulher de biquíni que se aproximava de nós:

— Fred, olha só isso! Você não vai acreditar.

De início nem conseguia me virar para olhar. Os bons hábitos haviam se tornado tão fortes que eu tive de forçar meus olhos a olhar.

— Ela é muito velha para usar aquilo! — disse Brenda sobre a mulher de sessenta e poucos anos. Não tenho certeza do que mais me surpreendeu: ter forçado meus olhos a olhar uma mulher de biquíni ou ver uma mulher mais velha usando algo tão pequeno.

A impureza luta como um vício

A impureza dos olhos e da mente vive como um hábito, mas *luta* como um vício. Muitos hábitos são viciosos. Os fumantes têm a compulsão de fumar. Os usuários de drogas têm suas alucinações. Os alcoólatras têm suas tremedeiras.

Para vencer alguns vícios, a fonte que vicia pode ser gradualmente reduzida. Para outros, o melhor método é a parada completa. O que funciona melhor contra a impureza sexual? A parada completa. Você não pode apenas reduzir gradualmente. Já tentamos, mas não funciona, porque descobrimos que nossa mente e nossos olhos são muito traiçoeiros e enganosos. Mesmo reduzindo, qualquer que seja a impureza que você *ainda* permitir parece multiplicar seu impacto e o hábito não será erradicado. Você se lembra de como os seus caminhos sinápticos distorcidos vivem ou morrem numa dinâmica de "usar ou perder"? Com a redução gradual, você ainda está usando e mantendo os caminhos que quer matar. Isso não traz qualquer progresso.

Além disso, reduzir gradualmente também traz consigo a possibilidade de compulsão sexual que pode continuar por dias e dias. A compulsão aniquila seu espírito. "Eu costumava tentar parar com meu pecado sexual sem compreender realmente contra o que estava lutando", disse Cliff. "Podia ranger meus dentes e conseguir resistir por um momento, mas depois, talvez por eu não ter feito sexo por algum tempo ou porque alguns pensamentos luxuriosos invadiam minha mente, eu me masturbava. Depois, eu dizia para mim mesmo: *Bem, já que falhei, posso cometer uma falha maior*. E me masturbava duas, três vezes por dia nas semanas seguintes, antes que eu pudesse recuperar a força para lutar novamente. Não sei dizer quantas vezes falhei com isso."

Devemos usar o método da parada completa. Mas como? Privando seus olhos de todas as coisas sensuais além da sua esposa. Vamos ensiná-lo a privar os olhos na parte 4, mas por enquanto saiba que você pode contar com uma "vontade de falhar" interior. Você está acostumado a satisfazer uma porção de seu apetite sexual através dos olhos, a qualquer hora e em qualquer lugar que desejar. Seu corpo lutará por isso. Enquanto você avança em direção à pureza, essa parte de seu apetite sexual — que no passado era alimentada pelos olhos — permanece com fome. Essa fome exigente não irá simplesmente desaparecer, mas vai correr para a única coisa disponível que lhe resta: sua esposa. No capítulo 11, você verá mais sobre como isso funciona de maneira a satisfazer vocês dois.

Possessão espiritual e opressão

Mencionamos antes a parte de Satanás em nossa luta contra a impureza, mas agora vamos focar na hipótese de a impureza sexual representar ou não alguma forma de possessão demoníaca.

Nosso inimigo é mentiroso, sem dúvida. Já mencionamos suas táticas enganadoras. Mas, na verdade, acreditamos que a maioria de nós dá muito crédito ao inimigo quando se trata de pecado sexual. Você não está possuído pelo diabo quando a impureza corre desenfreada em sua vida, e você não precisa passar por um exorcismo. Eu sei, às vezes você tem certeza de que um monstrinho malvado está dentro de você, puxando e levando você ao pecado, mas esses sentimentos são meramente as compulsões de seus maus hábitos e o desejo do seu cérebro por drogas.

Fred: Seu cérebro é amigo ou falso amigo?

Eu costumava viajar muito a negócios. Odiava quartos de hotel porque, assim que eu colocava minha chave na fechadura e entrava, parecia que cerca de setenta demônios corriam sobre mim, e as tentações terríveis e sufocantes tomavam conta de mim. Eu me sentia em grande desvantagem, um mero mortal contra setenta imortais, e por isso era muito fácil ceder às tentações sexuais.

Hoje, posso entrar em qualquer quarto de hotel em perfeita paz. Eu não me senti tentado há anos. Para onde foram os demônios? A resposta é fácil: eles nunca estiveram lá. Essas "tentações" nada mais eram do que o subconsciente puxando meus próprios caminhos sinápticos, berrando: *O que, estamos em um quarto de hotel? Então, onde está o meu coquetel de drogas?* Como essas exigências eram subconscientes e alheias a minha vontade, eu pensava que eles estavam vindo de fora de mim. Mas não estavam.

O que você costuma pensar que é ação dos seus "monstrinhos" nada mais é do que o seu cérebro viciado respondendo às circunstâncias atuais, exigindo o que normalmente acontece quando você está em um hotel, em seu chuveiro em casa ou em uma cabine de banheiro no canto de um grêmio estudantil.

Mas agora, como não ofereço algo sensual a meus olhos ou cérebro em qualquer quarto de hotel e a qualquer momento, o princípio do "usar ou perder" fez efeito. Aqueles caminhos sinápticos antigos e viciantes que antes pareciam demoníacos e que costumavam me arrastar para o pecado estão mortos.

Embora não haja possessão espiritual envolvida, pode haver um elemento de opressão espiritual. Você será o juiz no meu caso:

Perto de minha sexta semana de parada completa, tive um sonho muito sensual e violento. Fui tentando sexualmente de uma maneira muito sedutora, e pela primeira vez em um sonho, mas eu disse: "Não, não vou". (Você saberá que está se aproximando da vitória quando, mesmo na liberdade do seu estado de sonho, sua mente subconsciente ainda optar pela pureza.)

Três vezes essa mulher linda e demoníaca provocou: "Você vai fazer amor comigo". Três vezes, eu rosnei de volta: "Não, não vou". Com isso, ela agarrou minha garganta e me puxou para a cama em um violento combate corpo a corpo, e eu gritei: "Em nome de Jesus, vou derrotá-la!".

Quando eu disse as palavras "Em nome de Jesus", a batalha virou a meu favor. Mas quando eu disse "vou derrotá-la", a batalha virou violentamente contra mim, uma vez que eu não tinha nenhum poder próprio. Em desespero, gritei todos os nomes de Jesus nos quais conseguia pensar.

De repente acordei, louvando a Deus em voz alta. Isso aconteceu em um domingo de manhã.

Algumas horas depois, na igreja, pela primeira vez eu adorava livremente durante todo o culto. Os louvores continuaram a surgir no meu coração no restante daquele dia e daquela noite, e também no dia seguinte. Para alguém que havia se sentido tão distante de Deus por tanto tempo, o sentimento era glorioso.

A explicação? Estou convencido de que uma opressão espiritual na minha vida foi quebrada naquela noite quando rejeitei a reivindicação do inimigo sobre a minha sexualidade. Obviamente, não posso ser dogmático sobre isso, porque foi um sonho, afinal, e porque eu nunca fui de procurar Satanás atrás de cada pedra. Tudo o que sei com certeza é que antes daquela noite, nunca tinha sido capaz de adorar livremente. Depois daquela noite, a adoração fluiu facilmente do meu coração como um rio de água viva, e continua assim até hoje.

Derrotando as mentiras de Satanás

Embora possa não haver *opressão* espiritual envolvida em sua batalha, sempre haverá *oposição* espiritual. O inimigo está constantemente próximo do seu ouvido. Ele não quer que você ganhe esta luta, e conhece as mentiras que, quase sempre, corroem a confiança dos homens e a vontade deles de vencer. Espere ouvir muitas e muitas mentiras.

O que estamos dizendo a você é a verdade. Existe paz e tranquilidade do outro lado desta guerra. Existe um ganho espiritual imensurável. O enganador lhe dirá que Steve Arterburn e Fred Stoeker são malucos, e que você logo se tornará tão maluco quanto eles se seguir as suas ideias.

Para ajudá-lo a reconhecer as mentiras de Satanás quando as ouvir, aqui está uma lista delas. (Depois de cada mentira, declaramos a verdade real.)

Satanás: "Você é o único que está enfrentando esse problema. Se alguém descobrir isso, será motivo de piada na igreja."

A verdade: A maioria dos homens lida com esse problema, então ninguém zombará de você.

Satanás: "Você fracassou de novo. Nunca conseguirá treinar seus olhos. É impossível."

A verdade: Não é impossível. Jó treinou seus olhos, não treinou? Ele era um homem como você.

Satanás: "Você está sendo muito legalista! A lei está morta e só traz a morte."

A verdade: Deus ainda tem padrões de comportamento para nós, e você é responsável por viver de maneira pura de acordo com esses padrões.

Satanás: "Vamos! Não seja ridículo. Este plano para 'mudar seus hábitos' nunca funcionará."

A verdade: O plano funcionará, porque para a maioria dos homens o problema da impureza sexual nada mais é do que más escolhas que evoluem para maus hábitos, que por fim estão enraizados em vias sinápticas mantidas por recompensas de dopamina. Se parar de usar os caminhos, esses caminhos desaparecerão. Vai funcionar.

Satanás: "Por que entrar nessa batalha tão sacrificante enquanto os custos da sua impureza são tão mínimos?"

A verdade: Você nem sempre consegue vê-los, mas os custos do seu pecado são maiores do que pensa, incluindo o compromisso de sua proteção espiritual sobre sua casa e a transmissão para seus filhos do exemplo de seus próprios hábitos sexuais com seus olhos e sua pornografia.

Satanás: "Por que viver neste total estado de alerta para o resto da vida? Desista agora, e eu o deixarei em paz."

A verdade: Satanás pode manter a sua palavra e deixá-lo em paz, mas mesmo se ele o fizer, as leis da semeadura e da colheita ainda vão acertar as contas com você. Não é possível evitar os custos da impureza sexual. Melhor seria você lutar.

Satanás: "Você ficará desconfortável em situações de negócios, principalmente com mulheres. Não conseguirá se encaixar, e perderá várias negociações."

A verdade: Não, você não vai ficar desconfortável em situações de negócios. Sem esse fervor sexual que sempre sentia perto das mulheres, você estará mais à vontade com elas do que nunca.

Masturbação: Um sintoma, não a raiz

Se sua impureza sexual inclui a masturbação, como acontece para muitos homens, então uma discussão adicional é necessária. Vamos abordar essa questão.

Vamos dizer claramente: a masturbação é um sintoma de olhos não controlados e de pensamentos sem limites que turbinam seu desejo sexual. Quando você criar novos hábitos para desviar os olhos e levar os pensamentos cativos, a masturbação praticamente cessará. Caso contrário, não. Não faz sentido ter como alvo a masturbação em si, pois você não estará atacando a verdadeira fonte do problema. Tenha como alvo os olhos e a mente.

As Escrituras não falam nada sobre masturbação. Algumas pessoas até chegam a afirmar que casos isolados de masturbação são normais para aliviar a tensão sexual, se você estiver pensando em sua esposa, e não em uma *top model*, durante períodos de separação física ou doença.

Nós não concordamos.

Não pode haver dúvida de que a masturbação desenfreada no casamento, ligada à pornografia ou a qualquer coisa que faça seu motor funcionar, é sempre pecado. Em primeiro lugar, o ato cria uma distância entre você e Deus. Se você deseja santidade, deve parar de se masturbar. Em segundo lugar, cria uma distância entre você e sua esposa na cama. Se você deseja intimidade sexual com ela, deve parar de se masturbar.

Se você quer se livrar da masturbação, deve lançar o machado na raiz. Qual é a raiz? É o fato de você estar aquém dos padrões de Deus, aceitando (através dos olhos e da mente) mais do que um indício de imoralidade em sua vida.

Masturbação e sofrimento psicológico

Há pouco dissemos: "Quando você criar novos hábitos para desviar os olhos e levar os pensamentos cativos, a masturbação praticamente cessará". O motivo para dizer "praticamente" é porque alguma masturbação pode continuar devido a uma segunda raiz mais profunda.

A maioria de nós se envolve com masturbação no início de nossa vida, e ao longo do caminho notamos como a química do cérebro nos impacta. Não vemos conscientemente, e geralmente não juntamos uma coisa com a outra, mas com o tempo reconhecemos que a química desse orgasmo medica nossa dor. A masturbação torna-se uma droga fácil de conseguir. Quando estamos para baixo, quando estamos estressados, quando a namorada briga conosco, tendemos a correr para a pornografia e a masturbação.

Quando você pensa na sensação que o orgasmo traz a um homem, faz sentido que ele funcione dessa maneira. No clímax, há uma sensação de controle e dominância. Junto com ele, há um sentimento de realização e um sentimento fugaz de conexão com outra alma humana. Por causa do orgasmo, a masturbação pode soar como intimidade para nós, mesmo que apenas por um momento, e pode parecer que restabelecemos o controle em nossa vida e circunstâncias — novamente, só por um momento. Mas para um indivíduo solitário, abatido e desconectado, a imagem pode ser bem convincente.

A masturbação é o caminho da menor resistência — uma amante imaginária, uma amante pornográfica com um sorriso permanente. Uma amante que nunca diz não, uma que nunca rejeita. Uma que nunca abandona e sempre é discreta. Uma que fortalece o ego do homem em meio a momentos de dúvida interna, que sempre diz: "Vai dar tudo certo", por maior que seja a pressão. Este é um caminho escolhido, um caminho disponibilizado pelos olhos impuros que atiçam o fervor sexual, fornecendo uma fonte inesgotável de amantes.

A razão de a rejeição e a masturbação coexistirem com frequência deve-se à nossa masculinidade e à nossa fácil habilidade de obter verdadeira satisfação sexual através dos olhos. Os olhos masculinos nos dão os meios para pecar a torto e a direito. Então, pelo fato de os homens conseguirem sua intimidade de atos que ocorrem imediatamente antes e durante a relação sexual, a masturbação fornece um verdadeiro sentido de intimidade e aceitação. Essa sensação de intimidade, muitas vezes chamada de falsa intimidade, alivia temporariamente a dor e a rejeição. A falsa intimidade é alcançada facilmente e sem risco, muito mais facilmente do que em algum bar ou bordel. Na verdade, é alcançada mais facilmente do que com uma esposa, que pode dizer não quando você mais deseja ou está ferido. É por isso que os homens escolhem masturbar-se com frequência.

E se os meios para se chegar ao pecado forem liquidados com o treinamento dos olhos? A masturbação não será mais o caminho da menor resistência. Quem sabe o homem consiga lidar com a própria rejeição. Mas e a masturbação? Ela vai embora. Os homens não têm de se masturbar porque foram traumatizados emocionalmente. Eles estão escolhendo isso apenas como mais um meio ou mais uma droga de esquecimento para lidar com sua dor.

Fred: Lutando pela vitória

Você ainda pode ter uma pequena luta acontecendo, mesmo depois de ter seus olhos sob controle. Eu consegui ter meus olhos sob controle ao final de seis semanas e então pensei que a batalha tinha acabado. Foram dias maravilhosos, um tempo incrível de muitas vitórias gloriosas, e meu relacionamento com Deus floresceu de maneiras maravilhosas nas semanas e meses que se seguiram. Comparado com as primeiras seis semanas de guerra pesada, o resto da batalha parecia coisa simples.

Mas eu ainda tinha de lidar com alguns focos de resistência quando se tratava de meu hábito de masturbação. Meus olhos estavam finalmente sob controle, mas minha mente ainda estava desesperadamente fora de controle, cheia de fantasias por um tempo. Meu hábito de masturbação tinha sido enfraquecido fortemente por essa aliança com meus olhos, mas ainda levariam três anos para eu me masturbar pela última vez, mesmo estando casado e fazendo todo o sexo que queria.

Ficou surpreso? Não fique. A masturbação, embora obviamente sexual na natureza, certamente pode ter raízes não sexuais, como as que mencionei acima. Claro, existem gatilhos sexuais para a masturbação, como assistir a uma série repleta de cenas e temas sexuais, mas também há gatilhos emocionais, como o estresse do trabalho e até mesmo feridas antigas por causa de nossos pais.

Na minha opinião, os gatilhos emocionais para a masturbação podem ser tão fortes quanto os gatilhos sexuais, e seu hábito de masturbação pode realmente ser mais um vício emocional do que um sexual. É por isso que os caras que cortam a pornografia ainda podem continuar viciados em masturbação.

O importante é que minhas derrotas durante este tempo foram absolutamente fundamentais para minha vitória final. Cada perda me ensinou mais sobre mim mesmo, meus gatilhos emocionais e onde minhas defesas estavam fracas. Aprendi a aceitar as perdas, buscar a Deus, lutar e vencer.[3]

10

Seu plano de batalha 2: Prestação de contas e irmãos de guerra

• • • • • • • • •

Agora que você tem o esboço do seu plano de batalha, mas antes de nos concentrar, na parte 4, no primeiro dos nossos três perímetros de defesa, vamos examinar um grupo de assuntos especiais.

O primeiro assunto é a prestação de contas. Para muitos homens que estão dispostos a lutar pela pureza sexual, um passo importante é encontrar apoio na prestação de contas, seja em um grupo de estudo bíblico para homens, seja em um grupo menor de um ou dois que sirvam como parceiros de prestação de contas, ou buscando aconselhamento.

Para ser um parceiro de prestação de contas, chame um amigo, talvez alguém mais velho e bem respeitado na igreja, para encorajá-lo no calor da batalha. O ministério de homens em sua igreja também pode ajudá-lo a encontrar alguém que possa orar por você e que possa lhe fazer perguntas difíceis.

Fred: Conversando com um amigo

Mas Fred, você nunca teve um parceiro de prestação de contas! Isso é verdade. Nenhum livro havia sido escrito sobre esse assunto, as igrejas ainda não haviam desenvolvido o conceito e eu estava bem certo de que era o único homem em todo o estado de Iowa lutando contra esse caos. Nunca me passou pela mente chamar outro homem cristão de verdade para lutar ao meu lado. Éramos apenas o Senhor e eu lá fora, sozinhos no campo de batalha.

Contra todas as possibilidades, venci mesmo assim — não porque eu seja especial, mas porque Deus é especial. Portanto, se realmente não existe possibilidade de você encontrar algum parceiro de prestação de contas, não desanime. Você ainda pode vencer a batalha. Mas, por favor, esteja ciente de que lutar sozinho não é a sua melhor opção.

Ah, sim, é claro que entendo seu sentimento: *Eu me viro. Sou homem. Não preciso de mais ninguém.* Você quer caminhar lentamente pelo meio de uma rua empoeirada sob o sol do meio-dia e olhar ameaçadoramente bem nos olhos do inimigo com seu revólver no coldre da cintura. Quer tomar o mundo como um ciborgue exterminador e mudar a história, tudo isso sozinho: *Vou pegar essa coisa pela garganta e esmagá-la com minhas próprias mãos.*

Ouça, eu entendo esse individualismo rudimentar muito bem, e já agi de acordo com ele em muitas frentes no decorrer dos anos. Ser bem-sucedido sozinho é algo que está no cerne de quem eu sou, pois as raízes disso estão em minha cultura norte-americana.

Certamente existe espaço para algumas dessas atitudes aqui. Para começo de conversa, se quiser vencer essa batalha, você realmente precisa querer isso como um indivíduo. Também é crucial formar suas próprias defesas internas e resistentes que não exigem a presença de qualquer outra pessoa, uma vez que nossa cultura é tão sexualmente deturpada. Por fim, o individualismo rudimentar tem seu lugar nessa batalha porque, em última análise, tudo vai se resumir a se você tomou ou não uma decisão genuína de triunfar aqui. A prestação de contas só funciona quando estiver ligada a um firme compromisso pessoal de vencer.

Mas a verdade que afirma que dois são melhores do que um ainda permanece nessa batalha, e este é mais um caso em que você precisa ser o seu próprio *apostolos* e insistir que a cultura do reino do Senhor está acima de suas preferências pessoais. Jesus sempre enviou seus guerreiros para a batalha espiritual dois a dois. Esse é o padrão do reino, e deve ser o seu padrão aqui sempre que possível.

Já ouvi todo tipo de argumento: *Não quero que mais ninguém saiba sobre o meu pecado. É embaraçoso e, além disso, não preciso de outro par de olhos olhando por cima do meu ombro como se fosse minha mãe. Sou adulto.* Por si só, a prestação de contas pode parecer ofensiva. Mas, se ela tiver essa aparência, provavelmente é porque você tem uma compreensão limitada da força adicional que a prestação de contas oferece.

Para começar, ela fornece um segundo par de olhos, o que elimina o segredo — e é isso que dá ao pecado sexual grande parte do seu poder sobre sua vida. Aqueles olhos também motivaram a criação de softwares e aplicativos de defesa para o computador ou celular, como o *Covenant Eyes*. Você pensará duas vezes antes de visitar um *site* pornográfico se souber que um *e-mail* incriminador será enviado para o seu amigo no momento em que você fizer aquilo.

Isso certamente é uma coisa boa, porque seus padrões sinápticos distorcidos funcionam de acordo com o princípio de "usar ou perder", certo? Toda vez que você abre um *site* pornográfico, a recompensa da dopamina fortalece seu cérebro contra você, mas toda vez que você evita abrir *sites* assim, você enfraquece aqueles caminhos neurais. Se um segundo conjunto de olhos impedir você de visitar um *site* pornográfico, por que não convidar essa pessoa para entrar?

Mas a força primária da prestação de contas vem da amizade e da intimidade de um relacionamento e dos conselhos compartilhados. Deixe-me mostrar-lhe o que quero dizer.

Quando meu filho Michael estava treinando para o time de futebol americano do ensino médio, nós dois fazíamos treinos intensos de levantamento de peso. Escolhi uma academia perto de casa com base na montagem da sala de pesos ali. Os aparelhos de peso, que as mulheres tendem a gostar, estavam todos no andar de cima, numa sala agradável, bem iluminada e bem equipada, enquanto os halteres, que é o que os jogadores de futebol precisam, estavam todos arrumados num porão quase escuro, com carpete esfarrapado e paredes de blocos sem reboco. As mulheres raramente se aventuravam a ir àquele lugar. Perfeito.

Enquanto nos preparávamos para a temporada do primeiro ano de Michael, nós dois estávamos levantando pesos com alguns de seus colegas do time de futebol certa noite quando três adolescentes lindas e curvilíneas, vestindo tops bem agarrados, entraram repentinamente na sala e criaram uma tempestade. Elas não tinham ideia do que estavam fazendo com os halteres e estavam claramente fora de seu habitat natural, mas certamente fizeram os olhos dos rapazes saltar de suas órbitas, ficando como aqueles desenhos animados em que os olhos viram telescópios.

Michael manteve seus olhos no lugar em que deviam estar, naturalmente, e nenhum de nós disse coisa alguma até o momento em que estávamos caminhando lentamente pelo estacionamento, depois de mais um treino bem puxado. Ele estava um passo e meio atrás de mim quando o ouvi dizer:

— Pai, acho que meninas não deveriam ter permissão de levantar peso.

Dei uma forte gargalhada e ele deve ter pensado que eu não havia entendido o que ele quis dizer, porque apressou-se em adicionar:

— Bem, não que elas não sejam atletas e não precisem treinar como nós, mas...

Virei para trás e sorri.

— Era por causa das roupas que elas estavam usando, não é, filho?

Ele olhou para mim como se eu tivesse acabado de derrubar um coco na cabeça dele. Depois de passar alguns momentos reorganizando as ideias, ele falou de um modo meio atrapalhado:

— Sim, é exatamente isso. Pai, elas não entendem o que estão fazendo para nós quando se vestem daquele jeito?

Jogamos nossas coisas no porta-malas e então me virei para olhar bem nos olhos dele.

— Filho, às vezes elas realmente entendem e às vezes não, mas aprendi que isso não faz a menor diferença. O que importa é o que nós fazemos como resposta.

Ele fez um sinal com a cabeça em concordância e pediu que eu continuasse.

— Descobri que um homem não pode cobiçar quando está usando sua visão periférica, de modo que é isso que vamos fazer da próxima vez. Enquanto você estiver levantando pesos, vou ficar de guarda; usando minha visão periférica, saberei onde as meninas estão e manterei minhas costas voltadas para elas; então, quando eu estiver levantando pesos, você pode vigiar com sua visão periférica e manter as suas costas voltadas para elas. Dessa maneira, estaremos bem, seja qual for a roupa que elas estiverem usando. Parece bom para você?

Ele concordou novamente de forma pensativa enquanto entrávamos no carro. Depois de dar a partida, entrei na estrada Merle Hay e fomos para casa. Dirigimos sem dizer uma palavra por alguns quilômetros e então Michael quebrou nosso silêncio.

— Obrigado, pai, por me falar sobre nossa visão periférica. Eu jamais teria pensado nisso sozinho.

Esse é o poder da prestação de contas. Jesus não enviou seus discípulos em duplas simplesmente para que cada um tivesse um par extra de olhos olhando sobre seus ombros; ele os enviou de modo que cada um tivesse um irmão e assim pudessem aprender um com o outro à medida que conversassem sobre as experiências de seu dia, exatamente como Michael e eu fizemos. O reino avança de dois em dois mais rapidamente do que um a um, e o sucesso de Michael no campo de batalha avançou muito mais rapidamente do que jamais consegui fazer sozinho.

O maior poder da prestação de contas

O poder da amizade e da intimidade se estende muito além de compartilhar dicas e opiniões, por mais maravilhoso que isso seja. Se você acha que não precisa de conexão porque é um homem de verdade, ousamos dizer que exatamente *porque* você é um homem de verdade é que precisa de conexão. Sendo macho até as entranhas, você tem na sua sexualidade um ponto fraco, que sempre estará aberto ao ataque quando você estiver desconectado de outros, não importa o quão fortes suas defesas internas pareçam hoje.

Sabe, nesses relacionamentos, não é apenas a prestação de contas que fortalece a conexão; é a própria intimidade. Você pode achar que não precisa da prestação de contas daqueles olhos para conseguir se manter em pé, mas podemos lhe garantir que você realmente precisa da intimidade. Faz todo sentido que a intimidade em si tenha o poder de libertá-lo quando você se lembra que nossa linguagem natural de intimidade é sexual, que a masturbação se parece com intimidade para nós e que pornografia e masturbação são como drogas de prazer de fácil obtenção. Uma vez que a masturbação fornece uma falsa intimidade que suaviza a dor emocional, nossas feridas e isolamento sempre nos deixaram abertos a essa armadilha. Você precisa de intimidade *genuína* na sua vida para poder fechar essa armadilha para sempre.

Assim, se você acredita que não precisa estar conectado numa parceria de prestação de contas porque acha que não precisa que um irmão cristão mais velho se junte a você nessa luta ou que haja outro conjunto de olhos olhando por cima do seu ombro, você está perdendo o ponto mais importante. O objetivo principal da conexão é colocar intimidade genuína na sua vida, de modo que ela possa substituir a intimidade falsa que você tem buscado por meio da pornografia e da masturbação. Afinal de contas, quem precisa de intimidade falsa quando tem intimidade genuína o suficiente em sua vida?

Por mais maravilhoso que isso possa parecer, a intimidade genuína é tão potente que às vezes é capaz de romper sozinha o ciclo da masturbação. Will, um amigo meu, me disse que a simples decisão de sair de casa e conectar-se com pessoas quebrou o ciclo da masturbação quando ele era solteiro:

> Sempre fui um tipo solitário e muito apegado a mim mesmo. Toda noite, depois do trabalho, eu ia sozinho para o meu apartamento e terminava enterrado em pornografia e masturbação. A experiência fazia com que me sentisse ainda mais solitário e mais isolado! Quando amigos do escritório me convidavam para ir a algum lugar depois do trabalho, ou quando minha família me ligava para fazer coisas nos finais de semanas, eu me via dizendo não a todos eles.
>
> Certo dia, cansei de mim mesmo. Passei a me forçar a dizer sim a todo convite pelas quatro semanas seguintes, simplesmente para ver o que aconteceria. Foi

realmente difícil para mim no começo, porque me sentia deslocado, como se estivesse segurando vela para alguém. Era como se tivesse me esquecido de como era estar com pessoas em um ambiente informal. Depois de algumas experiências, porém, comecei a ficar mais confortável e me soltar junto de meus amigos e minha família.

Acredite ou não, lá pelo meio da quarta semana percebi que não havia me masturbado havia mais de dez dias. Um hábito que havia estado comigo por anos começou a desmoronar naturalmente à medida que comecei a buscar outras pessoas. Venci essa batalha sem fazer nada mais do que me abrir e me conectar com outras pessoas.

Em essência, Will foi direto à raiz do problema e meteu um machado ali ao formar intimidade genuína em sua vida. Você precisa da poderosa intimidade da prestação de contas em sua vida para vencer a batalha. Rich também descobriu que isso é verdade em sua própria vida:

Eu era bastante inseguro quando criança. Meu pai era uma pessoa distante porque trabalhava muito, de modo que me conectei fortemente com minha mãe dominadora e legalista. Consequentemente, nunca conseguia realmente me enturmar com os rapazes. Na escola, não era do tipo atlético e acabei indo tocar na banda. Para completar, meus colegas de classe me atormentavam, por isso eu buscava a masturbação para lidar com a dor.

Pornografia e masturbação para mim nunca tiveram realmente a ver com sexo. Era algo mais para medicar a dor e buscar intimidade emocional. Às vezes eu penso que as mulheres veem os hábitos de pornografia da mesma maneira que veem rapazes farreando em clubes de *strip-tease*. Elas acham que tudo gira em torno de cobiça e nada mais.

Mas nunca foi assim para mim, e realmente não acho que seja assim para a maioria de nós. A masturbação era simplesmente o remédio escolhido. Eu poderia ter seguido o caminho das drogas ou do álcool, porque as feridas na raiz do problema teriam sido as mesmas, independentemente de qual substância eu usasse.

Mas você sabe o que por fim pareceu me ajudar mais para romper esse ciclo de pornografia? Foi meu melhor amigo quem me ajudou a virar o jogo. Ele foi o primeiro cara que verdadeiramente me aceitou como homem e como amigo. Ele afirmou minha masculinidade por meio de aventuras de caminhada e de nossas conversas. Às vezes penso que um amigo forte e masculino era tudo de que eu precisava.

Os homens precisam ser aceitos como homens, e Rich encontrou liberdade através do coração de um amigo. É a intimidade entre amigos que torna a prestação de contas tão importante nessa batalha. Essa intimidade verdadeira e a aceitação de fato curam as feridas subjacentes, de modo que a falsa intimidade da pornografia e da masturbação não seja mais necessária como um remédio analgésico em sua vida.

É por isso que homens cristãos sábios estão se reunindo como "irmãos de guerra" nessa luta. Não é porque sejam fracotes; é porque são espertos. Com certeza eles devem precisar se humilhar quando se abrem uns aos outros, mas nunca houve uma época em que isso tenha sido mais fácil de fazer isso do que hoje. Homens em todos os lugares estão conversando sobre as coisas mais embaraçosas, incluindo masturbação e, por conversarem sobre esses assuntos, estão encontrando a vitória na batalha.

Fred: Conversando com sua esposa

A questão da prestação de contas traz à tona a questão de como é importante o fato de sua esposa saber sobre a sua batalha. À medida que cresce a sua compreensão sobre o seu cérebro e seus hábitos sexuais, a vitória parecerá possível. Com a esperança ganhando forças, talvez você queira contar à sua esposa sobre sua luta contra a impureza para que ela, sua querida e graciosa esposa, possa ajudá-lo a vencer. Mas não seja tão apressado.

Lembre-se de que nossos hábitos estão enraizados em nossa masculinidade. Assim, *nós* compreendemos, mas as mulheres não. A esposa que ouve sobre a impureza sexual do marido geralmente considera isso traição e pensa que o marido é um pervertido.

Alguns dizem que "agora" é sempre o melhor momento para contar para ela. Bem, não acho que seja um caso simples, e em minha defesa, deixe-me apresentar a prova A.

Uma vez, Brenda e eu estávamos discutindo o caso de um famoso pregador da TV que caiu em adultério.

— Se ele fosse meu marido, — ela declarou, —não conseguiria nem mesmo ficar perto. Ele me causaria náuseas!

Uau! Brenda não mede palavras, você viu? Mas o enredo rapidamente tomou outro rumo no dia seguinte, quando ela puxou o assunto novamente. Ela disse que lamentava pela desgraça do pregador porque ele deveria estar lutando sozinho e desesperadamente contra um pecado secreto. Brenda achava que, se pelo menos a esposa dele soubesse, ela poderia ter ajudado através de orações.

— Fred, se você tivesse um problema como esse, viria até mim e me contaria, né? Eu gostaria de estar orando por você e também gostaria de ajudá-lo.

Eu morri de rir.

— Você está brincando, né? Ontem mesmo você disse que o cara lhe causava repulsa. Você me mandaria para uma colônia de leprosos se eu admitisse uma coisa dessas!

Rimos juntos, mas essa mudança de humor reforça perfeitamente minha posição. As mulheres muitas vezes oscilam entre julgamento e misericórdia, às vezes a cada dia, às vezes a cada hora. As emoções estão à flor da pele, e isso mexe com sua cabeça no campo de batalha. Talvez seja por isso que Brenda diz que o melhor momento para falar com sua esposa sobre sua luta é *depois* que você ganhou a batalha, que é a única maneira genuína de não errar nesta discussão.

A decisão é sua

Eu sei que alguns homens discordarão do nosso ponto de vista. Se você acredita que deve contar para ela imediatamente, tudo bem, porque você conhece sua mulher melhor do que nós. Também pode dar certo assim. Temos visto muitas esposas incríveis reagindo com misericórdia e disposição para ajudar o marido. Talvez sua esposa seja uma delas. Algumas esposas até ajudam o marido como parceiras de prestação de contas, e isso também pode funcionar.

No entanto, advertimos para que você não conte com sua esposa como parceira de prestação de contas de tempo integral. A maioria dos homens de modo algum vai se abrir totalmente com seu cônjuge quando se trata de algo tão pessoal como a vida de pensamento e os hábitos de masturbação de alguém, e nem toda esposa conseguirá suportar as vezes que você ainda tiver de reconhecer seu fracasso ao longo do tempo.

No geral, você só precisa saber que muitas esposas reagem ao pecado com choque e repulsa no início, em vez de com misericórdia e oração. Estamos apenas sugerindo que analise sua própria situação com cuidado, especialmente à luz do seguinte cenário.

Como sua esposa reagiria se soubesse que você desistiu da batalha, como será tentado a fazer principalmente nas primeiras semanas? Antes de contar a ela, é melhor verificar sua vontade de vencer durante o calor da batalha. Se você ainda não tem certeza de que deseja vencer, é melhor esperar antes de contar-lhe, pois ela o estará observando.

Brenda me disse recentemente que ainda agora, depois de tantos anos, ela às vezes observa meus olhos quando passo por pôsteres e *outdoors*, só para conferir como estou. Com os bons hábitos em dia, não falhei nenhuma vez, mas quem precisa dessa pressão se não estiver pronto para isso?

No entanto, há uma coisa que podemos dizer sem medo de errar: uma vez que você está absolutamente certo de que odeia seu pecado e começou a ver mudanças positivas em sua vida desde o início da batalha, então com certeza conte para sua esposa. Nada é melhor sinal de vitória do que uma esposa que voluntariamente se coloca ao lado do marido em misericórdia, com a determinação de que ambos saiam mais fortes no outro lado — juntos.

Como ninguém conhece melhor o marido — as feridas, as causas de estresse, as peculiaridades —, a esposa será uma escudeira inestimável no campo de batalha enquanto ele se esforça para compreender seus próprios gatilhos e armadilhas.

Steve: Com cuidado e em oração, decida quando "contar tudo"

Dito isto, quero acrescentar mais uma coisa antes de irmos adiante. Durante o fim de semana do congresso "A batalha de todo homem" da New Life, instruímos os homens a fazerem uma revelação completa às suas esposas o mais rápido possível. Enfatizamos a palavra *completa* porque você deve imediatamente colocar às claras toda a verdade dolorosa sobre seu pecado. Você pode não se sentir pronto para compartilhar todos os detalhes, mas isso é irrelevante. Não deve haver respingos de novas e dolorosas informações liberadas ao longo do tempo, porque isso é algo demasiadamente egoísta e autodestrutivo. Isso também inflige uma tortura cruel e cíclica à sua esposa.

Pense nisso. Toda vez que ela pensa que sabe tudo e começa a sentir que pode ser capaz de lidar com tudo, você joga outro balde de sujeira na cabeça dela. E assim ela está de volta ao esgoto doloroso novamente. Você pode sentir que é mais fácil botar para fora de pouco em pouco por causa de sua vergonha, mas você só está se escondendo e se protegendo por muito tempo. É hora de lidar com isso como um homem. Proteja-a para uma mudança. Você fez a bagunça, então *você* deve expor *tudo* isso abertamente e começar a limpeza.

Também é fundamental considerar o momento e o lugar em que você faz a sua revelação completa, pois é muito provável que o que você disser acabará partindo o coração dela. Independentemente de como está o relacionamento de vocês, não vai ser fácil para ela ouvir falar do seu comportamento. Provavelmente a dor será insuportável no início.

A opção de fazer uma revelação completa por conta própria, portanto, pode ser um grande erro. Mesmo se você só quer tirar tudo do seu peito o mais rápido possível, eu fortemente recomento que você considere falar com ela tendo a presença de um conselheiro ou pastor. Essa terceira pessoa pode ajudar a garantir que sua esposa ouça exatamente o que você está querendo dizer e poderá ajudá-la a processar e trabalhar após o choque inicial de sua revelação.

Seu objetivo a partir daqui

Agora que você tomou sua decisão a favor da pureza sexual, você pode enxergar cada vez mais por que é muito perigoso fracassar ao eliminar todo indício de imoralidade sexual de sua vida. A sensualidade visual das roupas, dos filmes, dos comerciais indecentes e de todo o restante alimentará seus olhos e o ativará sexualmente. A natureza viciosa das reações químicas nos centros de prazer do seu cérebro amarra com muita força as cordas da escravidão.

Para romper essas cordas, você deve cortar as imagens sensuais recebidas através dos olhos e da mente. Esse é o seu objetivo, e o restante do livro é dedicado a mostrar como conseguir isso.

Não tire seus olhos do inimigo, irmão. A hora é agora.

Parte IV

Vitória com seus olhos

11

Desvie os olhos

• • • • • • • • •

Para estabelecer seu primeiro perímetro de defesa com os olhos, você deve empregar as estratégias de desviar os olhos e parar de alimentá-los, bem como a tática de levantar a "espada" e o "escudo". Vamos discutir cada uma dessas táticas nos próximos três capítulos.

Vamos considerar primeiro o que queremos dizer com desviar os olhos. Você pode vencer essa batalha treinando seus olhos para se desviarem das visões sensuais das mulheres e nas situações ao redor. Se você sistemática e determinadamente desviar seus olhos por seis semanas, conseguirá desenvolver um grande hábito que é importante para vencer essa guerra.

O problema é que seus olhos sempre se desviaram *em direção* às coisas sensuais, e você não fazia nenhuma tentativa de abandonar esse hábito. Parecia natural por causa da forma como seus olhos são feitos, pois explorar a forma feminina é comum entre os homens, então parecia algo inofensivo e apenas fazia parte de ser homem.

Mas isso não é inofensivo, e tal hábito logo faz crescer caminhos sinápticos que rapidamente transportam esses olhares para uma euforia de prazer. Nossa cultura é muito sensual e nossas mulheres costumam se vestir com roupas justas e, muitas vezes, as recompensas de dopamina batem forte. Em pouco tempo, as mulheres se tornam muito mais uma interessante coleção de partes de corpo do que filhas do Deus Altíssimo e herdeiras conosco do reino da graça.

Em suma, as mulheres se tornam objetos para nós; nós as vemos como objetos sexuais ou potenciais parceiras sexuais, se não na vida real, pelo menos em nossa mente e fantasia.

Para combater esse efeito e hábito, é necessário desenvolver uma ação de reflexo, treinando os olhos para que se desviem imediatamente do que for sensual, como tirar a mão quando encostamos em um forno quente.

Vamos repetir isso, para dar ênfase. Quando seus olhos desejarem olhar para uma mulher, você deve treiná-los para que se desviem imediatamente. (Mais tarde vamos explicar como desviar o olhar com as mulheres que conhecemos.) Mas por que devem se desviar imediatamente? Afinal, uma olhadela não é a mesma coisa que cobiça, certo? Se definirmos cobiça como olharmos boquiabertos até a baba escorrer, então uma olhadela não é o mesmo que cobiça. Mas se definirmos cobiça como qualquer olhar que gera aquela pequena euforia química, um pequeno estalo, então temos algo um pouco mais difícil de se mensurar.

Olha, nós sabemos que você consegue identificar se está ou não babando de luxúria. Na verdade, isso pode ser percebido em seu rosto ou em seus olhos. Mas você consegue dizer exatamente quando esse primeiro olhar envia o impulso através de suas vias sinápticas para os centros de prazer do cérebro? Isso é um pouco mais difícil de medir. Essa euforia química provavelmente acontece mais cedo no processo e muito mais rapidamente do que você imagina.

Em nossa experiência, traçar a linha como "imediata" é muito claro e fácil para a mente e os olhos compreenderem. Essa linha na areia parece funcionar de forma eficiente.

Então, como devemos treinar este novo reflexo de desvio até que se torne parte de nossa experiência diária?

Para iniciantes, o hábito atual de seus olhos — focando tudo o que é sensual a seu redor — não é diferente de nenhum outro hábito. Uma vez que os especialistas dizem que algo feito consistentemente por vinte e um dias se torna um hábito, você deve encontrar alguma maneira de colocar seus olhos *longe* daquilo que é sensual, a todo tempo, dia a dia, hora a hora.

Fred: Suas táticas

Quando você começar a desviar os olhos, seu corpo lutará contra você de formas peculiares e inesperadas, e você responderá de maneiras criativas. Isso é assim porque o pecado sexual possui uma natureza viciosa, e seu corpo não vai querer desistir desses prazeres.

Além disso, como seus hábitos pessoais de pecado sexual têm seu próprio sabor único, seu perímetro de defesa visual terá de ser personalizado para suas fraquezas primárias. Você deverá personalizar seu plano através de duas etapas lógicas:

1. *Faça um estudo de si próprio.* Como e onde você está sendo mais atacado? Quanto a seus olhos, quais são suas maiores pedras de tropeço lá fora?
2. *Defina sua defesa.* Faça isso para cada uma das maiores pedras de tropeço que você identificou.

Vamos começar com seu primeiro passo. Faça uma lista das fontes mais óbvias e abundantes de imagens sensuais, além de sua esposa. Para onde você olha com mais frequência? Onde você é mais fraco?

Para ajudá-lo a entender o processo um pouco melhor, deixe-me mostrar como eu originalmente personalizei meu próprio plano de batalha. Não tive nenhum problema em criar uma lista de minhas seis maiores áreas de fraqueza. Tenha em mente que minha lista é de antes da internet e dos celulares:

1. Anúncios de *lingerie* e fotos de revistas
2. Corredoras usando *shorts* curtos
3. *Outdoors* que mostram mulheres seminuas
4. Comerciais de cerveja com mulheres de biquíni
5. Filmes eróticos
6. Recepcionistas com blusas decotadas ou justas

Quais são suas principais áreas de fraqueza? Ao elencá-las, lembre-se de que elas devem ser áreas das quais você retira *visualmente* a satisfação sexual. Alguns cometem o erro de escolher as fraquezas não visuais para essa lista. Por exemplo, Justin inicialmente havia incluído os três pontos a seguir:

1. Chuveiros
2. Estar em casa sozinho
3. Trabalhar até tarde

Podemos todos entender por que essas coisas são problemáticas. No chuveiro, você está nu com água quente caindo sobre o corpo. Quando você está em casa sozinho, ninguém está ao redor para surpreendê-lo. Quando trabalha até tarde, você sente pena de si mesmo e precisa de "consolo".

Lembre-se de que aqui você está construindo um perímetro de *olhos*, então você tem de estar procurando os lugares onde você recebe satisfação sexual *visual* de seu ambiente a fim de que possa treinar seus olhos para que se desviem e cortem esse prazer sexual na fonte. Esse perímetro aproveita o ciclo de vida de uso ou perda de suas vias sinápticas. Se cortar o uso desses caminhos que você desenvolveu ao longo dos anos para lidar com sua satisfação sexual visual pesada, seus trilhos mentais se tornarão menos eficientes em seu processamento. Por fim, os trilhos serão completamente rompidos.

Entenda que você não tem de atacar diretamente esses pontos fracos *não visuais* como chuveiros e trabalhar até tarde. Se treinar seus olhos para se desviarem e eliminar os estímulos visuais, não haverá alimento para as fantasias mentais e o fervor sexual que atrai sua mente para o pecado nessas situações. Eles são meros sintomas, não raízes, e perderão o poder sobre você naturalmente à medida que você conseguir ter seus olhos sob controle.

Defina suas defesas

Quando você tiver especificado suas maiores pedras de tropeço, precisará definir suas defesas para cada um deles. Eu não tenho como determinar a melhor defesa para suas fraquezas (pois não sei quais são), mas deixe-me compartilhar como eu defendi a minha própria para que você tenha uma ideia do processo.

Catálogos e revistas

Os anúncios de *lingerie* eram meus piores inimigos e continuaram sendo difíceis de controlar por um bom tempo. Eu estava conseguindo desviar os olhos com sucesso em todas as outras áreas muito antes de conquistar a vitória completa no que se refere a esses anúncios.

Por quê? Aquelas propagandas eram as imagens mais sexualmente agradáveis de todas, e de tempos em tempos eu me deparava com o maior filão de todos: roupas de banho ou roupas de ginástica colantes. Eu ficava ansioso para ter em mãos o jornal de domingo, assim como talvez você fique ansioso por pornografia na internet.

Eu não somente treinei meus olhos para que se desviassem de tais anúncios impressos, mas também treinei a mim mesmo para sequer manuseá-los. Minha defesa era a de estabelecer um número de regras para manter essas imagens distante das minhas mãos, antes que meus olhos tivessem a oportunidade de vê-las.

Regra 1: Quando eu pegava uma revista ou um encarte, se eu percebesse logo que meu motivo subjacente era ver algo sensual (e não propagandas de coisas para o carro ou belas paisagens), eu desistia do meu direito de pegar aquela revista ou aquele encarte, mesmo deixando de economizar com os cupons que poderiam estar ali.

Para ser honesto, minha nova regra não funcionou muito bem logo nas primeiras vezes. Perceber minha motivação era até fácil, mas renunciar a meu direito de ver as propagandas não era. Minha carne simplesmente ignorava meu espírito, gritando: "Cale a boca! Eu quero fazer isso e vou fazer!". Às vezes eu ganhava essa discussão e então me levantava e jogava os anúncios no lixo, mas meu cérebro continuava gritando tão alto por prazer que eu voltava para o lixo dez minutos depois, puxava os anúncios, pegava algumas poses atraentes e me masturbava. Finalmente, comecei a jogar restos de comida sobre aqueles encartes depois de colocá-los no lixo. Dessa forma, era quase impossível que eu pegasse os encartes de volta para olhar novamente.

À medida que comecei a ter sucesso sobre esses encartes de *lingerie*, bem como nas outras cinco áreas, meu ódio pelo pecado cresceu, e à medida que cresceu, minha vontade e disciplina se fortaleceram.

Regra 2: Se uma revista mostrasse abertamente uma mulher sensual na capa, eu rasgava a capa e a jogava fora.

Catálogos de roupas para encomendar pelo correio ou revistas de roupas de banho com fotos sensuais na capa podem permanecer em sua sala, atraindo os olhos durante um mês inteiro. Então eu lhe pergunto isto: se uma mulher de seios fartos vestida com um minibiquíni viesse até sua casa, ficasse em sua sala e dissesse: "Vou ficar aqui apenas por um instante, mas prometo ir embora no fim do mês", você a deixaria ficar para atrair seus olhos toda vez que entrasse na sala? Acho que não. Então por que você a permite ficar ali na forma de uma fotografia?

Alguns momentos engraçados surgiram pelo caminho. Lembro-me de uma vez Brenda perguntar: "O que está acontecendo com todas as capas das nossas revistas?". Mas era esse o jeito como eu lidava com o problema. Depois de explicar-lhe isso, ela alegremente me concedeu totais direitos de censura!

Regra 3: Se eu estivesse de fato procurando preços em promoção de algum equipamento ou ferramenta nos encartes das lojas de departamento, eu me permitiria pegar o encarte, mas me forçava a começar a olhar de trás para frente.

Não me pergunte como eu sei, mas os anúncios de *lingerie* normalmente se encontram nas primeiras páginas dos encartes. As partes de eletrônicos, automóveis e ferramentas estão nas últimas páginas. Ao abrir o encarte de trás para frente, eu evitava por completo olhar as jovens modelos.

Quando uma imagem sensual passava furtivamente por mim, mesmo que meus motivos para folhear uma revista fossem corretos, eu manteria a aliança normal de desviar os olhos *imediatamente*, e eu arrancaria a página em questão (para não topar com ela em outra vez que eu pegasse a revista) ou jogaria fora a revista toda.

Corredoras

Quando dirigia meu carro, sempre que eu me aproximava de uma corredora na rua ou estrada, meus olhos se fixavam nela, apreciando sua beleza, assim como Steve fez em Malibu no primeiro capítulo. Mas tentar não olhar para uma corredora traz um problema: eu teria de parar de prestar atenção completa na rua ou estrada. Mas isso é dirigir perigosamente, e eu não queria atropelar ninguém.

Ao estudar a situação, encontrei uma solução. Em vez de olhar completamente para outro lugar, eu poderia olhar para o outro lado. Ao procurar criativamente uma solução, descobri que era impossível alimentar o desejo tendo apenas minha visão periférica. É claro que usei isso imediatamente a meu favor no caso das corredoras, assim como ensinei Michael a fazer anos mais tarde na academia de musculação.

Mas isso não resolve totalmente a questão. Meu corpo começou a lutar contra tudo isso de maneiras interessantes. Primeiro, meu cérebro argumentava ferozmente comigo: *Se você continuar com isso, vai causar um acidente. E você vai preso quando isso acontecer!*

Considerei esse argumento, mas como minha visão periférica estava agindo a meu favor, respondi: *Você sabe e eu sei que isso é altamente improvável. Você é só um viciado em abstinência por sua droga!*

É importante que você chame as coisas como elas realmente são nesta batalha para não cair no engano.

A segunda tentativa do meu corpo em me deter foi muito peculiar. Sempre que eu via uma corredora e, como reflexo, desviava o olhar, minha mente me enganava para que eu acreditasse que havia reconhecido a pessoa, pedindo um segundo olhar. Minha mente era tão boa nisso que quase toda corredora que eu via me lembrava de alguém que eu conhecia.

Isso não é estranho? Era como se toda mulher que eu conhecesse agora estava correndo pelas ruas. Pense em algo irritante! Levou um tempo até que eu parasse de cair nessa enganação. Minha mente reclamava: *Não seja tão rude! Quando você conhece alguém, precisa cumprimentar. Você é um cristão, pelo amor de*

Deus! Eu tive de decidir, para os propósitos de Deus, que era mais importante para mim ser rude e não acenar para alguém — que eu provavelmente nem mesmo conhecia — do que olhar o corpo de alguém com mais atenção para ver se eu a reconhecia.

Meu cérebro tentava um outro truque. Quando eu passava por uma corredora sem um olhar direto, por um momento me sentia relaxado. Eu ficava pensando: *Viu, agora eu fui mais forte!* Mas no mesmo instante, meu cérebro se aproveitava da minha guarda abaixada e pedia que meus olhos fossem para o espelho retrovisor para obter uma visão mais direta. Aquilo me fazia ferver de raiva! Tinha de aprender a não baixar a guarda depois de passar por ela e, a seu tempo, esse truque da minha mente também foi sumindo.

Sempre que sou pego por um desses truques, vocifero para mim mesmo em aguda repreensão: *Você fez uma aliança com os olhos! Não pode fazer mais isso!* Nas primeiras duas semanas, devo ter dito isso milhões de vezes, mas a confissão repetida da verdade finalmente produziu uma transformação em mim.

Outdoors

Os *outdoors* são famosos por apresentarem mulheres sensuais, altas, provocantes, que parecem sussurrar: "Vamos lá, garotão, compre este produto e você terá a mim também!". Uma estação de rádio de *rock* certa vez promoveu sua dupla matinal de apresentadores com um *outdoor* gigante que ostentava um *close* de peitos cobertos por um biquíni com o seguinte slogan: "Que belo par!"

Meu mecanismo de defesa, é claro, era desviar os olhos, mas eu tive de dar um passo a mais, lembrando-me de onde os *outdoors* sensuais haviam sido posicionados ao longo do meu itinerário diário. Deste modo, eu estava certo de que não passaria por eles todo dia sem pensar e ser golpeado.

Ao traçar minha defesa contra os *outdoors*, pensei sobre minha experiência no colegial quando dirigia uma van de hotel. Tínhamos um contrato com as companhias aéreas para levar pilotos e aeromoças do aeroporto para o hotel. O contrato exigia que completássemos a rota em dez minutos. Apenas uma rota saindo do aeroporto era curta o suficiente para cumprir o limite de tempo — uma estrada não pavimentada com um bilhão de buracos. Aprendi penosamente a relação direta entre o número de buracos no qual caía e o tamanho da minha gorjeta. Então memorizei de forma metódica cada buraco daquela estrada e em que ângulos de direção deveria seguir para evitar a maior parte deles. Finalmente, eu conseguiria dirigir naquela estrada até de olhos fechados e cair em pouquíssimos buracos.

Com os *outdoors*, para mim, é sempre mais fácil memorizar suas localizações e evitar o contato visual do que olhá-los e depois desviar meus olhos.

Comerciais

Um homem normal não pode assistir a um programa de esportes sem ser acometido por comerciais que mostram um bando de mulheres seminuas andando em alguma praia com brutamontes tomando cerveja. O que um homem deve fazer?

A resposta é saber lidar com o controle remoto e despachar esses comerciais! A defesa é simples: todas as mulheres sensuais podem ser despachadas com um simples clique. *Armas preparadas para matar, Spock.* Este é o melhor jeito. Você pode mudar de canal e voltar mais tarde.

Quando seus filhos o observarem mudar de canal para fugir de propagandas sensuais, você servirá de exemplo vivo de piedade em sua casa, e isso lhes servirá de ótimo exemplo. Por exemplo, nunca vou esquecer uma vez que estava assistindo ao Super Bowl com meus meninos quando, durante um intervalo comercial, sem qualquer aviso, a imagem mostrou em tela cheia a parte de baixo do biquíni de uma menina. Michael imediatamente se virou e gemeu pesadamente, mas note isso: ele tinha apenas cinco anos de idade na época, e eu nunca tinha falado com ele sobre sensualidade ou desviar os olhos.

Como ele aprendeu a desviar o olhar da tela com um gemido? A resposta: como qualquer garoto, ele admirava seu pai e seu irmão de treze anos, Jasen, e ele queria ser como nós. Fomos um exemplo vivo de piedade em sua vida, e ele percebeu isso naturalmente.

Filmes

Tínhamos duas regras muito boas em casa, quando os filhos ainda viviam conosco. Primeiro, se qualquer vídeo era inadequado para crianças, provavelmente era inadequado para adultos. Segundo, se poluía a paisagem sexualmente, não assistíamos. Com essas regras em vigor, os filmes sensuais nunca foram um problema em nossa casa, e nossos meninos nunca se deixaram levar por visuais sexuais que poderiam ter despertado sua sexualidade cedo e os levado à pornografia e masturbação.

Não assistir a filmes ousados é mais difícil quando você está viajando e fica em um quarto de hotel sozinho. Mesmo assim, você quer ser um homem de verdade que age exatamente do mesmo modo quando está sozinho ou quando está em público, assim como um cristão que continua vivendo como um cristão mesmo quando ninguém mais está por perto.

Lembra-se do dispositivo de teletransporte no filme *Jornada nas Estrelas*? Com tal dispositivo, alguém podia ser transportado por grandes distâncias instantaneamente. Seu objetivo em qualquer viagem de negócios é viver tão honestamente que sua esposa poderia ser teletransportada para seu quarto a qualquer momento e nunca o encontraria assistindo ou fazendo algo impróprio.

Em relação a esse padrão, eu teria fracassado muitas vezes em minha vida profissional. Nas viagens, quando o relógio apontava cinco horas e o dia de trabalho já tinha terminado, eu ficava por horas e horas sem nada para fazer. Isso me deixava vulnerável a assistir à TV a cabo e sempre parava "naqueles" filmes.

Assim, para criar uma defesa, defini algumas regras. Quando eu pegava o controle remoto para ligar a TV, eu verificava minhas motivações, assim como fazia com as propagandas e revistas. Se as motivações fossem boas, eu me permitiria ligar a TV, normalmente me fixando nas notícias e no esporte. O problema era que eu ficava entediado e, sem pensar, começava a surfar pelos canais.

A "regra das motivações" funcionava melhor com as revistas, porque depois de renunciar ao direito de observá-las eu poderia me levantar e ir para outro lugar, esquecendo-me delas. Isso não acontecia com a televisão do quarto de hotel; eu ainda passava horas sozinho no quarto, com a tela em branco olhando fixamente para mim, lançando várias tentações.

Então, eu me pus de castigo por causa da TV do hotel. Decidi que, por causa do meu mau comportamento no passado, tinha perdido os meus privilégios e não tinha permissão para ligar a TV em nenhum quarto de hotel até ter corrigido todos os meus maus hábitos.

Parece drástico? Eu conheci alguns homens que colocavam cobertores sobre as TVs para mantê-las fora do alcance da visão. Outros chamavam a recepcionista e pediam para "bloquear" os filmes de pornografia leve que eram cobrados. O que você precisar fazer, faça!

Quanto a mim, comecei a carregar um caminhão cheio de trabalho extra do escritório e alguns livros para ler à noite. Isso manteve o meu foco totalmente fora da TV e, por fim, permitiu que os caminhos sinápticos ofensivos, que foram construídos ao longo de anos de masturbação em quartos de hotel, acabassem morrendo. Quando os caminhos se foram, meu cérebro não me puxou mais nessa direção. Passaram-se décadas desde que uma televisão me tentou em um quarto de hotel.

Recepcionistas

Às vezes quando entro em algum edifício, a recepcionista fica esperando em pé pela minha chegada. Depois que digo meu nome, ela se curva ao telefone para anunciar que cheguei. Sempre acontece de sua blusa larguinha de seda se abrir e revelar tudo. Nunca conseguia me virar para não ver, eu simplesmente imaginava que aquele era meu dia de sorte.

Quando comecei a construir uma aliança com meus olhos, esse comportamento teve de mudar. A defesa era simples. Anteriormente, eu entrava, via a recepcionista em pé, sabia o que podia acontecer e esperava por isso. Agora eu uso o mesmo conhecimento a meu favor. Quando a vejo em pé, desvio meus olhos antes mesmo de ela se curvar. Ou se eu a vir caminhando em direção a um armário de arquivos, desvio os olhos antes que ela se incline para pegar algum arquivo, deixando-me naquela ótima linha de visão da sua parte traseira. De todas as fraquezas, esta foi a mais facilmente tratada. Agora me viro com a maior naturalidade.

Internet

O uso da internet não era tão generalizado durante a minha batalha pela pureza, mas se tivesse sido, tenho certeza absoluta de que seria listado entre meus principais pontos problemáticos, assim como tenho certeza de que acessar a rede mundial estará na sua lista quando você começar a desenvolver suas próprias defesas. Então vamos falar sobre uma estratégia de defesa para a internet.

Obviamente, há *softwares* e aplicativos disponíveis para barrar *sites* pornográficos, e eu recomendo que sejam usados como parte de sua estratégia geral. Mas muitas páginas, especialmente aquelas que são resultado de buscas como do Google, estão cheias de todos os tipos de imagens sensuais em miniatura, seduzindo-o a clicar sobre elas. Sem dúvida você sabe que há uma exibição interminável de fotos provocantes, anúncios de mulheres seminuas e *links* sugeridos para capturar seus olhos vinte e quatro horas por dia.

O que você faz? Simplesmente aplique os mesmos tipos de regras ao uso da internet que apliquei em minhas batalhas, como expliquei acima.

Mas, Fred, as coisas estão muito mais difíceis hoje em dia! Você não pode escapar deste material. Está em toda parte!

Uma das maiores mentiras que você vai ouvir é que o amplo impacto da tecnologia de hoje transformou o campo de batalha de hoje em um pântano lamacento do qual você nunca vai escapar. Entendo o sentimento, mas francamente, isso é absurdo.

Claro, é verdade que o seu declive escorregadio é muito mais íngreme agora, porque o conteúdo sexual pode ser acessado em uma ampla gama de plataformas. Também é verdade que os celulares colocaram pornografia na ponta dos seus dedos vinte e quatro horas por dia e que a transmissão de pornografia atualmente é muito mais violenta e misógina do que a divulgação, anos atrás, de fotos estáticas em revistas eróticas nas bancas e lojas de conveniência. Eu também entendo que seus filhos e filhas, estejam eles na adolescência ou já tenham passado dela, têm acesso a conteúdo sexual mais pesado em programas de TV e filmes e em seus *tablets* e celulares, e isso ainda mais novos em idade do que aconteceu com meu filho. As coisas *mudaram* no acesso e no conteúdo.

Mas as coisas não mudaram quando se trata do combate corpo a corpo e da autodefesa de que precisamos para vencer esta batalha. Por exemplo, nada mudou com seus olhos masculinos. Seus olhos continuam agindo exatamente da mesma forma que os meus anos atrás, mas se você os desviar e parar de alimentá-los, vai cortar a satisfação sexual externa que desperta seu desejo sexual e mantém você preso no pecado.

Também nada mudou com seu cérebro e sua química. Seus vícios cresceram ao estimular e recompensar os caminhos neurais que correm para os seus centros de prazer, tal como aconteceu comigo há anos. Mas eles serão eliminados quando você parar de fornecer dopamina e enfraquecer as conexões sinápticas pelo mesmo princípio de usar ou perder que sempre governou a propriedade neural.

Em resumo, sua vitória ainda virá por meio do conhecimento e da disciplina, independentemente das marés ou contornos do campo de batalha. Deixe-me mostrar o que quero dizer.

Quando se trata de internet, por exemplo, você pode começar com a minha regra de motivação. Quando você liga a tela e sua mão alcança o *mouse*, se perceber, mesmo da mais leve maneira, que seu motivo subjacente é ver algo sensual, desligue seu computador ou *tablet* instantaneamente e vá embora. Faça uma pausa até realinhar sua mente com os caminhos de Deus. Antes de você sentir que pode apertar o botão de energia de novo, talvez demore 5 minutos ou 50 minutos, mas tudo bem.

O mesmo tipo de mentalidade funciona para celulares. Se você decidir usar um aplicativo ou *site* de "notícias" que reconhecidamente traz fotos de mulheres seminuas com a esperança ou expectativa de ver algo sensual, desligue o celular durante os mesmos 5 minutos ou até que a sua mente esteja no lugar certo para voltar a ligar o celular.

Essa nova regra talvez não funcione bem inicialmente, mesmo que seja fácil identificar seus motivos. Renunciar a seu direito de manter o poder *não* é fácil no início e, na verdade, é bastante desafiador. Sua carne pode tentar ignorar seu espírito, gritando: *Cale a boca! Eu quero isso, e eu vou tê-lo!* Ou você pode sentir que precisa manter seu celular ligado porque alguém pode ligar para você ou enviar uma mensagem de texto.

Às vezes você vai ganhar essa discussão e realmente se levantar e seguir a vida, mas às vezes seu cérebro vai continuar gritando tão alto que você vai voltar para o computador ou celular e falhar miseravelmente. Tudo bem. Levante-se e lute novamente, e lembre-se que toda vez que disser não e se desligar, você vai enfraquecer seus caminhos sinápticos um pouco mais e tornar a próxima "luta" mais fácil.

Você pode instalar as duas regras de mídia que nossa família usa em nossa casa. Se você deparar com algumas miniaturas sensuais ou armadilhas que parecem muito sensuais para seus filhos, é provável que não seja adequado para você. Não clique nisso. Segundo, se o vídeo do YouTube parecer que pode poluir a paisagem sensualmente, não aperte o *play*. Tendo regras como essas, as miniaturas e os vídeos de *streaming* perdem seu poder ao longo do tempo. Lembre-se que seu objetivo é viver tão honestamente que sua esposa poderia se "teletransportar" para seu celular, computador ou escritório a qualquer momento e nunca o encontraria vendo algo impróprio.

Finalmente, considero meu princípio de visão periférica bastante útil nas minhas defesas da internet. Às vezes estou rolando para baixo a tela no meu computador e a vista se depara com uma foto em miniatura de uma mulher seminua. Mas eu encontrei uma solução. Em vez de olhar para longe da minha tela, o que pode dificultar a rolagem para longe daquela foto, eu simplesmente olharei para o lado oposto da minha tela, longe da foto.

Sabendo que é impossível cobiçar com a minha visão periférica, posso imediatamente afastar meus olhos da foto e manter a imagem na minha visão periférica até conseguir deslocar-me para cima e para longe da foto. Isto acontece dezenas de vezes por dia, e meu pequeno truque tornou-se um hábito tão bom e confiável que já nem penso nisso. A defesa simplesmente assume automaticamente, assim como um *software* que bloqueia *sites* pornográficos.

Lembre-se: nada realmente mudou no âmago desta batalha. Se você ainda está indo para a banca ou loja de conveniência para pegar sua revista erótica ou continua vendo pornografia em seu celular, a batalha ainda é a mesma. Você deve encontrar maneiras de enfraquecer seus caminhos sinápticos, cortando a sensualidade que está fluindo constantemente em seus olhos e cérebro. Enfrente isso com toda força, custe o que custar.

Algumas dessas reviravoltas acontecem facilmente, como quando você compra um bom *software* de defesa. Parte disso será muito mais difícil, como quando seus centros de prazer estão gritando por dopamina e você está gritando de volta: *De jeito nenhum! Você não vai ter*!

Mas é isso que você tem de fazer.

A cada momento.

Prosseguindo

Então é assim que você constrói defesas para as maiores pedras de tropeço visuais em sua vida. Mas isso não para por aí. Conforme você lida com elas, continuará a construir o seu perímetro de defesa visual, abraçando um conceito que vamos explorar no próximo capítulo: parar de alimentar seus olhos.

12

Pare de alimentar os olhos

• • • • • • • • • •

Quando você define seu perímetro de defesa com seus olhos, uma abordagem estratégica adicional é pensar em maneiras de *parar de alimentar* seus olhos. Lembre-se novamente de nossa definição de pureza sexual: *Você é sexualmente puro quando seu prazer sexual provém de ninguém ou nada além de sua esposa*. Para alcançar a vitória, devemos deixar de alimentar toda satisfação sexual que chega pelos olhos, exceto o que envolve sua esposa.

Vamos imaginar este prazer de outra maneira. Como um homem, você precisa de uma determinada quantidade de comida e bebida para sobreviver. As quantidades são diferentes para cada pessoa, tendo por base a genética, o metabolismo e a atividade de cada um. É até possível suspender essas necessidades por um instante, como no período em que jejuamos ou limitamos a ingestão de comida para perdermos peso.

De forma semelhante, você está acostumado a uma determinada quantidade de satisfação sexual. Você pode fazer ajustes e se acostumar a uma quantidade diária menor de satisfação sexual. Com uma boa dose de vontade e esforço, você consegue se privar das imagens sexuais que entram por seus olhos e pelos olhos da sua mente, e seu corpo vai se acostumar a viver com menos.

Vasilhas de prazer

Infelizmente, não há unidade de medida para a satisfação sexual, como litros ou centímetros. Mas nós vamos inventar uma, e a chamaremos de "vasilhas". Imagine que seu nível atual de apetite sexual exija dez vasilhas de satisfação sexual por semana. Estas vasilhas de prazer *deveriam* ser preenchidas pelo seu único e legítimo canal, a esposa que Deus lhe deu. Mas como os homens absorvem a satisfação sexual através dos olhos, é possível sem muito esforço preencher nossas vasilhas a partir de outras fontes.

Nossa cultura sensual oferece livremente imagens sexuais com o potencial de preencher nossas vasilhas continuamente e para sempre. Nossos olhos podem festejar à vontade! Se sua necessidade sexual é de dez vasilhas por semana, você pode facilmente encher cinco vasilhas a partir dessa cultura sensual enquanto enche somente cinco vasilhas tendo sua esposa como fonte. (Não é a mesma coisa que ter relações sexuais cinco vezes por semana, porque podemos obter satisfação sexual com a esposa de várias maneiras.)

Embora essa imagem das "vasilhas" simplifique muito os detalhes, ela esclarece o processo envolvido em nosso apetite sexual.

Fred: Pare de alimentar seus olhos

Para obter a pureza sexual como a definimos, devemos deixar de alimentar os olhos e eliminar gradualmente as vasilhas de satisfação sexual que vêm de fora do nosso casamento. Quando você para de alimentar os olhos e elimina o "sexo não saudável" de sua vida, irá procurar por "comida saudável" — sua esposa. E não se surpreenda. Ela é a única coisa que existe no armário, e você está faminto!

Depois de dar um soco no volante na estrada Merle Hay e me engajar na batalha para construir uma aliança com meus olhos, comecei a levar a sério isso de não mais alimentar meus olhos. Se você se lembra da minha história, o que eu mais queria era a capacidade de novamente olhar Deus nos olhos em oração, com a esperança adicional de que eu finalmente conseguisse me conectar intimamente com ele também na adoração. Não pensei que deixar de alimentar meus olhos teria qualquer impacto direto na minha profunda ligação com Brenda ou na minha relação sexual com ela. Eu já tinha um relacionamento sexual muito satisfatório com ela, então não pensava que nossa conexão poderia ser muito melhor também. Cara, eu estava enganado!

Eu comecei a deixar de alimentar meus olhos com uma vingança, e não apenas nas arenas mais fracas que listei no capítulo anterior. Visualmente, cortei todas as coisas sensuais da minha vida. Parei de acompanhar as competições femininas de patinação no gelo e de vôlei de praia. Parei de ver os programas matinais de ginástica na televisão. Até parei de fantasiar com mulheres peitudas que via no trabalho ou de ter pensamentos sensuais envolvendo antigas namoradas, tudo isso com os olhos da mente. Livrei-me de qualquer coisa que pudesse sugerir algum prazer sexual nos centros de prazer do meu cérebro através dos trilhos sinápticos.

Eu estava chocado com o que havia acontecido cerca de duas semanas antes. Lembro-me vividamente como Brenda começou a parecer uma supermodelo para mim. Ela mesmo reparou no aumento do meu desejo por ela. A todo tempo eu dizia como ela estava linda, e eu estava sempre por perto, acariciando, abraçando, tocando. Também desejava ter relações sexuais com muito mais frequência.

Claro, sempre a achei atraente, mas agora não conseguia tirar os olhos dela. Comecei a dizer-lhe coisas que não falava há anos, do tipo: "Você é *tão* gostosa" ou "Mal posso esperar por esta noite, querida". Toda minha criatividade e imaginação estavam agora florescendo em nosso leito matrimonial, não em algum mundo de fantasia. Eu estava totalmente apaixonado por ela!

Eu não sabia bem o que estava acontecendo, e no início eu não liguei os pontos entre parar de alimentar meus olhos e esta nova maneira de olhar para Brenda. Ela também não sabia o que estava acontecendo, mas posso assegurar-lhe uma coisa: ela não estava se divertindo.

Sejamos realistas: qualquer pessoa que esteja casada há algum tempo sabe que os casais acabam por encontrar um equilíbrio quando se trata de sexo. Em outras palavras, no domingo à noite você praticamente sabe quantas vezes você vai fazer sexo até o sábado seguinte. Há um padrão e ambos sabem o que fazer.

Mas não alimentar os olhos perturbaria o equilíbrio. Até então, eu estava recebendo talvez cinco vasilhas de prazer de Brenda a cada semana, principalmente através de preliminares e relações sexuais. Também recebia cinco vasilhas de fora do casamento, através de preliminares e masturbação.

As coisas estavam em equilíbrio para nós dois, mas Brenda estava acostumada a me fornecer apenas cinco vasilhas por semana. O problema era que eu ainda tinha apetite de dez, e agora, de repente, estava pedindo que ela desse mais cinco vasilhas — aquelas que eu costumava conseguir fora.

Ela não sabia que eu estava deixando de alimentar meus olhos. Tudo o que ela sabia era que agora eu a estava chamando para relações sexuais duas vezes mais, e para ela não havia qualquer razão aparente. Este apetite recém-descoberto deixou-a chocada.

É claro que ela sabia que os homens sempre querem mais sexo do que fazem! Mas para ela, parecia que havia algo mais por trás disso. E havia! Como meu prazer sexual agora fluía somente dela, ela parecia *muito* atraente para mim. Eu não olhava para ela deste jeito desde que éramos recém-casados. Essa sensação até era agradável para ela, mas também era um pouco perturbadora.

Depois ela disse que sua mente foi inundada por perguntas naqueles dias. *Ele está tomando afrodisíacos?*, ela pensou. Ela não sabia o que fazer, a não ser me mandar para fora para brincar com as crianças enquanto ela tomava banho ou trocava de roupas.

Ela chegou a pensar que eu estava tendo um caso. *Ele tem dito como sou gostosa e me acariciado o tempo todo. Ele está tendo um caso e cobrindo seus rastros com esse carinho extra? O que está acontecendo aqui?*

Ela pensou que a causa mais provável era algo como os desejos de comida que ela tinha durante a gravidez, quando ela não conseguia parar de comer doces. *Talvez a coceira de Fred por mim é como esse desejo e isso vai passar logo. Eu certamente espero que sim!*

Fred: Tendo paciência comigo

Depois de algumas semanas sem alimentar meus olhos, nada havia mudado, e como meu apetite continuava insaciável e sem sinais de abatimento, ocorreu a Brenda que isso podia não ser apenas um simples desejo ou uma fase. Podia ser para sempre!

Ela começou a entrar em pânico, e numa outra vez que entrei na cozinha e olhei para o corpo dela e assobiei, ela me fuzilou com o olhar e deixou escapar o seguinte:

— Diga-me o que estou fazendo para parecer tão atraente que eu vou parar com isso!

Aquele momento — com o olhar feroz em seu rosto — foi hilário. Mas também naquele momento, liguei os pontos em minha mente e tudo fez sentido. Eu lhe disse o que estava acontecendo e como eu estava lidando com meus olhos; com isso, não conseguia resistir a meu desejo intensificado por ela.

— Todo meu desejo está indo direto para você, e ainda não sei muito o que fazer a respeito disso — eu disse. — Prometo que vou me esforçar para encontrar um equilíbrio com o qual os dois possamos viver.

Brenda não sabia se ficava aliviada ou surpresa, mas quando expliquei que estava fazendo tudo isso para o bem da família e para acabar com o pecado geracional na minha linhagem, ela entendeu. Ela expressou prontidão para me dar um tempo a fim de encontrar esse equilíbrio e também disse que teria paciência comigo.

Aqueles dias me revelaram como eu estava defraudando Brenda quando assistia a filmes eróticos, analisava os catálogos de *lingerie* e babava pelas corredoras usando *shorts* e *tops*. Essas coisas davam muito mais satisfação sexual do que se poderia esperar, embora Satanás faça você pensar o contrário.

Quando um amigo chamado Tom ouviu sobre remover todo indício de pecado sexual de nossa vida, ele disse: "Acho que você está definindo o pecado sexual de uma forma muito ampla quando inclui filmes, encartes, corredoras e todo o restante. Essas coisas são pequenas e não significam nada!"

Discordo. Sabe por quê? Eu tirava muitíssima satisfação sexual dessas fontes "inócuas", tanto é que, depois que elas foram removidas e o foco foi colocado todo em Brenda, ela sentiu isso. Não são coisas pequenas, especialmente se podem transformar a maneira como você enxerga sua esposa.

Breve palavra para homens solteiros

Antes de seguirmos em frente, vamos aproveitar este momento para destacar que também é importante para os solteiros entenderem quanta satisfação sexual é obtida com essas "coisas pequenas". Se você quer ter controle sobre seus desejos sexuais, não pode esperar consumir essas muitas vasilhas de satisfação vindas do mundo exterior sem fazer com que seus motores sexuais esquentem demais e o levem à masturbação.

Mas como é que vou encontrar uma parceira para casar se eu não estou alimentando meus olhos e fico desviando-os de mulheres o tempo todo?

Sem dúvida, essa é a pergunta mais frustrante que recebemos de leitores solteiros, porque revela um mal-entendido sobre a pureza sexual. Parar de alimentar os olhos não significa que você deve andar pela escola ou faculdade olhando para o concreto e evitando os olhos de toda garota que conhece. Isso seria ridículo e acabaria com todo o propósito da pureza, que é restaurar nossa interação com as mulheres para um estado natural, saudável e inocente.

Não estamos dizendo que não se pode ter amigas ou ter qualquer ligação com mulheres. Você deve sim ter toneladas de amigas, e você com certeza vai ter um relacionamento próximo com as mulheres na igreja e nos negócios para o resto de sua vida. Por isso, quando aconselhamos a não alimentar os olhos, não estamos dizendo para fugir das mulheres ou para ficar nervoso perto delas. Muito pelo contrário.

Uma vez, durante seus anos de faculdade, perguntei ao meu filho Jasen como é que ele mantinha os olhos e o coração puros na Universidade Estadual de Iowa, quando havia muitas alunas atraentes que usavam *shorts* e *tops* justos.

— Afinal, você não pode ignorá-los, certo? — Eu perguntei.

— Não, e eu não iria querer —, ele respondeu. — Sou amigo de várias garotas, especialmente porque sou um líder do ministério do *campus* agora. Decidi lidar com as meninas do pescoço para cima, pai. Dessa forma, podemos conversar, brincar, rir e ter momentos agradáveis, mas tudo parece muito natural. Funciona perfeitamente para a minha pureza também, provavelmente porque quando estamos nos relacionando do pescoço para cima, seus corpos estão sempre lá embaixo, em algum lugar na zona de segurança da minha visão periférica. Se elas não estão vestidas tão modestamente como eu gostaria, isso nunca foi um problema para mim.

Jasen conseguiu, não foi? A ideia de parar de alimentar os olhos foi pensada para dar liberdade quando se está perto de mulheres, não para acorrentar. É para remover qualquer fervor sexual que você possa sentir a respeito de mulheres por causa da maneira como você a via como objeto, no passado. Claramente, Jasen se sentia confortável perto de garotas, e elas, por sua vez, se sentiam seguras e confortáveis perto dele. Para ele, as meninas não eram apenas uma interessante coleção de partes de corpos, e elas sabiam disso.

Deixe-me assegurar-lhe que, nesse tipo de ambiente saudável, você não terá qualquer problema para encontrar uma mulher maravilhosa para a vida, mesmo enquanto não estiver alimentando seus olhos.

E agora, vamos voltar à minha história com a Brenda.

Ajustando à pureza

Brenda e eu acabamos encontrando um novo equilíbrio sexual. Meu desejo sexual foi refeito para viver dentro dos limites de Deus, mas não aconteceu até que parei de vez e me privei de imagens sexuais impuras de fora do meu casamento.

Se eu ainda estou recebendo as dez vasilhas completas de prazer sexual toda semana? Não, mas também não deixei cair para cinco. Brenda fornece vasilhas extras com uma frequência maior de relações sexuais e outras diversões relacionadas, mas também houve um ajuste natural pela diminuição do meu apetite sexual, talvez passando de dez vasilhas para seis ou sete por semana, à medida que eu me ajustava à minha nova pureza sexual.

Espere um minuto, Fred, você pode dizer. *Diminuir de dez para seis vasilhas me parece injusto. Se eu seguir seu caminho, estarei sendo sexualmente enganado, só porque estou obedecendo a Deus!*

Garanto que você não vai se sentir enganado. Primeiro, sem a constante hiperestimulação de seu desejo sexual de caráter visual, seu apetite sexual vai voltar ao normal, às especificações de fábrica. Em segundo lugar, com todo o seu ser sexual agora concentrado em sua esposa, o sexo com ela será transformado de tal maneira que sua satisfação irá extrapolar qualquer escala conhecida. Sim, mesmo consumindo menos vasilhas. É uma garantia pessoal, endossada pela fé, pelo crédito e pela autoridade da Palavra de Deus.

Ainda bonita

Achamos que a história de Randy pode ajudá-lo no aprofundamento da compreensão deste paradoxo. Quando ele nos falou sobre sua esposa, Regina, disse que as coisas haviam chegado a um ponto em que ela não o excitava mais. Ele disse:

> Com todo o caos de ser mãe e passar ano após ano sendo responsável pelas crianças, Regina se tornou apenas uma boa e confiável amiga. Ela sempre fez um bom trabalho, mas como qualquer outra boa amiga, eu particularmente não a achava *sexy*.
>
> Então, um dia eu estava fazendo uma entrega em um prédio no centro da cidade e, ao virar a esquina, dei de cara com uma deusa. Jovem, com longos e lindos cabelos negros. Pernas compridas sobre saltos altos e grandes seios que coroavam um vestido curto de seda fina. Na verdade, eu me engasguei e comecei a tossir alto. Foi muito vergonhoso. Meu peito ofegava e minha boca instantaneamente ficou seca. Posso ou não ter cambaleado; não sei. Mas senti como se tivesse levado um golpe.
>
> De tempos em tempos, durante os dias que se seguiram, fiquei pensando sobre Regina enquanto dirigia para o trabalho. Minha esposa nunca foi linda de cair o queixo, mesmo quando era mais jovem. Entretanto, lembro-me da primeira vez que coloquei os olhos nela, ela me chamou bastante a atenção e despertou todos os meus sentidos. Fiquei me perguntando: *Ela ainda era bonita para mim?*
>
> Uma noite, enquanto eu a observava preparar nosso jantar, notei que ela ainda era muito bonita. Estava um pouco mais pesada e seu bumbum estava meio flácido,

como também a pele ao redor dos olhos e do pescoço. Mas ela era linda para mim. *Por que eu não apreciava mais sua beleza?*

Logo após esse dia, ouvi Fred falar sobre parar de alimentar os olhos. Nunca me envolvi em um grande pecado sexual, mas também nunca protegi meus olhos. Assistia a qualquer filme, e sempre olhava demoradamente para as garotas do trabalho, mas não achava que essas coisas afetassem minha vida. Depois da conversa com Fred, comecei a ponderar. Prestava mais atenção em meus olhos e percebi que eles estavam coletando muito mais satisfação sexual do que eu pensava.

Pensando que essa fosse talvez a razão de minha perda de apetite por Regina, comecei a parar de alimentar os olhos. Não dava para acreditar no que estava acontecendo! Regina não era mais uma simples amiga. Ela se tornou uma deusa, pelo menos para mim. E é estranho — quanto mais me sacio somente com ela, mais minha predileção muda. Aquelas sobras de gordura em seu bumbum e nas laterais costumavam me incomodar. Agora, quando passo meus dedos sobre elas, tenho outra reação, fico excitado. Não é uma loucura? E aquele pedaço do bumbum que cai para fora da calcinha? Antes isso só fazia me lembrar de quanto peso ela tinha adquirido, agora me faz explodir de desejo por ela. Regina pode não ser uma supermodelo, mas eu também não sou um príncipe encantado. Mesmo assim, para mim ela é a Miss Universo.

A compensação sexual

As revistas nos caixas do supermercado podem dizer: "Fantasias para uma vida sexual melhor". O programa de entrevistas pode dizer: "Varie para melhorar sua vida sexual — o adultério pode ser uma boa ideia!". Mas no reino de Deus, a obediência sempre termina em alegria e paz — e, neste caso, palpitações.

Você pode contar com uma compensação sexual resultante da obediência. Se sua esposa for magra ou gorda, cheia de curvas ou reta, quando você concentrar toda a atenção em "sua fonte", ela se tornará ainda mais bonita para você. Seus pontos fracos se tornarão sensuais porque eles são somente seus. Eles são tudo o que você tem, e você pode apreciá-los e permitir que preencham você.

Talvez isso não nos surpreenda muito. Afinal, os padrões de beleza não são fixos. Há séculos atrás, grandes e famosos pintores retratavam mulheres roliças e pesadas como a beleza absoluta. Na década de 1920, a mulher magérrima de peito reto reinava. Nos anos 60, as garotas com seios exuberantes eram as rainhas. Nos anos 80 e 90, as mulheres atléticas é que faziam os homens ficarem ligados. Atualmente, as mulheres que usam Botox e têm peitos siliconados são a preferência. Os homens se adaptam a cada período do tempo, seus gostos são formados pelo que eles visualizam e pela pessoa com quem fazem sexo.

Se você limitar seus olhos à sua esposa somente, seus próprios gostos se adaptarão ao que você visualiza. As forças e as fraquezas dela se tornarão suas preferências. Finalmente, ela estará fora de comparação aos seus olhos.

13

Sua espada e seu escudo

• • • • • • • • •

Estas estratégias para desviar e parar de alimentar os olhos podem parecer muito simples. Talvez até fáceis de se adotar. Mas não o são.

Satanás luta contra você com mentiras, enquanto seu corpo luta contra você com os desejos e a força de maus hábitos profundamente enraizados. Para vencer, você precisa de uma espada e de um escudo. De todas as partes do seu plano de batalha, esta é provavelmente a mais importante.

Sua espada

Você precisará de um bom versículo bíblico para ser sua espada e seu ponto de encontro.

Apenas um? Pode ser muito útil a memorização de vários versículos das Escrituras sobre pureza, à medida que eles agem para, no fim, transformar e lavar a sua mente. Mas quando se decide parar de vez, dia após dia lutando contra a impureza, ter vários versículos na memória pode ser tão maçante como colocar nas costas uma mochila de 50 quilos para entrar em um combate corpo a corpo. Você não terá a agilidade necessária.

Por isso, recomendamos um único "versículo de ataque", e ele deve ser rápido. Sugerimos o início de Jó 31: "Fiz uma aliança com meus olhos".

Quando você falhar e olhar para uma corredora, diga com firmeza: *Não, eu fiz uma aliança com meus olhos, não posso fazer isso!* Essa ação será como uma rápida apunhalada no coração de seu inimigo. Além de ser um texto bíblico, reflete a nova realidade que você está implementando em seu cérebro.

Seu escudo

Seu escudo — um versículo de proteção sobre o qual você pode refletir e do qual pode retirar forças até mesmo quando não estiver no auge da batalha

— pode ser até mais importante que sua espada, porque ele coloca a tentação fora do alcance dos seus ouvidos.

Sugerimos que você escolha o texto de 1Coríntios 6.18-20 como seu escudo: "Fujam da imoralidade sexual! [...] Vocês não pertencem a si mesmos, pois foram comprados por alto preço. Portanto, honrem a Deus com seu corpo".

Temos destilado este versículo-escudo até seu âmago e o repetido perante muitas situações de tentação ao enfrentar imagens ou pensamentos sensuais: *Você não tem o direito de olhar para isso ou pensar sobre isso. Você não tem a autoridade.*

Um escudo assim pode ajudá-lo a pensar de maneira correta sobre as verdadeiras questões envolvidas à medida que você enfrenta a tentação em sua luta pela pureza. O poder das tentações de Satanás repousa em seu suposto direito de tomar decisões relacionadas ao seu comportamento. Se você não acreditasse que tivesse o direito, nenhum poder tentador poderia tocá-lo.

Fred: Folheando uma revista erótica

Certa ocasião, quando passava a noite em um hotel, desci ao salão atrás de uma máquina de gelo. Em cima da máquina estava uma revista erótica. Acreditando que eu tinha o direito de decidir qual deveria ser meu comportamento, fiz a seguinte pergunta: *Devo ou não olhar esta revista?*

No momento em que fiz esta pergunta, abri a porta para receber conselhos de fora. Comecei a ver os pontos positivos e negativos. Mas muito pior que isso, fiquei aberto ao conselho de Satanás. Ele desejava ser ouvido sobre esse assunto.

Ele me bajulou e mentiu, mantendo minha mente concentrada na conversa para que eu nem notasse que meu corpo estava deslizando em uma ladeira de luxúria. Quando ele terminou, a única resposta que eu mesmo queria ouvir era: *Sim, você deve olhar.*

Neste ponto repousa o poder da tentação. Podemos ter medo de que a tentação seja forte demais para nós nesta batalha, mas, honestamente, a tentação não tem poder algum sem nossos próprios questionamentos arrogantes e o suposto direito de escolher nosso comportamento. Assim que nos tornamos cristãos, não temos mais essa escolha.

Coloque-se em meu lugar naquela noite. Longe de casa, numa viagem a serviço, você está caminhando para encher o balde de gelo e espia a revista erótica. Mas sua mente tem pensado no versículo-escudo, as palavras de 1Coríntios 6.

Qual é a sua resposta interior?

Não tenho o direito nem de considerar olhar a revista. Não tenho a autoridade. Eu pertenço a Cristo agora.

Uma vez que esta convicção está firme, não há espaço para que pontos positivos e negativos influenciem de forma enganosa seu cérebro. Você pega o gelo e ignora a revista sem maiores pensamentos. E quanto a Satanás, já que você não perguntou nada, não ocorrerá nenhuma conversa com ele — uma conversa na qual ele poderia tentar fazer com que você mudasse de ideia.

Essa é melhor resposta quando se vive dentro de seus direitos. Se você vive dentro de seus direitos, as leis de Deus da colheita e semeadura irão protegê--lo. Se você pisar além de seus direitos, as leis de semeadura e colheita vão trabalhar contra você, porque você está em rebelião, tendo roubado a autoridade de seu Senhor. E você está de volta ao alcance de Satanás. Proteja-se do poder da tentação, submetendo-se à verdade de Deus sobre seus direitos.

Fred: O que esperar a curto prazo

Tudo bem, vamos dizer que você fez uma aliança com os olhos para deixar de alimentá-los e para treiná-los a fim de que se desviem. Você identificou seus pontos fracos, criando uma defesa personalizada para cada um, e já pegou a espada e o escudo. O que você pode esperar que aconteça nas próximas semanas, ou até mesmo anos? Eis aqui um pouco da cronologia do que se desdobrou para mim quando meus perímetros aumentaram.

As primeiras duas semanas foram repletas de fracassos. Meus olhos simplesmente não cumpriam sua parte e não se desviavam das coisas sensuais, e os caminhos sinápticos da minha mente lutaram com unhas e dentes pelas drogas. Meus escudos contra as mentiras de Satanás eram muito fracos, mas continuei lutando com fé, sabendo que Deus estava comigo.

Durante a terceira e a quarta semanas, a esperança brotou quando comecei a vencer nas coisas em que eu sempre falhava. Não posso expressar como essa mudança foi dramática e surpreendente para mim. As bênçãos e os dons de Deus superam tudo aquilo que se possa pedir ou pensar, pois quando semeamos retidão, apenas a mente de Deus pode conceber as bênçãos que colheremos. Não conseguia acreditar como eu agora vivia para agradar a Brenda.

Durante a quinta e a sexta semanas, meus olhos alcançaram uma regularidade em se desviarem do que fosse sensual. No final da sexta semana, tive aquele sonho intenso que mencionei anteriormente e que me abriu a um novo mundo de adoração e intimidade com Cristo. A opressão espiritual findou-se, e o véu que me separava de Deus desapareceu. Embora eu ainda não fosse perfeito, o restante era apenas descida de morro.

O ponto é que não importa há quanto tempo você tenha sido atormentado pelo pecado sexual. Não é preciso demorar muito para aumentar o perímetro de defesa de seus olhos. Se você realmente deseja a vitória, ela virá rapidamente. Muitos homens já me disseram várias vezes: "Fred, isso é fantástico, aconteceu do jeito que você falou! Bem na sexta semana, tudo se encaixou!". Mas seis semanas não é uma regra fixa. Pode levar menos tempo ou talvez mais, dependendo das suas fortalezas e do seu comprometimento com a tarefa em questão.

Tome o tempo que for necessário para você. A persistência será sua melhor amiga por causa da natureza de usar ou perder de seus caminhos sinápticos viciantes. Você tem de parar de usá-los para perdê-los, e só há uma maneira de parar de usá-los: sendo persistente e constante ao não alimentar e ao desviar seus olhos.

Steve: Tenha expectativas realistas

Quero que saibam que, muitas vezes, os homens se envolvem nesta batalha e esperam ver uma vitória imediata e radical sobre a tentação sexual. Quando todos os impulsos não morrem instantaneamente, seu senso de vergonha e inadequação prepara o caminho para uma recaída grave.

Por isso, seja realista ao se envolver nessa batalha. Aborde-a como se você estivesse no controle de uma grande lancha rasgando as ondas. Você pode desligar os motores, mas nunca vai parar no lugar. Todas as forças dentro e fora ainda estão em movimento.

Sua luxúria funciona da mesma forma. Você pode cortar seus motores sexuais, mas de certa forma ainda continuará à deriva depois de escolher a integridade. Aceitar essa realidade torna muito mais fácil manter o rumo quando as coisas não correm como planejado.

Fred: O que esperar a longo prazo

À medida que você continua a viver de forma pura, a cerca de proteção contra a tentação fica cada vez mais densa ao seu redor. Se você é diligente, Satanás precisará de um arremesso de granadas de tentação muito mais longo para atingir os quartéis-generais de sua vida. Com o tempo, os caminhos sinápticos se quebram e suas tentações se enfraquecem ainda mais.

A longo prazo, você ainda terá de monitorar seus olhos? Sim, porque a tendência natural dos seus olhos é para o pecado, então você logo retornará aos maus hábitos se for descuidado. Mas com o mínimo de esforço, bons hábitos se tornam permanentes.

Como uma observação prática, se você viver em uma região que apresente as quatro estações do ano, o fim da primavera e o começo do verão pedem uma alta dose de diligência, pois as temperaturas mais altas permitem que as mulheres usem menos roupas. Planeje intensificar suas defesas nesses momentos.

Depois de mais ou menos um ano — embora isso possa levar mais tempo —, quase todas as grandes batalhas irão cessar. A tarefa de desviar seus olhos se tornará muito mais enraizada em você. Seu cérebro, agora sob intensa vigilância, raramente escorregará mais, tendo desistido há muito tempo de suas oportunidades de retornar aos velhos tempos de ter euforia com prazeres pornográficos.

Será que isso continua difícil ao longo do tempo? Depende de você. O melhor quadro que podemos visualizar é o da mudança dos israelitas para a Terra Prometida. Eles receberam a promessa de uma terra que produzia leite e mel com fartura, e ali teriam descanso dos seus inimigos.

Mas assim como aconteceu com os israelitas, você não terá aquele lugar de paz sem lutar, e você não tomará posse daquela Terra Prometida sem fazer exatamente o que Deus diz quanto a destruir todos os indícios de seus velhos hábitos, bem como todas as crenças sobre suas alegações de direitos e liberdade de olhar. Tudo o que você deixa vivo e não destrói se torna mistura em sua vida, e acaba se tornando uma armadilha para você. Então, assuma a responsabilidade por sua pureza. Levante-se e lute do jeito certo.

Um pouco maluco?

Considerando novamente os detalhes do nosso plano, temos de admitir que ele parece um pouco maluco. Defesas, truques do cérebro, desvios dos olhos, renúncia de direitos. Cara! É capaz que o próprio Jó ficasse um pouco assustado.

Por outro lado, talvez devêssemos esperar que um plano firme acabasse dando essa impressão mesmo. Pense em todos os homens que são chamados à pureza, e, ainda assim, poucos parecem saber como conseguir isso.

Qual é o ponto crucial? Precisamos utilizar todos os nossos recursos e toda a nossa criatividade para destruir os maus hábitos e cada centímetro de liberdade em Cristo para caminhar livres do pecado. Por anos fomos dominados por esses hábitos que nos levavam a desejar qualquer mulher com os olhos.

Vale a pena morrer para ficar livre do pecado, de acordo com Jesus. Confie no que dizemos... e saiba que também é uma razão pela qual vale a pena viver!

Fred: Encontrar a pureza requer compromisso

Alguns anos atrás, um estudante da Universidade de Iowa, um jovem cristão, parou minha filha Rebecca no corredor e disse: "Eu li o livro de seu pai, mas não acredito que todos os homens são capazes de andar puramente quando se trata de coisas sensuais. Apenas alguns recebem a graça de fazê-lo".

Bem, qualquer um pode ter uma opinião, e era assim que aquele jovem pensava. Mas essa não é a verdade. Não é uma falta de *graça* que nos condena (2Pe 1.3-4); é uma falta de *compromisso* da nossa parte em construir nossos perímetros de defesa e a disposição para lutar. Como homens, nossa escolha simplesmente não é aprender a controlar nosso corpo de maneira santa e honrosa, mesmo que esta seja claramente a vontade de Deus para nós (1Ts 4.3-4).

Você está pronto para continuar a aprender? Vamos passar para a parte 5 e estudar mais sobre como controlar nosso corpo estabelecendo um segundo perímetro de defesa, desta vez ao redor de nossa mente.

Parte V

Vitória com sua mente

14

Sua mente indomável

• • • • • • • • •

À medida que você constrói os perímetros exteriores de defesa, descobrirá que o perímetro dos olhos aumenta de forma muito mais rápida do que o perímetro da mente. Por quê?

Primeiro, a mente é muito mais astuta que os olhos e mais difícil de encurralar. Segundo, você não consegue controlar a mente de forma efetiva até que o perímetro visual esteja em seu devido lugar. Sabendo disto, você não deve se sentir desencorajado se sua mente responder mais lentamente do que os olhos.

A boa notícia é que o perímetro de defesa dos olhos trabalha juntamente com você para construir o perímetro da mente. A mente precisa de um objeto para a luxúria, então quando os olhos visualizam imagens sexuais, a mente já tem muito com o que festejar. Sem estas imagens, a mente possui um repertório vazio. Ao parar de alimentar os olhos, você também deixa de alimentar a mente.

Mas só isso não é suficiente, pois a mente ainda pode criar seus próprios objetos de luxúria utilizando memórias de filmes ou imagens que você viu anos atrás; ou ainda pode criar fantasias com antigas namoradas e com as mulheres com as quais você trabalha. No entanto, pelo menos com seus olhos sob controle, você não será sobrecarregado por uma contínua inundação de objetos de luxúria enquanto luta para aprender a controlar sua mente.

A purificação da mente

Atualmente, seu cérebro se movimenta rapidamente para a luxúria e para a euforia de prazer que ela proporciona. A visão de mundo do cérebro sempre inclui pensamentos luxuriosos. Ambiguidades insinuantes, devaneios e outras formas criativas de pensamentos sexuais são caminhos desobstruídos, então sua mente se sente livre para correr por eles até encontrar o prazer.

Mas não precisa ser assim. Sua mentalidade cultural e sua visão de mundo colorem o que vem através dos filtros em sua mente, e você pode mudar isso.

É importante saber disso porque sua mente é metódica. A mente permitirá a entrada desses pensamentos impuros somente se eles se encaixarem ao modo como você vê o mundo. Quando você definir o perímetro de defesa para sua mente, a visão de mundo do seu cérebro será transformada por uma nova matriz de pensamentos permitidos ou admissíveis.

Dentro da antiga matriz do seu pensamento, a luxúria se adaptava perfeitamente e, neste sentido, era metódica. Mas quando se estabelece uma matriz nova e mais pura, os pensamentos luxuriosos só trarão desordem. Seu cérebro, agindo como um policial responsável, logo aprenderá a reter esses pensamentos luxuriosos antes que eles cheguem à consciência. Em suma, o cérebro começa a se purificar num nível subconsciente, de modo que inimigos ardilosos, como ambiguidades insinuantes e devaneios, que são difíceis de controlar no nível consciente, simplesmente somem de seu dia a dia.

Esta transformação da mente leva algum tempo, enquanto você espera que a antiga poluição sexual seja eliminada. É como viver perto de um riacho que fica poluído quando uma tubulação de esgoto quebra perto da nascente. Depois que as equipes de manutenção consertam a tubulação de esgoto, ainda vai demorar um tempo para que a água de todo o rio fique limpa.

De fato, você estará assumindo um papel ativo e consciente de capturar pensamentos enganadores à medida que constrói um perímetro ao redor da mente. Mas, durante a longa jornada, a mente se purificará e começará a funcionar naturalmente *para* você e para sua pureza, capturando tais pensamentos *antes* mesmo que estes surjam. É isso o que significa transformação. Com os olhos se desviando das imagens sexuais e a mente se policiando, suas defesas se fortalecerão de forma incrível.

À espreita junto à porta

Faça tudo o que puder para levar adiante sua transformação mental. Um conceito útil neste sentido é a expressão bíblica "à espreita junto à porta". Jó mencionou isto alguns versículos depois de discutir a aliança feita com os olhos:

> Se o meu coração foi seduzido por mulher,
>   ou se fiquei à espreita junto à porta do meu próximo,
> que a minha esposa moa cereal de outro homem,
>   e que outros durmam com ela.

Pois fazê-lo seria vergonhoso,
   crime merecedor de julgamento.

Jó 31.9-11, NVI

Você alguma vez ficou "à espreita junto à porta" do seu próximo? Isso pode significar aquela vez em que você apareceu à tardinha para visitar a esposa de seu amigo, tomar um café com ela, e então se encantou com sua sabedoria, seu cuidado e sua sensibilidade. Lamentou por ela ter de suportar um marido tão bruto e insensível. Você a abraçou enquanto ela chorava. Você estava espreitando à porta do seu próximo.

Veja o caso de Kevin, casado e pai de três filhos. Durante o trabalho com o grupo de jovens na igreja, ele conheceu uma bela jovem — na verdade, uma garota de apenas quinze anos. Ele disse:

> Ela é um verdadeiro nocaute, e parece mais ter uns vinte anos. Às vezes, eu perguntava a ela sobre os garotos que ela havia conhecido e namorado, então ríamos e fazíamos piadas juntos, mas às vezes eu passava dos limites. Começávamos uma conversa meio inútil sobre suas preferências quando estava beijando alguém, sobre o que eu apostava que ela não faria com um garoto e coisas desse tipo. Sabia que não deveria conversar com ela sobre isso, mas era muito excitante.
>
> Semana passada, quando minha esposa e meus filhos estavam viajando, ofereci uma carona a essa garota. Começamos a conversar sobre coisas impróprias novamente, e por alguma razão apostei que ela não tiraria a roupa para mim. Ela tirou. Perdi completamente a cabeça e a levei para um parque onde fizemos sexo. Entrei em uma baita encrenca! Ela contou aos seus pais sobre isso e eles podem me processar por estupro!

Kevin não estava apenas à espreita junto à porta do seu próximo. Kevin já estava do lado de dentro da porta.

Espreita mental

Talvez você nunca tenha feito o que Kevin fez, mas esteve à espreita junto à porta do próximo da mesma forma. De acordo com Jesus, fazer isso mentalmente é a mesma coisa que fazer fisicamente (Mt 5.28).

Você sabe que tem espreitado. A esposa do seu amigo parece fazer mais seu tipo do que sua própria esposa. *Por que não a conheci antes?*, você pode se perguntar. *Se isso tivesse acontecido, as coisas seriam diferentes!* Você está espreitando.

Talvez uma antiga namorada já esteja casada agora, mas você está à espreita com sua mente, imaginando que vocês estão se beijando, esperando secretamente encontrá-la no shopping ou no mercado.

Ou você está almoçando com um grupo no trabalho, incluindo aquela linda e jovem colega da área de vendas, pela qual se sente tão atraído que até se sente deprimido quando ela fica doente. Da última vez, você enviou um *e-mail* para ela dizendo: "Senti sua falta... espero que fique boa logo".

Talvez você esteja conversando *on-line* com uma mulher e fica imaginando como ela é e como seria a vida com ela. Você está à espreita junto à porta do próximo.

Pensamento desvairado

Como vimos ao discutir os perímetros dos olhos, a maior parte da satisfação sexual é gerada a partir de mulheres que você nem mesmo conhece. Você só as viu de passagem. Modelos, atrizes, recepcionistas e imagens *on-line* e em todos os lugares. Mas elas são estranhas para você. Você nunca fala com elas e suas órbitas não se cruzam diariamente no trabalho ou na vizinhança, então treinar seus olhos para se desviar é o suficiente para se defender.

Mas desviar os olhos não basta para prevenir as atrações "ao vivo", que surgem de suas interações social com mulheres. Essas mulheres não são estranhas. Você vive e trabalha muito próximo delas, mesmo durante o culto aos domingos. Pensamentos e atrações impuras podem surgir. Já que o perímetro de defesa dos olhos não vai funcionar nesses momentos, será necessário outro método de defesa.

"O que devo fazer?", você diz. "Aqueles pensamentos aparecem sozinhos. Não posso resistir." Isso *parece* mesmo verdade, uma vez que controlar a mente pode parecer algo muito bizarro. Até mesmo na igreja, de repente pode surgir um devaneio com uma mulher do trabalho. De onde vêm esses pensamentos? A mente é como um cavalo indomável, correndo livre, ora com pensamento organizado, ora sem qualquer ordem. Além disso, a Bíblia diz que devemos controlar não apenas nossos olhos, mas todo nosso corpo:

> Vocês não pertencem a si mesmos, pois foram comprados por alto preço. Portanto, honrem a Deus com seu corpo.
>
> 1Coríntios 6.19-20

E isso inclui nossa mente. O Espírito Santo, através de Paulo, é bem claro sobre isso:

> Destruímos todas as opiniões arrogantes que impedem as pessoas de conhecer a Deus. Levamos cativo todo pensamento rebelde e o ensinamos a obedecer a Cristo.
>
> 2Coríntios 10.5

Esse versículo é muito perturbador. *Levar cativo todo pensamento? Isso é possível?*

Alfândega mental

Todos os pensamentos impuros são gerados a partir do processamento de atrações visuais e atrações ao vivo por meio dos seus sentidos. Olhar para mulheres na praia. Flertar com as novas mulheres no trabalho. Lembrar-se de antigas namoradas. Se não processarmos adequadamente, nossa mente pode ser levada à impureza. Porém, se processarmos adequadamente essas atrações, podemos capturar ou eliminar pensamentos impuros.

Já discutimos uma forma de processamento adequado chamada de desviar os olhos. Quando este método estiver efetivamente estabelecido, seu perímetro de defesa dos olhos adquirirá a natureza do antigo muro de Berlim. Nenhum visto de entrada visual será concedido, não importa por qual razão.

Mas o perímetro de defesa da mente se parece menos com um muro e mais com a área de alfândega em um aeroporto internacional. A alfândega age como um filtro, evitando que elementos perigosos entrem no país. De forma semelhante, o perímetro de defesa da mente processa adequadamente as mulheres atraentes em seu "país", filtrando as sementes forasteiras da atração antes mesmo que os pensamentos impuros possam ser gerados. Esse perímetro interrompe a espreita.

Considere a situação de dois homens sobre os quais já falamos. Wally, o empresário que temia ficar sozinho em quartos de hotéis, percebia que, depois que desligava a TV, sua mente ainda lutava contra imagens em um ciclo de bombardeamento luxurioso, até que perdia por completo o sono. Se ele não tivesse concedido nenhum visto de entrada visual ao assistir à TV, nenhum pensamento luxurioso teria surgido. A situação é diferente no caso de atrações "ao vivo". Kevin era um líder do grupo de jovens, e aquela garota de quinze anos era membro do mesmo grupo. Ela possuía um visto de entrada válido na vida dele. Ele *tinha* de interagir com ela. (É claro que ele não deveria interagir de maneira inadequada.) As mulheres atraentes *passarão* por seu perímetro de defesa mental, mas devem receber permissão para entrar apenas com propósitos e motivos apropriados, assim como as coisas são tratadas em qualquer fronteira.

Operando a alfândega

Uma vez que seu perímetro está estabelecido, o que acontece com sua alfândega mental? Imagine que sua empresa contrate uma nova funcionária, Rachel. Em seu primeiro dia, Rachel fica perambulando pelo corredor, para no cantinho, começa a conversar e *tchan*! Você está atraído. A partir deste ponto, ela pode ser processada de forma apropriada em sua mente, sem que pensamentos impuros sejam gerados, ou você pode administrar mal a situação.

O que vem depois disso é muito importante para a pureza de sua mente.

Você continua interagindo com Rachel ao longo do tempo. As primeiras interações alimentam a atração. Por exemplo, Rachel pode corresponder aos seus sinais de atração. Ou o senso de humor dela pode ser parecido com o seu. Ela ama sua *pizza* favorita. Ela é simplesmente louca por futebol. Rachel é muito agradável e fascinante, então você se realiza ao pensar nela.

Neste ponto, o processamento impróprio o leva a pensamentos sensuais ou a outras práticas impuras, como flertar e provocar. Pior ainda, você pode ser arrastado como o jovem tolo de Provérbios 7.21-23:

> Assim ela o seduziu com palavras agradáveis
>   e com elogios doces o atraiu.
> Ele a acompanhou de imediato,
>   como boi que vai para o matadouro,
>   como cervo que caiu na armadilha
> à espera da flecha que lhe atravessará o coração,
>   como o pássaro que voa direto para o laço,
>   sem saber que lhe custará a vida.

Sua mente se perde entre as atrações. Nem é importante o fato de você não conhecer muito bem Rachel. No começo do relacionamento, a mente é ágil em preencher as lacunas com a imaginação criativa. Isso faz parte da diversão.

Quanto menos você sabe sobre ela, mais lacunas existem a serem preenchidas e mais a mente pode correr solta com os pensamentos fantasiosos. Com uma interação mais profunda, no entanto, mais fatos vão se adentrando. Com menos lacunas a serem preenchidas, a mente rapidamente se torna entediada. Os fatos são os vírus matadores das atrações.

Que tipo de fatos? Depois que você a ouviu comentar sobre seu lindo bebê e como tem um marido maravilhoso, torna-se mais difícil imaginar Rachel como sua sedutora à espera. Então ela cai em seu conceito de atração, tornando-se meramente uma amiga ou colega de trabalho.

Fred: Aprendendo o processo mental correto

Ficamos acostumados com este tipo de processamento impróprio desde nossos primeiros dias. Provavelmente todos nós podemos pensar em um exemplo dos tempos de estudante em que nossa mente se perdeu entre as atrações. Eu tive um: o nome dela era Judy.

Eu reparei nela no começo do meu último ano, quando ela estava no primeiro ano. Eu era arrastado para uma terra de sonhos tolos sempre que pensava nela. Pensava sobre o que eu diria, como amaríamos um ao outro e para onde iríamos; e minha mente preenchia bilhões de lacunas, uma vez que não sabia nada sobre Judy, exceto seu nome e sua série.

Durante todo o ano, eu ansiava por ela, cheio de fantasias, observando seu alegre balanço, esperando pelo dia em que conversaríamos. Sonhava em convidá-la para um encontro, mas me faltava coragem. Mesmo sendo o superatleta do ano, meu coração virava gelatina quando tinha de lidar com as garotas.

Quando o ano chegou ao fim, só restava uma oportunidade: o baile de formatura. Com muita dificuldade, disquei o número de telefone dela. Depois de uma conversa insignificante, gaguejei meu pedido. E ela disse sim! Sua voz melodiosa confirmou minha existência e você pode imaginar o que a minha mente fez com aquilo.

Depois do baile, descobri um lugar perfeito para levá-la — o Ironmen Inn. Embora o lugar tradicional para jantares pós-baile fosse o Highlander, decidi que não poderia dar ao meu novo amor algo tão trivial e monótono. Nas cabines isoladas e acortinadas do Ironmen, podíamos nos sentar sem sermos interrompidos naquela gloriosa primeira noite de nossa vida juntos.

Depois de sermos acompanhados até nossa romântica cabine, nos provocamos levemente, meu coração quase não cabendo dentro de mim. Minha atração crescia a cada momento. A face encantadora de Judy ficou vermelha, e seus lábios lindos e carnudos começaram a falar. Fascinado, eu a ouvia como em sonhos, até que ela disse:

— Sabe, não sei como dizer isso, mas eu gostaria muito de ir ao Highlander. Você se importa se formos para lá?

Pá!

Embora minha atração em relação a ela tenha sido bastante abalada, a nobreza e a honra davam o tom da noite. Reunindo forças para demonstrar um ar de indiferença, respondi:

— Claro, acho que sim.

Mas eu sabia que aquilo não era bom para o nosso encontro.

É claro que não tínhamos reserva no Highlander. Enquanto estávamos em pé esperando por um lugar, Judy perguntou descaradamente:

— Você se importa se eu for até a mesa do Joel só por um instante?

Ela foi e passou o resto da noite com ele. Quando consegui um lugar para sentar, comi sozinho com meus pensamentos, refletindo: *É por isso que prefiro futebol a garotas.*

Depois, ela graciosamente me deu um fora, mas dando-me a honra de levar Sua Alteza para casa. Ela me confessou que tinha esperado muito tempo para encontrar uma maneira de ficar com Joel naquela noite, já que ele não a tinha convidado para o baile como ela esperava.

Minha atração por Judy morreu naquela noite. Os fatos desagradáveis — o vírus que acaba com as atrações — a mataram! Inicialmente, não processei minha atração por ela de forma adequada, usando fantasia emocional para preencher os espaços em branco, pois eu realmente não tinha conhecimento de quem ela era.

Mas deixe-me compartilhar um exemplo de alguém que processou de maneira *apropriada* algumas atrações. Carter me contou sobre Emma, uma mulher recém-contratada em seu departamento de engenharia. Quando ele a viu pela primeira vez, ela estava fazendo uma apresentação para todo o grupo, e ele foi golpeado entre os olhos:

> Eu estava sentado na sala esperando por mais uma apresentação enfadonha, quando fui nocauteado por Emma. Ela era linda, inteligente e tinha um temperamento

gracioso. Ela me fazia lembrar das garotas que conheci na faculdade. Minha mente insistia: *Tenho de conhecer esta garota, tenho de conhecer esta garota*. Mas eu era casado, e sabia que não deveria fazer isso.

Minha mente continuava pedindo que eu pensasse nela. Parecia-me tão atraente, mas eu sabia que não deveria agir daquele jeito. Nas semanas seguintes, passei pouco tempo perto dela e não lhe dirigi a palavra, a não ser quando era absolutamente necessário. Também parei de alimentar meus olhos.

Depois descobri que ela tinha acabado de ter um bebê e tudo o que fazia era falar sobre sua filhinha. Ela demonstrava que amava muito seu marido. Naquele momento, minha atração começou a esmorecer, mas não se foi completamente.

Tempos depois, alguns dos novos processos de engenharia que ela havia implantado começaram a receber críticas pesadas, e eu vi que seu temperamento não era tão leve e gracioso assim. Ela podia se transformar em uma pessoa muito briguenta. Hoje, ela é apenas uma amiga, não me sinto mais atraído por ela.

Pare de alimentar as atrações

Este foi um processo apropriado. Emma tinha um visto de entrada, mas a atração foi processada apropriadamente e gerou poucos pensamentos impuros. Sabe, não podemos eliminar mulheres atraentes de nossa vida, mas podemos nos proteger na fase inicial da atração até que elas se tornem "velhas amigas". Este processo apropriado é chamado de *parar de alimentar as atrações*.

É um conceito que me faz lembrar de um velho amigo dos meus dias na Universidade de Stanford:

Se você não pode vencer, trapaceie!
Se você não pode trapacear, esquive-se!
Se você não pode esquivar-se, pare!

Não é algo admirável, mas divertido e um pouco aplicável neste caso. *Parar de alimentar as atrações* é uma tática de esquiva. A esquiva ativa aguarda pelos fatos que rapidamente processam o relacionamento além da zona de perigo, onde ele não gera impureza.

O que acontece se continuarmos alimentando as atrações? O que acontece se brincarmos um pouco com as atrações? A passagem do tempo não matará as atrações de qualquer modo?

Na maioria das vezes, sim, mas por que dar oportunidades? Um relacionamento impróprio não agrada a Deus, não importa o quão inocente ele pareça, e ameaça tudo o que lhe é caro na vida familiar.

Em resumo, você tem uma mente que pode correr para onde desejar. Ela precisa ser domada. Sua melhor tática é parar de alimentar as atrações, limitando a geração de pensamentos impuros e o dano que eles trazem para seu relacionamento matrimonial.

Um curral para sua mente indomável

Como já dissemos anteriormente, nossa mente é como um cavalo indomável correndo livremente. Esse tipo de cavalo possui duas características que podem ser encontradas no cérebro masculino. Primeiro, o cavalo corre para onde sua vontade mandar. Segundo, o cavalo acasala onde quer e com quem escolher. Existem éguas por toda parte! E se um cavalo não vir nenhuma por perto, ele inspirará o vento e, sentindo a égua no horizonte, correrá para lá e acasalará.

Essa característica é semelhante à de uma jumenta selvagem, sobre a qual Deus falou através do profeta Jeremias:

> É como a jumenta selvagem,
> > que fareja o vento na época do acasalamento.
> > Quem é capaz de conter seu desejo?
> Os que a desejam não precisam procurá-la,
> > pois você vai correndo até eles!
>
> Jeremias 2.24

É possível controlar o cavalo selvagem? Você consegue alcançá-lo a pé ou simplesmente balançar seu dedo para o repreender? Não, claro que não. Então, como você o impede de correr e acasalar onde quiser?

Com um curral.

Atualmente, sua mente corre como um cavalo indomável. Além disso, sua mente "acasala" onde quiser com mulheres atraentes e sensuais. Elas estão em todos os lugares. Com uma mente indomável, como você pode parar a corrida e o acasalamento? Com um curral ao redor dela.

Vamos expandir um pouco esta metáfora para ajudá-lo a entender melhor nosso objetivo de refrear nossa mente errante.

Uma vez, você era um cavalo orgulhoso, selvagem e livre. Lustroso e encrespado, você perambulava pelos montes e vales, correndo e acasalando onde lhe dava vontade, mestre de seu destino. Deus, dono de uma grande propriedade local, notou-o à distância enquanto trabalhava em sua fazenda. Embora você não o tivesse percebido, ele o amou e desejou que fosse dele. Ele o buscava de várias maneiras, mas você fugia.

Um dia ele o encontrou preso em um profundo vale escuro, completamente sem saída. Com o laço da salvação, gentilmente o atraiu para perto e você se tornou uma propriedade dele. Ele desejou domá-lo, para que você pudesse lhe ser útil e lhe trazer alegria. Mas sabendo de seus instintos naturais e de como você amava correr livremente com as éguas, colocou uma cerca ao seu redor. Este curral era o perímetro dos olhos. Isso cessou a correria e o impediu de sair por aí inspirando o vento à procura de atrações, correndo de modo selvagem pelo horizonte.

O curral parou a *corrida*, mas não parou o *acasalamento*. Você acasala em sua mente, através das atrações, pensamentos e fantasias, flertando e relinchando para as éguas dentro do seu curral ou próximas dele. Você precisava ser domado.

Cada vez mais próximo

Para ajudar a domar você e seus maus hábitos, vamos dar uma olhada em quatro categorias comuns de atrações que aparecem com frequência no caminho de um homem casado. Como você pode processar essas situações corretamente?

A primeira categoria é sua atração visual pelas mulheres estranhas sobre as quais falamos anteriormente: corredoras, recepcionistas e aquelas beldades *on-line*. Pelo fato de já termos estabelecido um perímetro de defesa dos olhos — nosso curral —, elas estão agora além do horizonte. Não podemos mais correr para lá. Elas já não produzem mais atrações.

Mais ainda existem muitas atrações dentro dos limites do curral. As categorias de dois a quatro incluem as mulheres que não são estranhas, mulheres com as quais você interage em sua vida — as atrações "ao vivo".

Na segunda categoria estão as mulheres que não são atraentes para você e não geram pensamentos impuros. Elas podem incluir suas amigas, conhecidas, colegas de trabalho e mulheres da igreja.

Seu amigo Dylan pode notar alguém e dizer: "Uau, olhe para ela! Que mulher!". E você responde, com moderada surpresa, dizendo: "Parece que sim, trabalhei tanto tempo com ela que nem penso nesse sentido. Ela é apenas uma amiga".

Sua defesa contra essa categoria de mulheres é um simples monitoramento, para assegurar-se de que perceberá com antecedência se uma delas se aproximar de seu curral.

A terceira categoria é, provavelmente, a mais perigosa de todas. Estas são as mulheres que você conhece, com as quais interage e que lhe despertam atração, como Rachel, sua nova colega de trabalho, ou talvez a nova líder de louvor, que faz sua alma vibrar com os teclados e com o coração cheio de adoração. Você relincha, atraindo-a para perto do seu curral, pelo menos na mente.

Talvez uma delas tenha notado você. Atraída por você, ela trota intencionalmente até o seu curral. Lisonjeado, você bufa de forma majestosa, bate o pé e sacode a cabeça. Olhar para ela lhe traz muito prazer. Tentando romper as fronteiras, você estica a cabeça sobre a cerca, ocultando-se em almoços a sós e conversas íntimas. Pior de tudo, sua mente indomável pode fazer algo que um cavalo bravio nunca poderia fazer — abrir o portão do curral. E não apenas mentalmente.

Mason nos contou sobre um primo, casado havia vinte e seis anos, que se divorciou depois de ter sido capturado pelos saltos de outra mulher. "Eu não sabia o que dizer para meu primo", ele disse. "Ele foi completamente arrastado e não parava de se encontrar com ela. Não tinha como falar com ele sobre isso."

Você poderia dizer que nunca abriria o portão de seu curral para alguém da maneira que o primo de Mason fez. Mas olhe para as estatísticas da igreja: nossas taxas de divórcio estão nas alturas! Muitos casais de cristãos estão se separando ou se recuperando de casos de adultério causados por homens que abriram o curral de sua mente. Sem defesas, isso também pode acontecer com você.

A última categoria inclui aquelas mulheres que já estão dentro do seu curral mental. Seu primeiro pensamento pode ser o de que somente sua esposa se encaixa nesta categoria, mas existem outras que Deus colocou perto de você. Esta categoria pode incluir a esposa de um amigo íntimo. Você dividirá mesas de restaurante com elas, produzirá recordações felizes delas e orará honestamente com elas. Com relação às emoções, vocês estarão próximos. Mas você não deve estar à espreita.

Além disso, dentro do seu curral pode existir uma antiga namorada com a qual você ainda esteja profundamente conectado. Ela estava no seu curral muito antes da sua esposa, mas nunca foi enviada para o horizonte. Você se acasala facilmente com ela em sua mente por causa de seus encontros amorosos juntos. Na mente, ela ainda está muito próxima a você.

Ainda existe sua ex-mulher, talvez a mãe dos seus filhos. Por causa dos filhos, ela sempre viverá próxima a você. Devido à intimidade anterior de vocês, ela pode parecer sua para usufruto em sua mente. Você se lembra das emoções e sente-se livre para brincar com os pensamentos. Mas deve levá-la para fora do seu curral, em direção ao horizonte seguro.

O perímetro da mente processa as atrações ao vivo que galopam pelo horizonte e passam pelos nossos currais. Ao parar de alimentar as atrações, essas mulheres são retiradas para zonas de segurança chamadas de "amigas" ou "conhecidas", onde não mais ameaçarão nossa pureza. Lembra-se do que Carter disse sobre Emma? Depois que as atrações não foram mais alimentadas, ela se tornou "apenas uma amiga", e ele deixou de sentir atração por ela.

A maioria das mulheres nem chegará a despertar atração. Quando elas entram em sua vida, simplesmente passam trotando pelo seu curral em direção ao horizonte. Você nem as percebe, e elas não notam você. Elas são e sempre serão meramente amigas, conhecidas e colegas de trabalho, em algum lugar do horizonte. Mas àquelas que *realmente o atraem* e se aproximam do seu curral não deve ser dada qualquer razão para chegarem mais perto, ou até mesmo se aproximarem do portão, onde você pode, em um momento de fraqueza, deixá-las entrar.

Evite histórias tristes

Você não está devendo, para sua esposa, a decisão de estabelecer um perímetro de defesa mental? Você *deve* protegê-la, e também seus filhos, das atrações exteriores ao seu curral; caso contrário, você terá uma triste história para contar, como aquela que ouvimos de Jake.

Jake estava envolvido em um ministério cristão em período integral, e tudo ia bem. Ele não tinha nenhum perímetro de defesa mental, pois pensava que nunca precisaria de um. Como resultado, estava despreparado quando alguém se aproximou de seu curral. Ele nos contou:

> Emily frequentava minha igreja e estava envolvida no ministério de música. Devido a minhas habilidades e minha posição na igreja, estava envolvido em muitas

atividades com ela. Fazíamos parte de um pequeno grupo de louvor e, durante os ensaios, percebi que ela começou a sorrir de um modo particular. Ela era linda e eu estava atraído, mas não pensava muito sobre isso, só que ela continuava a sorrir para mim. Comecei a pensar sobre isso. A atração estava crescendo e me sentia um tanto empolgado e feliz comigo mesmo.

Um dia, ela passou no meu escritório e me encontrou sozinho. Começou a despejar seus problemas com o marido. Como ministro, sempre dei aconselhamento, então senti-me no dever de ouvir. Então ela começou a chorar, e coloquei os braços ao redor dela, sentindo muita pena. Ela se aconchegou por um instante, e eu comecei a gostar daquilo. Ela foi embora e nada aconteceu depois disso, mas fiquei pensando nela constantemente.

Aconteceu de Emily e eu pegarmos o mesmo caminho para o trabalho, e percebi que ela me observava todas as manhãs, acenando e sorrindo. No ensaio, ela elogiava cada vez mais meus talentos musicais. Olhava para mim com aquele mesmo olhar até quando eu pregava, sorrindo levemente, embora sentada ao lado do marido. Aquela situação era muito imprópria e assustadora.

Comecei a fazer coisas estranhas, como dirigir por caminhos diferentes e percorrer distâncias só para passar por seu escritório e ver o carro dela. O que eu poderia ganhar ao ver o carro dela? Mas, de um certo modo, era algo romântico. Finalmente, algumas semanas depois nós ficamos por um tempo sozinhos, e eu a beijei. Sabia que aquele beijo acabaria com a minha carreira na igreja, mas não resisti. A atração tinha aumentado violentamente.

A carreira, o casamento e o relacionamento com os filhos de Jake foram severamente prejudicados naquela tarde. Ele acreditava que isso nunca aconteceria, mas realmente aconteceu porque ele não tinha um perímetro de defesa e uma alfândega mental adequada.

Amigo, sua esposa e seus filhos merecem uma defesa. Você nunca sabe quem irá galopar próximo ao seu curral.

15

Aproximando-se do seu curral

• • • • • • • • •

Vamos discutir outra maneira útil de analisar as atrações "ao vivo" de sua vida e o que elas significam para seu perímetro de defesa mental.

Há dois tipos de mulheres que irão se aproximar do seu curral:
- Mulheres que você acha atraentes
- Mulheres que acham você atraente

As duas categorias exigem defesas semelhantes, e cada uma delas deve ter as atrações não alimentadas até que trotem em direção ao horizonte. A seguir está uma análise mais detalhada.

Mulheres que você acha atraentes

Se você acha alguém atraente, sua primeira linha de defesa é ter algo bem claro em sua mente: *Esta atração ameaça tudo o que tenho de mais precioso.*

Isso pode não parecer ameaçador no começo da atração, quando tudo parece inocente. Lembre-se, no entanto, de que as atrações crescem muito rapidamente e podem destruir seu casamento. Mesmo que seu casamento não esteja sob ameaça, isso de ficar à espreita enfraquecerá suas fundações e tirará de sua esposa o foco de seu total deslumbramento. Deus odeia que isso aconteça com uma filha dele.

Sua segunda linha de defesa é declarar: *Eu não tenho o direito de pensar nessas coisas.* Declare isso para você mesmo de forma muito clara, decisiva e constante. Faça com que seu cérebro reconheça seus direitos, porque seus direitos aqui são bem claros: nenhum! *Quem é você para estar atraído por ela? O seu Mestre já não lhe deu uma esposa? Ele não comprou você por um preço alto?*

A terceira linha de defesa é intensificar o seu alerta. O que você faz normalmente quando se sente fisicamente ameaçado? Tira sua jaqueta e respira fundo. Prepara-se para o que está por vir.

Suponha que você seja um segurança de uma discoteca, verificando identidades e convites, lidando com os clientes. Em uma noite, cinco homens com uma aparência rude e arrogante, trajando roupas pretas de couro, chegam de motocicletas fazendo o maior barulho. Você pode relaxar e se afastar da porta? Não nesta vida! Sem hesitar, você fincará o pé em frente à porta e permanecerá firme, pronto para confrontar a potencial ameaça.

Considere as séries e filmes da franquia *Jornada nas Estrelas*. O que o capitão da nave fazia quando o perigo se aproximava? Ele gritava: "Alerta vermelho! Levantar escudos!". Numa linha semelhante, quando uma mulher atraente se aproximar do seu curral, seu perímetro de defesa deve responder imediatamente: *Alerta vermelho! Levantar escudos!*

Com sua atitude mental transformada, você não deixará que ela chegue perto do seu curral. A atração não será mais alimentada e ela se perderá em direção ao horizonte.

Como posso ter certeza de que isso acontecerá?

- *Desvie os olhos*. Você a viu passando pelo curral e foi fisicamente atraído por ela. Pare de alimentar esta atração desviando os olhos. Não dê importância para a beleza dela com olhadas rápidas. Aja com zelo.
- *Evite-a*. Às vezes isso não é possível, mas aja assim quando puder. Se ela trabalhar com você e os dois forem escolhidos para o mesmo projeto, não a convide para almoçar nem ofereça uma carona. Evite oportunidades que criem experiências positivas com ela até que a fase da atração morra. Se ela lhe pedir para fazer algo com ela, peça desculpas, mas evite.
- *Faça o papel de careta*. Aja assim quando você estiver na companhia dela. Nosso herói na batalha é o Homem-Careta. Ele entra em um banheiro público e surge como o inimigo de todas as coisas sedutoras e chamativas. Sem graça e pacato, o Homem-Careta promove sua guerra silenciosa e ingrata de intercâmbios monótonos. Nossa Mulher-Maravilha, outrora ameaçadora, se retira para setores desprotegidos, tornando o Homem-Careta vitorioso mais uma vez em sua infindável luta para deixar de alimentar as coisas sedutoras e impuras do império galáctico!

Tudo bem, não há *tanta* glória assim em se fazer de careta! Você não virará história em quadrinhos, não terá reconhecimento, nem será entrevistado em programas famosos, mas será um herói para sua esposa e seus filhos.

Um careta é o oposto de um pegador. Em relacionamentos, os pegadores mandam e recebem sinais sociais de forma sutil. Os caretas, não. Quando um pegador deseja enviar sinais de atração, existem determinadas coisas que ele faz. Ele flerta. Provoca. Sorri com um olhar astuto. Ele fala sobre coisas avançadas. Em resumo, ele é arrojado. Você já foi um pegador, sabia como alimentar atrações, passou toda a adolescência aprendendo como fazer isso.

Sendo um homem casado, porém, um pequeno suicídio social significa muito. Sempre aja como um careta. Os pegadores flertam... aprenda a "desflertar". Os pegadores provocam... aprenda a "desprovocar". Se uma mulher sorri com um olhar astuto, aprenda a sorrir com um olhar levemente confuso, para "des-sorrir". Se ela conversar sobre coisas que são legais, converse sobre coisas que não sejam legais para ela, como sua esposa e seus filhos. Ela vai achar que você é suficientemente agradável, mas um tanto insosso e desinteressante. *Perfeito*.

Às vezes, a atratividade de uma mulher será mais mental do que física. Isso é muito comum em ambientes de trabalho, quando são realizados projetos que atraem mais interesses. É comum passar mais horas por dia com uma colega de trabalho do que com sua esposa. Você conversa com elas sobre objetivos comuns e sobre o alcance do sucesso, enquanto tudo o que você e sua esposa conseguem conversar é sobre os problemas de disciplina dos filhos, quem irá trocar as fraldas sujas e contas, contas e mais contas.

Quanto às mulheres fisicamente atraentes, você deve entender que se seus escudos não estiverem levantados, e se você não reconhecer a ameaça ao seu casamento, você está brincando com o perigo em qualquer relacionamento que possa florescer, mental ou emocionalmente.

Para resumir: Se você estiver atraído por uma mulher, não significa que você nunca poderá ter novamente outro tipo de relacionamento ou amizade com ela. Isso significa apenas que você deve pôr em ação seus perímetros de defesa. Depois que tiver parado de alimentar as atrações e ela estiver a uma distância segura, você pode ter um relacionamento adequado, e isso honrará tanto sua esposa como o Senhor.

Mulheres que acham você atraente

Não interessa nossa idade (ou o diâmetro da nossa cintura), ainda somos capazes de dizer coisas irracionais, como: *Finalmente, aqui está uma mulher que tem bom gosto e consegue enxergar o que é "bonito". Preciso conhecê-la melhor*. Sim, os homens ainda fazem esse tipo de afirmação.

Lucas, quando se viu sem dinheiro, arrumou um segundo emprego para trabalhar no turno da manhã num escritório da FedEx a fim de sustentar a casa. Ele simplesmente estava fazendo o que um homem deveria fazer pela família durante uma séria crise financeira. Então Christine, uma operadora atraente e provocadora, mostrou-se interessada pelo curral de Lucas e disse: "Você é tão lindo e *sexy*! Eu adoro colocar minhas pernas ao redor de homens como você!". Ela o provocava e flertava toda vez que se encontravam, insistindo com insinuações e convites. Ela dava um jeito de deixar suas pernas à mostra sempre que conversavam, e sua camisa sempre ficava aberta para ele.

Um dia, ela disse: "Meu marido foi caçar e estará fora da cidade durante o fim de semana. Eu vou ficar *tão* sozinha...". *Alerta vermelho! Levantar escudos!* Uma hora depois, Lucas encontrou em sua mesa a chave da casa dela, com um bilhete que dizia: "Deixei esta chave caso você precise ir à minha casa neste fim de semana".

Lucas, por conta própria, devolveu-lhe a chave e deixou bem claro que ele não iria a lugar algum, e ainda lhe pediu que parasse com tudo aquilo. Lucas manteve o portão do seu curral fechado porque Christine estava ameaçando tudo o que ele tinha de mais querido.

Hoje em dia, Lucas poderia ir ao departamento de RH e relatar que Christine o estava assediando sexualmente, mas entrar em uma discussão de "ela disse, ele disse" com uma gerente feminina também poderia ser problemático. O ambiente atual é sobrecarregado de "assédio sexual", e isso é mais uma grande razão para um bom perímetro de defesa. Basta um leve deslize ou um comentário sugestivo errado para causar grandes problemas que podem custar sua carreira.

A questão é ter consciência do que se passa em volta. Se um bando de jovens delinquentes estivesse do lado de fora de sua casa, aproximando-se com machados e porretes, é claro que você sentiria a ameaça. *Alerta vermelho! Levantar escudos!* A mulher que o considera atraente representa o mesmo perigo. Você deve detê-la, não devolvendo nenhum sinal de atração. Se ela não for cristã, ela é ainda mais perigosa, uma vez que não possui razão moral para não ir para a cama com você. Sua segunda linha de defesa é utilizar o escudo de direitos. *Não tenho direito de ter estes pensamentos, e não tenho direito de devolver estes sinais!* Jesus teve uma morte sangrenta na cruz para comprar você. Ele tem todos os direitos aqui. Você não tem nenhum. Fale isso em voz alta para si mesmo repetidas vezes; isso controlará a mente indomável.

Não demore para levantar seus escudos. Em um dos filmes da série *Jornada nas Estrelas*, o inimigo havia capturado uma nave da Federação e estava se aproximando do Capitão Kirk e da nave *Enterprise* (os mocinhos). O comandante inimigo não respondia a nenhum chamado de Kirk. Este o saudava repetidamente, mas o comandante inimigo simplesmente zombava: "Que comam estática".

Kirk estranhou a falta de resposta. Confuso e incerto da intenção da nave que se aproximava, ele vacilou. Não levantou seus escudos. Finalmente, quando estava próxima o bastante, a nave inimiga atacou, neutralizando completamente a *Enterprise*. De maneira semelhante, quando uma mulher se aproxima do seu curral, você não sabe quais são as intenções dela. Talvez você esteja interpretando mal a personalidade radiante e extrovertida dela, e ela não pareça atraída por você. Talvez ela cumprimente todos do mesmo jeito. Talvez não. Mas pode haver um inimigo naquela nave. Então levante seus escudos e pergunte depois.

O que você faz quando alguém lhe acha atraente? Como você deixa de alimentar *essas* atrações? Aqui estão algumas orientações:

- *Evite-a*. Não passe nenhum minuto sozinho com essa mulher, mesmo em lugares públicos. A razão é simples: você não deve alimentar as atrações dela. Deixe óbvio que você não corresponde ao interesse dela em relação a você.
- *Fuja dela*. Não sorria conscientemente para ela. Não se junte ao grupo de oração dela. Não entre no grupo de louvor dela. Evite trabalhar com ela em alguma comissão. Não esteja em nenhum lugar em que ela possa ficar mais impressionada com você. Faça isso de forma consciente e metódica.
- *Prepare-se com simulações de "jogo de guerra"*. O que dirá se ela ligar para você no trabalho? O que fará se ela o convidar para almoçar? O escritor Josh MacDowell diz para os adolescentes decidirem o que vão fazer no banco traseiro do carro antes mesmo de se sentarem no banco traseiro. Caso contrário, a emoção falará mais alto que a razão. Como adultos, aplaudimos este conselho para os adolescentes. Por que não seguimos também as palavras de Josh?
- *Não mande de volta nenhum sinal sequer de atração*. Não atenda a ligação. Deixe que ela "coma estática"!

- *Faça o papel de careta*. Ajude-a, mostre que a atração inicial dela em relação a você foi um erro ridículo. Prefira ser chato, e seja assim incansavelmente. Depois, quando ela não estiver mais atraída, você pode voltar a ser normal e interessante novamente.

Steve: Cuidado com o prazer da fascinação

Existe mais uma deslealdade do inimigo que eu gostaria de abordar. Na arena do aconselhamento, nós a chamamos de prazer da fascinação, e você precisa reconhecê-lo agora, de modo que isto nunca chegue perto de você de fininho. Trata-se de um lugar perigoso, onde você pode ter controle completo de seus olhos cobiçosos e onde a pornografia foi colocada firmemente no seu lugar, mas onde, ainda assim, você está escorregando sobre o mais fino dos gelos nos seus relacionamentos com mulheres.

Se parece difícil imaginar isso, deixe-me pintar uma rápida imagem por meio de palavras para você. Pouco depois da publicação do livro *A batalha de todo homem*, um ministro mundialmente famoso foi pego sozinho com uma jovem mulher de sua igreja, sentados à beira de um lago, conversando. Ele afirmou que o relacionamento era inocente e totalmente platônico. Depois de uma ampla investigação, ficou provado que aquele pastor nunca havia tocado naquela mulher ou em qualquer outra das "mulheres do lago" que resolveram se apresentar para compartilhar suas próprias histórias sobre passar tempo à beira do lago com seu pastor.

Ora, aqueles relacionamentos eram platônicos, tal como ele havia afirmado? Certamente, uma vez que não giravam em torno de *prazer sexual*. Eram inocentes? Não muito, uma vez que envolviam o *prazer da fascinação*.

O casamento daquele homem estava morto já havia algum tempo. Sua mente estava girando em uma depressão pavorosa e seu coração estava seco e vazio. Por causa de sua posição, ele nunca considerou a ideia de disfarçar seus sentimentos obscuros por meio da bebida ou das drogas, mas alegremente tropeçou em alguma outra coisa que cumpria o objetivo: estar na presença de uma mulher que o considerasse fascinante. À medida que conversava e compartilhava sua profunda sabedoria com ela, ele adorava vê-la observando-o maravilhada.

Ele descobriu que pregar para milhares de pessoas o deixava exausto, mas pregar para um coração tocado e maravilhado dava a ele energia, e que essa atenção prazerosa, total e idealizada de uma mulher adorável e atraente lhe dava novo ânimo.

Talvez você nunca caia em tais extremos, mas a questão não é essa. Seja vigilante quanto a atrair prazer e satisfação profundos de olhos adoráveis e platônicos em volta do seu curral. Se você descobrir que está intencionalmente dizendo coisas para atrair mais atenção sobre si mesmo e está usando mulheres para melhorar seu humor, isso pode ser genuinamente considerado mau comportamento.

Assim, se o seu casamento está morto, dizemos que você deve ressuscitá-lo. Essa é a vontade de Deus para você — não pode haver dúvida em relação a isso. Lute por ele. Descubra por que as coisas morreram e mude essas coisas.

Leve sua *esposa* para a beira do lago para conversar. Ensine o coração e os olhos *dela* a adorar você novamente. Não consiga nada a partir de suas mentirinhas "inocentes" e não pare de buscar sua esposa ao se ver diante de qualquer linha de chegada falsa. Seja autêntico. Seu casamento é sua grande aventura, de modo que você deve vivê-lo como um homem. Anime-se enquanto defende seu lar e se reabastece ali.

Se você está achando que talvez não consiga detectar os erros mais traiçoeiros que pode estar cometendo em relação ao sexo oposto (como o prazer da fascinação), permita-me apresentar-lhe um simples filtro de comportamento que vai proteger seu casamento e permitir que seu relacionamento se fortaleça. Ainda que isso não venha a resolver *todos* os problemas, será útil na dispersão da confusão e na avaliação do certo e do errado.

No que se refere ao seu próprio comportamento sexual:
1. Ele deve ser conhecido por sua esposa.
2. Ele deve ser aprovado por sua esposa.
3. Ele deve sempre envolver sua esposa.

No que se refere a qualquer interação geral e diária com uma mulher:
1. Ela deve ser conhecida por sua esposa.
2. Ela deve ser aprovada por sua esposa.

Se você estiver fazendo algo que não satisfaz esses padrões, seja algo sexual ou não sexual, você provavelmente está fazendo alguma coisa que não está honrando a Deus, seu casamento, sua esposa ou você mesmo. Você também está fazendo uma coisa que pode ser mudada, desde que você se disponha a isso.

16

Dentro do seu curral

• • • • • • • • • •

No caso daquelas mulheres que já estão dentro do seu curral, a situação se torna ainda mais complicada. Essas mulheres não irão embora para o horizonte. Elas estão em seu curral hoje e provavelmente estarão amanhã também, e no dia seguinte. Isso significa que você deve eliminar essas atrações de outra maneira.

Vamos dar uma olhada nas duas principais categorias de mulheres que estão dentro do seu curral:

- Antigas namoradas e ex-mulheres.
- Esposas dos seus amigos.

De novo, nem toda mulher destas categorias será atraente para você. Mas se uma dessas mulheres capturar sua imaginação ou tomar um pedaço do seu coração, algo deve ser feito. Toda categoria possui seus perigos exclusivos, e todas exigem defesas exclusivas; então, vamos dar uma olhada no que devemos fazer.

Fred: Chama antiga

Uma antiga namorada ou uma ex-mulher pode ser mortal à nossa pureza mental. Tais atrações o derrotam de duas maneiras:

- Elas enfraquecem sua habilidade de se tornar uma só carne com sua esposa.
- Elas permitem que Satanás lance mísseis teleguiados, sem qualquer aviso, sobre seu casamento.

Eu tive um tórrido romance de verão com Abby, depois do meu primeiro ano de faculdade. No fim do verão, deixei-a para voltar a estudar na Califórnia. Sozinho e deprimido, eu vagueava sem rumo ao longo dos dias, sentindo pena de mim mesmo. Escrevíamos e telefonávamos constantemente um para o outro. E isso continuou durante quase todo o primeiro bimestre.

Um dia, durante o jogo de futebol da escola, meus olhos capturaram a visão de uma árbitra. Ela parecia uma versão adulta do meu amor de infância, Melody, que tinha se mudado para o Canadá quando estávamos na terceira série.

Depois do jogo, fui até ela e lhe perguntei qual era o seu nome (essa era a extensão das minhas "falas" naqueles dias). Se ela dissesse "Melody", eu teria instantaneamente me apaixonado por ela. Mas ela disse que seu nome era Betsy, e me apaixonei por ela do mesmo jeito. (Como você pode ver, se alguma vez alguém precisava de boas defesas, esse alguém era eu!)

Enquanto isso, Abby me perguntava por que as cartas e os telefonemas haviam parado. Quando eu finalmente criei coragem para lhe contar que havia mais alguém em minha vida, ela ficou profundamente magoada. Quando meu curto relacionamento com Betsy terminou, pedi perdão e uma nova chance para Abby, mas ela não quis saber. Fidelidade significava tudo para ela, e a brecha aberta em minha fidelidade destruiu qualquer atração que ela sentia por mim.

Mas eu não era de desistir. Lutei e esperei por ela por muitos anos. Sempre que eu tinha uma nova namorada e as coisas pioravam, eu sonhava com Abby, desejando que ela fosse minha. "Tudo seria diferente com Abby", eu lamentava.

Abby acabou se casando e teve dois filhos. Mas eu ainda estava tão apaixonado que, depois de ela separar-se do marido, implorei por seu amor novamente. (Isso foi antes de conhecer Brenda, é claro.) "Crianças, dívidas, bagagem — Carregaria tudo isso, só para tê-la de volta", eu implorava. Você poderia produzir um filme meloso sobre minha paixão por Abby.

Não foi surpresa que, quando me apaixonei por Brenda e me casei com ela, eu esperava que nosso casamento fosse como esse amor imortal que eu imaginava ter por Abby. Mas eu não sabia o que estava por vir. Um tranquilo mar de rosas? Não, algo que se pareceria mais com uma montanha russa!

Brenda e eu tivemos nossa cota de brigas, que começaram alguns dias depois da lua de mel. Na verdade, em alguns momentos durante os dois primeiros anos de casados, eu desejava nunca ter ouvido falar sobre casamento. A maioria de nossos conflitos era sobre os parentes, especialmente depois que minha família envolveu minha jovem noiva em uma guerra, e eu me encontrei no meio ao fogo cruzado. As lutas eram quentes e desgastantes. Por sermos jovens, não sabíamos como lutar de forma justa um com o outro ou com os membros da família, então o dano colateral era muito grande; ambos sofremos grandes perdas.

Adivinha quem surgiu em minha vida de pensamentos? À medida que meu casamento ia para o buraco, Abby aparecia em minha mente. *Bem, Abby sempre se deu bem com minha família. Todos a amavam.* Perto das férias, eu refletia sobre como a vida seria pacífica se eu estivesse com Abby. *Por que a Brenda não consegue se relacionar bem com minha família? Abby conseguia!*

Nenhum direito

Uma noite, eu estava dirigindo em uma estrada de Iowa entre as cidades de Fort Dodge e Hartcourt. Era noite de lua cheia, e o ar estava fresco e puro. Quando Abby surgiu em minha mente, uma intuição surgiu junto com ela e eu disse para mim mesmo: *Você não tem mais direito a nenhum tipo de relacionamento com Abby, mesmo em seus pensamentos.*

"O quê? Não tenho nem o direito de pensar nela?"

Isso mesmo, amigo. Nem mesmo o direito de pensar nela.

Que rigoroso! Minha mente se rebelou violentamente, e a luta começou. Minha mente *gostava* de Abby e *lutava* por ela. No final, porém, a verdade prevaleceu. Eu sabia que tinha renunciado a todas as outras mulheres no dia do meu casamento. Essa promessa tinha de se tornar verdadeira na prática e não apenas na teoria.

Abby tinha sido minha namorada e ficou por muito tempo dentro do meu curral, mas já era tempo de eu abrir o portão e lhe mostrar a saída. Ela tinha um marido cujas esperanças e sonhos estavam conectados a ela, e também tinha filhos que a amavam. Eu não tinha o direito de ter aqueles pensamentos, mesmo se Abby não soubesse de nada (e ela não sabia). Além disso, Brenda merecia o melhor de mim. Eu era seu marido. Seu protetor.

Primeiro, eliminei todas as "âncoras de memória", destruindo todas as coisas antigas que eu ainda guardava dela (cartões, cartas, fotos). Todos os vestígios físicos de Abby foram eliminados de meu mundo, assim como o povo de Deus deveria ter feito com os cananeus quando eles entraram na Terra Prometida.

Essas ações melhoraram a situação, mas as âncoras de Abby não eram a única questão. Eu tinha de destruir minhas memórias dela também, porque elas ficavam em oposição aos desejos e às esperanças de Deus para meu casamento. Muitas vezes eu havia usado essas memórias para aliviar minha dor emocional. Agora eu tinha de perder os caminhos sinápticos que tinha construído em torno delas.

Como faço isso?, eu perguntava. Não estava seguro, mas tinha de tentar.

Primeiro, orei pedindo compreensão e discernimento, já que não sabia o que estava fazendo. Depois, continuei dando o melhor de mim. Comecei utilizando o escudo de direitos toda vez que Abby entrava em minha cabeça. Afirmava, de forma fria: *eu não tenho o direito de pensar em Abby, e não farei mais isso.*

Após dizer isso, cantava um hino. Por quê? Nos primeiros dias, descobri que não conseguia levar cativo um pensamento sobre Abby, mesmo sendo isso exatamente o que a Palavra me ordenava fazer. Logo percebi que, embora não conseguisse bloquear diretamente o pensamento, poderia substituí-lo por outra coisa. É por isso que eu cantava um hino — em voz alta, se estivesse sozinho, ou em minha mente, se estivesse em público. Assim que começava a cantar, a letra do hino substituía meus pensamentos sobre Abby.

Às vezes, os pensamentos sobre Abby corriam de volta ao final do hino, então eu começava a cantar uma segunda música. Abby podia voltar imediatamente depois dessa também, por isso, às vezes, eram necessários vários hinos para dissipar aqueles pensamentos. No devido tempo, eu sempre vencia a briga, mas dentro de poucas horas ou de poucos dias os pensamentos voltavam, e eu lutava novamente. Para ter certeza de que eu sempre tinha flechas suficientes em minha aljava, em certo momento eu tinha memorizado todos os quatro versos de mais de cinquenta hinos.

Foi uma guerra e tanto. Durante aqueles dias, lembro-me de pensar o seguinte: *Não posso me arriscar, simplesmente mantendo esses pensamentos cativos em um centro de detenção. Preciso erradicar esses pensamentos!* Soava um pouco piegas, mas eu sabia que não deveria haver qualquer dúvida quanto à vitória quando essa batalha chegasse ao fim.

Com o tempo, comecei a vencer de forma decisiva, e algo maravilhoso aconteceu sem qualquer esforço pessoal. Eu me tornei proficiente no menor nível de controle necessário para *substituir* os pensamentos de Abby, e assim minha mente naturalmente desenvolveu um nível mais elevado de controle que é necessário para capturar esses pensamentos. Quando isso aconteceu, eu conseguia apanhar de *verdade* um pensamento impuro e jogá-lo fora sem precisar cantar. Eu podia desejar que ele fosse embora.

Por fim, algo ainda mais surpreendente aconteceu: meu cérebro parou completamente de trazer à tona pensamentos sobre Abby. Meu cérebro finalmente entendeu que os pensamentos sobre Abby não eram aprovados e começou a policiar esses pensamentos por conta própria no nível subconsciente. Hoje, eu não penso mais em Abby, não importa quais sejam minhas emoções ou situações relacionais. Os velhos caminhos mentais são agora intransitáveis.

Os mísseis teleguiados de Satanás

Como foi mencionado anteriormente, no entanto, há um segundo perigo em não tomar conta das atrações de dentro do curral. Se você não for cuidadoso, Satanás pode lançar um míssil teleguiado sobre seu casamento e detonar seu mundo em um instante.

Alguns anos atrás, notei um problema com Dan, um amigo casado. Ele não me havia contado nada, mas várias vezes, quando eu estava na casa dele, percebia que seu dedo hesitava no controle remoto da TV ao passar por cenas de sexo nos canais de filmes. A hesitação era quase imperceptível, mas eu conseguia enxergá-la facilmente. Seus olhos não possuíam defesa nenhuma, por isso eu sabia o que ele andava vendo quando estava sozinho. O que eu não sabia, até se tornar tarde demais, era no que ele também vinha *pensando*.

Dan e sua esposa estavam tendo problemas. Para ele, o pior de tudo eram as frustrações sexuais. "Joann não me satisfaz", ele me disse. "Não precisa fazer muita coisa porque eu não peço muita coisa. Tudo o que eu queria era beijo de língua. Mas ela simplesmente não faz isso. Nós temos nossos momentos de intimidade, e quando as coisas esquentam eu tento lhe dar um beijo de língua, mas ela sempre se irrita e se afasta. Diz que é obsceno e nojento. Não sei como esse tipo de beijo pode ser mais nojento do que qualquer outro. É a mesma saliva! Além disso, a Bíblia diz que o corpo dela não é dela própria, mas na verdade ele é meu. A Bíblia me dá o direito à satisfação sexual, e como minha esposa ela me deve satisfação sexual. Não é justo e não sei o que fazer".

Na verdade, Dan já decidiu o que fazer. Ele decidiu levar seus pensamentos até sua antiga namorada, pois desse modo ele poderia sonhar com ela lhe dando um beijo de língua e o que mais fosse possível. Ela amava esse tipo de beijo. Dan já tinha amadurecido essa ideia.

Ele não tinha notícias dessa antiga chama havia anos, e pensou que seus pensamentos fossem inocentes. O que poderiam causar? Ele também não sabia onde ela estava, mas Satanás sabia. Do nada, ela ligou para Dan e disse que estaria na cidade. A mente imprudente dele viajava com as possibilidades, em um tempo em que seus perímetros de defesa não estavam armados.

Os dois se encontraram em um quarto de hotel e *bum*! Ele não pensava que aquilo pudesse acontecer, mas em um sopro repentino, seu casamento foi arruinado em frangalhos. Ele não conseguiu dizer não.

Que fique claro: você não tem direito a nenhum relacionamento com nenhuma antiga namorada ou ex-mulher, se você ainda nutrir uma atração por ela.

Esposas dos amigos

Você pode achar que casos como o de Dan são raros de acontecer e pode dizer, com toda a certeza: "Bem, eu nunca faria uma coisa assim!". Mas palavras como essas não significam nada se você tem a cabeça no lugar. Nós realçamos aqui: por favor, proteja-se. Não fique desprotegido, porque você pode ser enganado.

Há muita coisa em jogo para que você seja descuidado com suas defesas em relação a qualquer mulher, e isso inclui as esposas de seus amigos. Se seu melhor amigo lhe desse todos os seus bens e lhe dissesse para tomar conta deles, você provavelmente investiria com sabedoria e não arriscaria. Mais importante, você não deveria arriscar com a esposa dele, o amor mais precioso que ele possui.

Você já sentiu alguma atração pela esposa de um amigo? Sem perímetros de defesa, provavelmente muitas atrações existiriam. Você é um homem. Atrações acontecem. O que você faz?

Novamente, você começa com a verdade: *Eu não tenho direito a nenhum relacionamento com a esposa do meu amigo, a não ser o relacionamento de amizade.* Lembre-se principalmente de que não existe nada mais perigoso do que conversar com a esposa de um amigo quando as coisas estão ruins, seja no seu casamento ou no dela. Não é que você não confia na esposa do seu amigo. É que você não quer que nada se inicie. Ela deve ser como uma irmã para você, sem qualquer indício de atração entre vocês.

Você sempre terá *algum* relacionamento com a esposa de um amigo, mas limite-o a quando seu amigo estiver por perto. Isso nem sempre é possível, mas estas regras simples podem protegê-lo dos ataques-surpresa dentro do curral:

1. Limite todas as conversas entre você e a esposa de seu amigo para o momento em que sua esposa ou seu amigo estiver com você. Mantenha o assunto leve e breve.

2. Se você ligar para seu amigo e ele não estiver em casa, desligue logo o telefone se a esposa dele atender. Não seja rude, mas não planeje conversar mais do que o suficiente com ela.
3. Se você passar na casa do seu amigo e ele não estiver em casa, ela pode convidá-lo para entrar. O que você faz neste caso? Educadamente recuse o convite. A que propósito serviria você ficar?
4. Capture quaisquer atrações em relação à esposa do seu amigo e acabe totalmente com elas. Volte às regras de parar de alimentar os olhos e de levar cativo todo pensamento. Nunca, nunca mesmo, diga a si próprio: *Ah, eu consigo administrar isso, sem problemas.* Você precisa acabar deliberadamente com os pensamentos para que ela não veja os sinais de atração e decida corresponder com os dela. Não lhe dê nenhuma oportunidade de enviar um sinal de resposta.

Você pode achar essas precauções muito estritas e rígidas, mas estamos apresentando medidas de segurança. Na prática, essa abordagem não é restritiva. As esposas dos seus amigos estão com seus amigos na maioria do tempo, então as regras nem sempre se aplicam. Raramente você estará sozinho com a esposa de um amigo.

Além do mais, isso tudo é importante para o Senhor. O que Deus uniu nenhum homem pode separar. Proteja as esperanças e os sonhos dos seus amigos da mesma maneira como você protege os seus. Você é amigo deles. Considerando as estatísticas de divórcio dentro da igreja, um simples perímetro de defesa é necessário.

E aqui estão alguns conselhos para uma situação especial: se você está solteiro e uma amiga próxima se casa, esteja disposto a deixar que a amizade diminua rápida e graciosamente. O casamento muda as coisas. Ela não será mais a mesma pessoa. De forma misteriosa, ela agora é uma só carne com o marido. Ela precisa começar a construir seu relacionamento matrimonial e a encontrar "casais de amigos" junto com ele.

Fred: Aprendendo uma lição

Antes de conhecer Brenda, minha melhor amiga era uma mulher chamada Hanna, que morava no apartamento abaixo do meu. Ela tinha um namorado, a quem era perfeitamente fiel; eu não estava disponível para namorar naquela época, então nós nos dávamos muito bem. Sentávamos durante horas enquanto ela falava sobre suas inseguranças, frustrações e medos. Eu tinha acabado de me mudar de Iowa para a Califórnia, e ela foi a única amiga íntima que tive.

Depois conheci Brenda, a quem cortejei na maior parte do tempo por telefone, durante nosso romance de sete meses. Ela morava em outra cidade, a três horas de distância, e não tinha nada a ver com Hanna. Logo depois de nos casarmos, eu disse a Brenda que estava planejando almoçar com Hanna na quarta-feira seguinte.

— Por qual motivo? — perguntou Brenda.

— Para colocar os assuntos em dia.

— E eu não fui convidada?

— Bem, ela está passando por alguns problemas pessoais e quer conversar comigo, e como vocês não se conhecem, ela provavelmente se sentirá desconfortável para compartilhá-los em sua frente.

— Não estou gostando disso.

— Por quê? — perguntei.

— Bem, por uma única razão — ela explicou. — Não tenho certeza se eu me sinto confortável com nós termos amigos do sexo oposto sem a participação do outro cônjuge. Além disso, fica meio estranho você almoçar sozinho com outra mulher, e solteira. O que vai acontecer se alguém da igreja os vir? Simplesmente não me sinto bem a respeito disso.

— Você confia em mim, não confia?

— Confio. E ela tem um namorado, então confio nos motivos dela por enquanto. Mas o que vai acontecer se os motivos dela mudarem? Não estarei lá para presenciar.

Ponderei as razões de Brenda, e no final cancelei o encontro. Fazia sentido. Aprendi que não era apropriado que eu fosse almoçar com Hanna.

Fiquei feliz em ouvir o conselho de Brenda. Como meu casamento enfrentou dificuldades durante os dois primeiros anos, fiquei feliz em ter de lidar apenas com as recordações de Abby. Se Hanna estivesse por perto, quem sabe o que teria acontecido? Embora nunca tivéssemos nos envolvido romanticamente, nossa proximidade e intimidade poderiam se transformar em um romance. Como um cristão recém-convertido, eu teria sido capaz de resistir e não me apaixonar por ela? Considerando o meu histórico, estou feliz que Brenda tenha dispensado essa amizade logo no começo.

Algumas pessoas vão dizer que amizades de pessoas do sexo oposto devem morrer logo que uma das duas se case. Embora eu não vá tão longe, direi que tais amizades devem ser vigiadas. Ser cuidadoso é ser sábio. Afinal, seu casamento é o foco.

Olhando para frente

Purificar os olhos e a mente é mais do que uma ordem — é também um sacrifício. E quando você fizer esse sacrifício, quando renunciar a seus próprios desejos, as bênçãos fluirão. Sua vida espiritual experimentará nova saúde, alegria e estabilidade, e sua vida conjugal florescerá à medida que você aprende a sacrificar seus próprios desejos pelos desejos de sua esposa.

Sacrificar seus desejos pessoais por causa de seu casamento e do reino está no centro de seu terceiro perímetro de defesa, aquele que você deve construir em torno de seu coração. Na verdade, este último perímetro serve como base para os dois primeiros perímetros, dos olhos e da mente. Em outras palavras, se este falhar, todo o resto também acabará falhando nesta batalha. A Parte 6 trata do perímetro do coração, então vamos adiante, aprendendo a viver de acordo com os padrões de Deus.

Parte VI

Vitória no seu coração

17

Cuide de seu único tesouro

• • • • • • • • •

Seus perímetros de defesa exteriores — a proteção dos olhos e da mente — serão uma defesa contra as impurezas sexuais, garantindo que sua esposa permaneça fora de comparação diante dos seus olhos. Isso é absolutamente crucial na reforma dos caminhos sinápticos do seu cérebro para se concentrar apenas em sua esposa e encontrar a vitória a longo prazo sobre o pecado sexual.

Talvez você esteja se perguntando: *O que é exatamente essa vitória a longo prazo? O que posso esperar realisticamente se eu implementar essas defesas?*

Bem, quando dizemos que esses perímetros são absolutamente cruciais, não estamos dizendo que funcionam instantaneamente, como balançar uma varinha mágica sobre seu cérebro e pênis. Deixamos bem claro neste livro que a liberdade total não é imediata.

Mas podemos dizer que, com o tempo, para todos os fins práticos, a tentação sexual diária vai literalmente secar em sua vida. Por exemplo, faz mais de vinte e cinco anos que eu (Fred) não me masturbo. Na verdade, já faz mais de vinte e cinco anos que eu não procuro qualquer coisa de cunho sensual — como foto, vídeo ou filme na televisão ou computador — para satisfazer a luxúria.

Isso não significa que não posso mais cair em pecado sexual. Afinal, eu ainda tenho os mesmos olhos com a mesma capacidade inata de correr selvagemente. O fato é que eu *não* quero. Eu não quero, e porque Deus me deu tudo de que preciso para participar da natureza divina e para escapar da corrupção no meu mundo causada por meus próprios desejos maus, eu não preciso (2Pe 1.3-4).

Isso é o que queremos dizer com liberdade a longo prazo. Sim, o pecado sexual é certamente a batalha de cada homem, mas a liberdade sexual é o destino de cada homem. Você vai se levantar e seguir seu destino?

Para ajudá-lo a alcançar esse destino de liberdade, vamos agora conversar sobre o terceiro perímetro, aquele perímetro mais interno do seu coração. Para construir esta seção de suas defesas, você deve se ocupar com os propósitos de Deus de cuidar de sua esposa.

Pode não ficar claro de imediato como este perímetro interior — cuidar de sua esposa com todo seu coração — age para defender sua pureza, mas seria difícil exagerar sua importância. Na verdade, o perímetro interno do coração é o alicerce fundamental sobre o qual você constrói a superestrutura dos dois perímetros externos. Se esta base interna se desintegrar e ceder, os dois perímetros externos muitas vezes também vão se desintegrar com o tempo. A liberdade a longo prazo nunca se tornará realidade.

O primeiro lugar onde se vê seu compromisso com Deus

Vamos dar uma olhada mais profunda nos propósitos de Deus a este respeito. Se os cristãos se dedicassem totalmente aos propósitos de Deus, isso se refletiria primeiro em nosso casamento. Mas as taxas de divórcio, adultério e insatisfação matrimonial na igreja cristã revelam o verdadeiro estado de nosso coração.

Conhecemos bem poucos homens que se dedicam totalmente a seu casamento, e menos homens ainda que se dedicam totalmente à pureza, mas ambas as situações são desejos de Deus para você. O propósito de Deus para seu casamento é de que ele reflita o relacionamento de Cristo com a sua igreja, que você e sua esposa sejam um só.

Mas o que o padrão do relacionamento de Cristo com a sua igreja tem a ver com nossa pureza sexual? Em nosso coração, com frequência temos atitudes e expectativas egoístas em relação a nossa esposa. Quando essas expectativas não são correspondidas, ficamos amuados e frustrados. Nossa vontade de manter os perímetros de defesa exteriores vai se desgastando. *Bem, se ela vai ser assim, por que eu deveria me esforçar tanto para ser puro? Ela não merece.*

Então você retalia desviando o coração e tirando a própria responsabilidade de amá-la e cuidar dela. Como o padrão de Deus de cuidar *sempre* inclui ser sexualmente verdadeiro com sua e esposa, quando este compromisso de cuidar dela enfraquece, mesmo que pouco a pouco, seu desejo de manter os perímetros exteriores dos olhos e da mente também se corrói junto.

Cuidar da esposa significa tratá-la com ternura e valorizá-la. Temos certeza de que você *quer* sentir esse desejo altruísta e romântico de agir assim, mas talvez você não esteja sentindo isso, e sim esteja encontrando dificuldade em cuidar de seu único tesouro neste momento. Já passamos por isso, então sabemos o que é isso. O que você faz neste caso? *Você cuida de qualquer maneira.*

A ordem bíblica de cuidar traz tais consequências sérias para sua pureza sexual e para seu casamento, então isso não pode ser deixado apenas para os sentimentos.

O exemplo de Cristo

Durante séculos, o Cântico dos Cânticos de Salomão foi considerado uma alegoria de como Cristo se sente em relação à sua noiva e como ela corresponde. Tenha esta interpretação em mente enquanto lê as partes abaixo (condensadas dos capítulos 4, 5 e 7). Examine primeiro os sentimentos de Jesus em relação à sua noiva:

> Você é linda, minha querida,
>   como você é linda!
> Seus olhos por trás do véu
>   são como pombas. [...]
> Seus lábios são como uma fita vermelha;
> sua boca é linda. [...]
> Você é inteiramente linda, minha querida;
>   não há em você defeito algum! [...]
>
> Você conquistou meu coração,
>   minha amiga, minha noiva.
> Você o cativou com um só olhar de relance [...]
> Seu amor é delicioso,
>   minha amiga, minha noiva. [...]
>
> Sua cabeça é majestosa como o monte Carmelo,
>   e o brilho de seu cabelo irradia nobreza;
>   o rei é prisioneiro de suas tranças.
> Como você é linda!
>   Como você é agradável, meu amor,
>   e cheia de delícias!
>
> Cântico dos Cânticos 4.1,3,7,9-10; 7.5-6

Agora observe os sentimentos da igreja em relação a Jesus:

Meu amado é moreno e fascinante;
  ele se destaca no meio da multidão!
Sua cabeça é como o ouro puro,
  seu cabelo ondulado, preto como o corvo. [...]
Sua voz é a própria doçura;
  ele é desejável em todos os sentidos.
Esse, ó mulheres de Jerusalém,
  é meu amado, meu amigo. [...]

Eu sou de meu amado,
  e ele me deseja. [...]
Vamos levantar cedo para ir aos vinhedos [...]
  ali eu lhe darei meu amor.
Ali as mandrágoras espalham sua fragrância,
  e os melhores frutos estão à nossa porta,
delícias novas e antigas,
  que guardei para você, meu amado.

Cântico dos Cânticos 5.10-11,16; 7.10,12-13

Você sente o desejo de Jesus por você como se fosse sua noiva? Em resposta, o seu coração anseia por ele da mesma forma?

Visto que nosso relacionamento matrimonial reflete o relacionamento de Cristo com a igreja, nossos sentimentos por nossa esposa também devem refletir essas passagens. Sua esposa se sente cuidada assim?

Essas passagens são uma grande lembrança de como o casamento pode ser estimulante, principalmente quando canalizado para aquela única pessoa que Deus quer que você tenha.

Fred: Exigindo condições

Esses trechos do Cântico dos Cânticos de Salomão também servem como um grande barômetro para medir como você está lidando com os propósitos de Deus para o seu casamento. Você cuida de sua esposa com amor sacrificial? Você sente por sua esposa as mesmas emoções expressas nessas passagens? Devo admitir que eu nem sempre me senti assim.

Você se lembra daquelas chamadas orais de surpresa na escola, um tipo de jogo da verdade diabólico utilizado pelos professores malvados para expor seu conhecimento (ou falta de) para o mundo inteiro? Deus gosta muito de chamadas orais, mas ele não testa nosso *conhecimento* com esse tipo de prova. Ele revela nosso *caráter* e nosso *coração*.

Deus usou esse recurso muitas vezes para revelar meu coração nos dois primeiros anos de casamento, quando estávamos confusos devido aos problemas envolvendo a família. Nosso casamento estava murchando rapidamente.

Por exemplo, no dia dos namorados, saí para comprar um cartão. Sem saber, isto se tornou um teste surpresa de Deus. Passando por todos os cartões, eu lia os textos, um por um, e devolvia o cartão à estante, considerando-o "muito sentimental", "muito rebuscado" ou "muito romântico". Pouco a pouco, o pânico começou a tomar conta de mim à medida que eu previa o inevitável. Eu não conseguiria enviar nenhum cartão daquela loja com alguma dose de sinceridade. O romance tinha desaparecido, e o meu coração carinhoso estava distante.

Cabisbaixo, saí da loja com pressa, reconhecendo a profundidade de nossa perda. Como me saí no teste? Fui reprovado!

E você? Seu coração também está distante de sua esposa?

Se assim for, você provavelmente chegou lá da mesma forma que eu: falhando em alcançar os propósitos de Deus para o casamento. O padrão de Deus é o de cuidar incondicionalmente, não importa o que aconteça. Sem condições. Mas o fato é que incluímos nossas próprias ideias e diluímos os padrões divinos, adicionando termos hipócritas para elaborar "contratos condicionais".

E eu penso no meu caso. Se eu estivesse vivendo de acordo com os propósitos de Deus, não teria adicionado nenhuma condição para meu relacionamento com Brenda. Mas eu misturei as coisas. Em meu casamento, minhas condições eram: eu continuaria com Brenda *apenas* se ela fizesse as pazes com minha família e se suas atitudes estivessem de acordo com minha liderança.

Quando impomos condições como essas, fixamos nosso olhar no que esperamos receber de nosso casamento como foco principal. É claro que o casamento *deveria* oferecer mais para cada cônjuge do que uma vida solitária. De fato, nas aulas pré-matrimoniais que dirijo, sempre faço a seguinte pergunta: "O que você espera encontrar no casamento que não poderia ter se ficasse solteiro?". As respostas são parte das esperanças que temos para o casamento.

Veja desta forma: maridos e mulheres têm necessidades e responsabilidades no casamento. Isso é normal e esperado. O problema é que, por natureza, nós, maridos, tendemos a andar para trás. Tendemos a nos concentrar em *nossas* necessidades e nas responsabilidades *delas* para atender a essas necessidades.

Mas não é assim que Jesus se relaciona com sua noiva. Se você quiser estar de acordo com os métodos de Jesus e construir um forte perímetro de defesa interior em torno de seu coração, o que você deve fazer é concentrar-se nas necessidades *dela* e nas responsabilidades que *você* tem para com ela. Dar sua vida por sua esposa traz o melhor em você e permite que ela floresça totalmente sob sua liderança. Mas quando você faz ao contrário, espera que sua mulher satisfaça suas necessidades e seus sonhos sob algumas condições contratuais que você criou e colocou sobre os ombros dela. No meu caso, a ira e o ressentimento explodiram quando senti que Brenda não estava cumprindo a parte dela do acordo. Ela não cumpria as condições, então eu não me sentia mais na obrigação de cuidar dela.

Com esse tipo de foco egoísta e condicional, a unidade em um casamento nunca crescerá. Por exemplo, Hunter disse o seguinte sobre sua esposa:

> Ela demonstrava uma tremenda falta de ambição. O que eu esperava quando nos casamos era que continuássemos cada um com sua carreira e que realmente construíssemos nossa vida financeira nos primeiros anos. Ela simplesmente não estava fazendo o que eu esperava que fizesse, e parecia um pouco preguiçosa e egoísta. Então ela ficou grávida, e depois de alguns meses disse: "Não gosto mais do jeito que estou, então não quero fazer sexo enquanto o bebê não nascer". Achei aquilo pesado e injusto.
>
> Quanto mais pensava que ficaria sem sexo, mais ficava frustrado, e eu achava que se ela fosse viver do jeito que *ela* queria, eu também viveria do jeito que *eu* quisesse. Eu tinha um direito bíblico à satisfação sexual, e eu iria atrás disso de um jeito ou de outro. E foi assim que arrumei um caso.

Essa é uma desculpa esfarrapada para o adultério, sem dúvida. Mas é importante destacar que essas sementes estavam no foco de Hunter sobre o que *ele* conseguiria ou não de seu casamento.

Estes contratos condicionais não funcionam porque são escritos no período do namoro ou noivado, então não são flexíveis para as circunstâncias da vida. Não importa quanto tempo de namoro, não conhecemos bem o suficiente um ao outro (e muito menos o futuro) para estabelecer um contrato interpessoal decente, que consiga prever as condições ocultas e mutáveis do coração, da mente e do corpo, enquanto a vida vai passando.

Por exemplo, como eu poderia ter previsto os enormes problemas com minha família, quando Brenda foi atacada sem piedade? Nunca tinha visto esse lado da minha mãe e das minhas irmãs, e olha que eu cresci com elas! E como Brenda poderia ter previsto meu temperamento descontrolado, coisa que ela nunca havia visto antes do casamento? Com o passar dos meses, ela algumas vezes flagrou meus acessos de raiva, ao me ver socando a parede e atirando comida no chão da cozinha. Nenhum de nós esperava esse tipo de caos.

Um contrato de casamento condicional originalmente define o que esperamos obter com o casamento. Mas à medida que o tempo passa e conhecemos melhor o outro — e como a vida prepara ataques de surpresa —, adicionamos mais expectativas e mais exigências, até que não conseguimos mais reconhecer o contrato original. *Espere um pouco! Isso não está funcionando do jeito que eu esperava. Vou cair fora!*

Brenda e eu chegamos a um momento decisivo, pouco tempo depois de eu ter atirado comida no chão da cozinha. Uma manhã, à mesa da cozinha, ela sentou-se diante de mim, olhou-me nos olhos e disse simplesmente: "Não sei como dizer isso de outra maneira, então vou direto ao ponto. Meus sentimentos por você estão mortos". Ela perguntava se devíamos considerar o divórcio.

Ao ouvir a palavra *divórcio*, fiquei atordoado e chocado. Como filho de pais divorciados, os velhos sentimentos de horror novamente me assolavam. Quando minha mãe me disse pela primeira vez que estava se divorciando de meu pai, meu coração acelerou de medo. *O que vamos fazer?* O terror estava de volta ao meu coração. *O que vou fazer?*

Não importam os cascalhos

Muitos dias se passaram. Minha mente estava desorientada, confusa e com medo. Um dia, quando Brenda estava no trabalho, abri a geladeira e peguei uma caixa de leite. As palavras dela pesavam em meu peito. Coloquei um pouco de leite no copo, fechei a porta da geladeira e fiz uma pausa. Caí no choro.

Eu precisava fazer alguma coisa.

Levantei minha mão direita e, apontando um dedo para o céu, declarei: "Deus, para mim não importam os cascalhos que terei de comer, nunca me divorciarei".

Finalmente compreendi a promessa que tinha feito no dia do meu casamento. Minha promessa não era condicional. Se ela me desse carne com batatas, eu comeria. Se ela me desse cascalhos, eu comeria. Eu mudaria, toleraria, amaria de qualquer modo, mas manteria minha promessa de amá-la e cuidar dela, a qualquer custo.

"O que comer cascalhos tem a ver com cuidar", você pode perguntar. "Será que tenho de desistir de tudo para manter a paz? E o onde ficam *meus* direitos?"

Bem, você realmente possui alguns direitos, e não estamos dizendo que sua esposa não tenha responsabilidades a cumprir. Mas nas incontáveis maneiras como nos agredimos nesse espaço compartilhado chamado casamento, nosso foco precisa estar em *nossas* quinas pontiagudas, não nas delas.

Deus sempre soube que um casamento definharia se fosse baseado em contratos, por isso ele estabeleceu alianças incondicionais. Ele sabia que as condições mudam.

Deus nunca se esquece do que costumamos nos esquecer — isto é, a maldição do Éden é uma maldição opressiva. A vida é um rolo compressor, transformando condições em panquecas e triturando facilmente os contratos simplórios que criamos. Em nossos sonhos quanto ao casamento, talvez nos esqueçamos de que ainda teríamos de trabalhar durante horas no suor de nosso rosto para comer, e que não teríamos como ver um ao outro sempre que desejássemos. Talvez nos esqueçamos de que às vezes estaríamos cansados e aborrecidos com nossos chefes, com a mente tão anestesiada que não teríamos vontade de conversar quando chegássemos em casa. Talvez nos esqueçamos de que, com a dor do parto, ganhamos um corpo que nunca mais teria sua forma anterior.

Uma série de provações e tribulações pode fazer com que as condições sejam impossíveis de serem cumpridas, mas de qualquer jeito exigimos garantias, querendo que aconteça alguma forma do Éden em nosso casamento, enquanto o todo tempo nossa responsabilidade verdadeira é cuidar de nossa esposa de modo sacrificial e incondicional.

O problema é que não gostamos do nosso lugar, e esse tipo de sacrifício não se parece muito com o Éden. Então, baixamos nossas defesas interiores e deixamos de nos preocupar com os propósitos de Deus para nosso casamento e, por fim, com nossa pureza sexual. O perímetro de defesa em torno de nosso coração está rompido.

Um homem com completa fidelidade

Queremos direcionar sua atenção agora para um homem na Bíblia que gostava de seu lugar e amava os propósitos de Deus. Todos os homens deveriam ser tão fiéis como ele, estimando tanto sua esposa quanto o rei. O nome deste homem era Urias.

Em 1Crônicas 11, vemos Urias identificado como um dos "guerreiros valentes de Davi" (11.26,41) — homens que "apoiaram firmemente o reinado de Davi, conforme o Senhor havia prometido" (11.10).

Urias claramente se dedicava aos propósitos do seu rei, Davi. Ele também se dedicava aos propósitos de Deus. Urias estava ao lado de Davi nas cavernas enquanto Saul o perseguia. Ele chorou com Davi quando suas casas foram queimadas em Ziclague. Ele se animou diante da coroação de Davi e sem temor lutou para estender o reino de Davi por toda a terra. Jurando sua vida aos propósitos de Deus, Urias se arriscou pelo trono de Davi.

Parece familiar? Você prometeu sua vida a alguém, não é? Diante da família e dos amigos, você prometeu honrar e cuidar de sua esposa, abandonando todas as outras. Você prometeu que ela teria muito mais a ganhar com o casamento do que teria como uma mulher solteira. Você se dedica a esse compromisso? Você se dedica o suficiente para viver fielmente e cuidar dela completamente? Você se dedica o suficiente para se arriscar e comer cascalhos até que os propósitos e as promessas de Deus sejam finalmente estabelecidos em sua terra?

Urias se sentia assim. Sua fidelidade era completa, mas infelizmente a fidelidade de Davi não era. O rei foi para a cama com Bate-Seba, a esposa de Urias. Quando ela ficou grávida, ele se viu às voltas com uma confusão. Como sempre, Urias estava lutando as batalhas de Davi. A gravidez de Bate-Seba poderia significar apenas uma coisa: Davi — não Urias — era o pai.

Davi abordou a situação maquinando algo ardiloso. Ordenou que Urias saísse das linhas de frente. O plano de Davi era enviá-lo rapidamente para casa a fim de passar uma noite aconchegante e amorosa com Bate-Seba. Se Davi conseguisse agir de forma rápida, o povo naturalmente pensaria que o bebê era de Urias.

Tragicamente, a fidelidade de Urias ao rei era tão completa que o plano de Davi não funcionou:

> Então disse a Urias: "Vá para casa e descanse". Depois que Urias deixou o palácio, Davi lhe enviou um presente. Urias, porém, não foi para casa. Passou a noite na entrada do palácio com os guardas do rei.

> Quando Davi soube que Urias não tinha ido para casa, mandou chamá-lo e perguntou: "O que aconteceu? Depois de ter ficado tanto tempo fora, por que você não foi para casa ontem à noite?".
>
> Urias respondeu: "A arca e os exércitos de Israel e de Judá estão em tendas, e Joabe, meu comandante, e seus soldados estão acampados ao ar livre. Como eu poderia ir para casa para beber, comer e dormir com minha mulher? Juro diante do rei que jamais faria uma coisa dessas".
>
> Então Davi lhe disse: "Pois bem. Fique aqui hoje, e amanhã poderá retornar". Urias ficou em Jerusalém aquele dia e o dia seguinte. Davi o convidou para jantar e o embriagou. Outra vez, porém, ele dormiu numa esteira, com os guardas do rei, e não foi para sua casa.
>
> 2Samuel 11.8-13

Olhe para Urias! Ele se dedicava tanto aos propósitos de Deus que se recusou a ir para sua casa até mesmo para lavar os pés. Sua fidelidade era tão forte que, mesmo bêbado, ele não vacilou em seu compromisso e zelo. Sua pureza de alma era tão grande que nenhum truque desleal planejado contra ele poderia prevalecer. Deus não permitiria que a simples enganação de Davi encobrisse seu grande pecado contra Deus e contra um servo valioso de Deus. Deus amava Urias, e Deus amava o amor de Urias por Bate-Seba.

Urias sabia qual era seu lugar. Ele estava satisfeito por fazer parte dos propósitos de Deus, e queria cumprir com seu papel.

Para ser como Urias, devemos conhecer nosso lugar e estar contentes com ele.

Sua cordeirinha

O que significa cuidar? Não precisamos procurar mais exemplos além de Urias.

Depois que Davi planejou que Urias fosse morto na batalha, Deus enviou o profeta Natã para confrontar Davi a respeito de seu pecado. Ele utilizou uma história figurada que revelou o coração cuidadoso e amável de Urias em relação a Bate-Seba:

> Então o SENHOR enviou o profeta Natã a Davi. Ele foi até o rei e lhe disse: "Havia dois homens em certa cidade. Um era rico, e o outro, pobre. O rico era dono de muitas ovelhas e muito gado. O pobre não tinha nada, exceto uma cordeirinha que ele havia comprado. Ele criou a cordeirinha, e ela cresceu com os filhos dele. Comia de seu prato, bebia de seu copo e até dormia em seus braços; ela era como sua filha.

Certo dia, um visitante chegou à casa do rico. Em vez de matar um dos animais de seu próprio rebanho, o rico tomou a cordeirinha do pobre, a matou e a preparou para seu visitante".

O homem rico da história representava Davi, que viu Bate-Seba somente como alguém que ele poderia devorar para satisfazer seus desejos sexuais; mas Urias, o homem "pobre", via sua cordeirinha como a alegria de sua vida, como seu animalzinho de estimação de quem cuidaria e que até dormia em seus braços. Urias tinha apenas uma esposa. Um homem fiel, como ele, poderia ter somente uma. Sua cordeirinha, Bate-Seba, saltava, dançava, brincava e ria com ele, trazendo-lhe alegria.

Ele a tinha "como sua filha", diz a passagem. Você tem alguma filha? Se tem, sabe o que Deus está dizendo aqui. Um amor por uma filha é especial, e as filhas são fáceis de cuidar. Elas falam de bonecas ou de alguma garota da escola com piolho no cabelo ou de algum garoto que cospe no jardim da escola. Quando elas sorriem, seus olhos brilham. Amamos protegê-las e provocá-las. Gostamos de caminhar à margem do rio, lado a lado, simplesmente para estarmos com elas. Mas o que mais gostamos é de quando elas adormecem em nossos braços. Estimamos a sua própria essência.

A sua esposa é *sua* cordeirinha?

Você pode não se sentir confortável com essa imagem, e talvez isto lhe soe muito chauvinista. Não estamos usando isso para descrever níveis relativos de força ou habilidade. (Fred: Posso falar por experiência própria. Minha esposa, Brenda, é uma enfermeira formada e mãe de quatro filhos, com fortes opiniões sobre tudo. Mas em um momento de carinho, quando disse a Brenda que queria tratá-la como uma "cordeirinha", ela se sentiu mais honrada do que ofendida.)

A Bíblia utiliza o termo para capturar uma mensagem celestial. Assim como Bate-Seba era preciosa para Urias, sua esposa é preciosa para você, é seu único tesouro. Ela vive com você e dorme em seus braços. Ela deve ser cuidada, não por causa do que ela faz por você, mas por causa de sua essência, seu valor perante Deus como uma criança nascida à imagem dele. Você foi encarregado da essência impagável de outra alma humana, tão preciosa para Deus que na fundação do mundo ele planejou pagar o alto preço para tê-la de volta.

Independentemente dos cacos que existam hoje em seu casamento ou da lista de condições não cumpridas, você deve a Deus o cuidado desta essência. Quando olhar profundamente nos olhos de sua esposa, além do sofrimento, das feridas e das lutas, você ainda poderá encontrar aquela cordeirinha respondendo ao seu olhar, esperando todas as coisas e confiando em todas as coisas.

Se você sente isto ou não

Deus o incumbiu de cuidar de sua esposa, e ela se colocou em confiança a seu dispor. Como podemos confiar um presente tão valioso a uma noção de cuidado baseada somente em sentimentos insignificantes? Os cristãos gostam de dizer: "o amor não é um sentimento, é um compromisso". Bem, esta é a hora de prestar atenção nessas palavras. Nós devemos este amor, apesar dos nossos sentimentos.

Em nossa sociedade, temos cursos de "treinamento da sensibilidade" e de "enriquecimento cultural". Acreditamos que, se pudermos ensinar às pessoas os sentimentos "corretos", elas agirão corretamente. Na Bíblia, porém, Deus nos diz o contrário: devemos agir primeiro da forma correta e depois os sentimentos corretos virão.

Se você não se sente com vontade de cuidar, faça-o mesmo assim. Seus sentimentos corretos chegarão muito em breve.

Lembre-se, a Bíblia diz que Deus nos amou quando ainda éramos pecadores. Claramente, amar o que não é amável é a base do caráter de Deus, e cuidar do que não é amável é o fundamento disso. Visto que Cristo morreu pela igreja — pessoas não amáveis — e visto que nosso casamento deve refletir o relacionamento de Deus com a igreja, não temos nenhuma desculpa para não cuidar de nossa esposa. Deus nos amou antes de nos tornarmos dignos; não podemos fazer nada menos que isso por nossa esposa.

Então, vamos passar para o próximo capítulo e explorar o que na prática significa cuidar da esposa.

18

Carregue a honra

• • • • • • • • •

Conversamos sobre cuidar de nossa esposa, tratá-la com ternura e zelar por elas, apesar de nossos sentimentos. Agora vamos ver como esse cuidado se manifesta na prática, no dia a dia. Enquanto lê, permita que este capítulo seja um lembrete para que você experimente as maravilhas que sua esposa tem lhe dado e a enorme honra que é carregar o bastão dela.

Com muita nobreza, carregue a honra!

Fred: Honre os pais dela

Como um pai, carrego o bastão de minha filha. Lembro-me de quando ela nasceu. Lembro-me de cuidar dela enquanto bebê, quando esteve doente. Sua febre estava muito alta, os olhos quase nem se abriam. Depois de corrermos para o médico, ela estava tão apática que não sentia a dor da injeção que aplicaram nela.

Lembro-me da vez em que ela quebrou o dedo da mão na porta do carro, e eu a abracei. Lembro-me de quando ela conseguiu um papel em uma peça de teatro, e ensaiei com ela muitas e muitas vezes. Lembro-me de revisar a matéria de matemática com ela noite após noite.

Quando ela foi bloqueada três vezes no jogo de voleibol em um encontro de família, eu a abracei para que ela pudesse esconder as lágrimas em meu peito enquanto soluçava: "Todos pensam que eu não sou boa". Fiquei perto dela o resto do dia, defendendo sua honra e desafiando abertamente qualquer outro bloqueio contra minha "filhinha".

Empenhei-me para que minha filha Laura melhorasse as braçadas na natação e suei muito para ensiná-la a andar de bicicleta. Conversei com ela sobre o colégio e sobre como ela estava prestes a entrar na adolescência. Sempre caminhava até o altar com ela, lado a lado, preparando seu crescimento e sua compreensão espirituais.

Aprendi a pentear seu cabelo para que ela sempre estivesse linda, mesmo quando a mãe estivesse fora. Comprei um monte de coisas que ela nem precisava — quadros, castanhas de caju — só porque eu sabia que ela gostava.

Carrego o bastão do cuidado por minha filha, e nenhum corte de cabelo, carro veloz ou sorriso doce conseguirão tirar isso da minha mão. Meu investimento é grande demais. Meu genro vai ficar me devendo muito e é bom que ele consiga honrá-la!

Quando pedi o bastão de Brenda para o meu sogro, ele estava em seu leito de morte. Ele recuperava as forças de tempo em tempo, mas nós dois sabíamos que seu tempo na terra estava quase no fim. Entrei naquele quarto de hospital muito mais forte do que ele, mas muito mais assustado. Sabia como ele amava sua filha. Sabia como ele, uma vez, abraçou-a e deixou-a chorar quando ela voltou para casa com uma juba em vez do penteado da moda. Sabia como ele, orgulhosamente, tinha dado a ela um carro vermelho usado. Sabia como ele costumava nadar no mar e deixava que ela agarrasse em suas costas como se fosse uma jangada, flutuando alegremente. Eu sabia que ele a havia criado diligentemente na pureza, mantendo-a na igreja e longe das influências vulgares da vida.

Pedi a mão dela, e depois ele me disse algo que permaneceu indelevelmente gravado em minha memória durante anos: "Embora eu não o conheça direito, sei que você é o tipo de homem que cumprirá com o que falou. Sei que vai cuidar dela". Nunca, em toda minha vida, um homem acreditou tanto em mim, confiando em minha masculinidade e me encarregando de algo tão valioso. Ele me deu sua única e estimada filha, mesmo sabendo que nunca poderia voltar para defendê-la se eu não mantivesse minha palavra, e que nunca estaria lá para me lembrar das promessas que havia feito, que nunca estaria presente para colocar aquele brilho de novo nos olhos dela se eu o fizesse, alguma vez, desaparecer.

Eu devo isso a ele porque ele confiava em mim. Eu devo isso a ele porque ele me deu sua maravilhosa filha. Eu devo isso a ele por causa de seu grande investimento nela. Quando eu o vir novamente no céu, não terei de desviar meus olhos com vergonha. Ele me deu o bastão, e eu correrei muito bem com ele.

Eu devo isso também ao seu outro Pai. Ele salvou minha vida do pecado, tirou-me de uma montanha de cinzas e me colocou entre príncipes. Ele me adotou e me deu força para o dia de hoje e uma grande esperança para o amanhã. Além disso, ele guardou uma preciosa cordeirinha para mim, uma cordeirinha pura, sem mancha ou defeito, com olhos brilhantes e um coração generoso. Ele a formou no ventre e olhou para ela com alegria quando começou a engatinhar, andar e falar. Ele a viu cantar hinos de adoração quando fazia parte do coral de jovens. Ele enviou seu único Filho para lhe dar um futuro, para protegê-la e para lhe dar uma casa segura nos céus. Deus não se deleita quando eu negligencio o cultivo de um coração que cuida de Brenda. Ele a criou e cuidou dela, e eu devo fazer o mesmo.

Com todo meu coração, eu concordo.

Recorde-se de tudo o que ela lhe dá

Sua esposa renunciou à liberdade dela por você. Ela abandonou seus direitos para buscar a felicidade em outro lugar. Trocou a liberdade por algo que ela considerou mais valioso: seu amor e sua palavra. Os sonhos dela estão ligados aos seus, sonhos de compartilhamento, de comunicação e de unidade.

Ela se comprometeu em ser só sua sexualmente. A sexualidade dela é seu bem mais protegido, seu jardim secreto. Ela confiou que você seria digno deste presente, mas você arrogantemente não deixou de espiar o lixo sensual, poluindo e ajuntando imundície em seu jardim. Ela merece mais, e você deve honrar isso.

Você também deve estimar sua esposa porque ela compartilha seus segredos e desejos mais profundos com você. Brenda me contou histórias que ela nunca contou a outras pessoas. Por exemplo, sei de uma palavra incômoda que, se eu a pronunciasse, faria minha mulher chorar por causa de um trauma do passado. Ela compartilhou arrependimentos antigos e chorou em meus braços.

Depois de anos de casamento, sei o que emociona sua alma. Uma vez, entrei em uma livraria, deixando-a esperar no carro. Comprei um livro, e isso me deu direito a ganhar um vale-presente de cinco dólares. A caixa perguntou se ela deveria descontar o vale já naquela minha compra, mas eu respondi:

— Não, vou guardá-lo para minha esposa. Ela ficará muito feliz.

Naquele momento, Brenda entrou na loja. Eu sussurrei para a vendedora:

— Veja só isso!

Virei-me e entreguei o vale-presente para Brenda. Ela deu um grito bem agudo e disse, rindo:

— Oba, que legal!

A caixa riu junto comigo.

Sabe, conheço Brenda. Ela é minha amada, e eu sou o amado dela. Conheço seus medos mais profundos, seus desejos para o futuro e o que ela consegue ou não suportar. Ela se arriscou muito ao se abrir comigo, e eu devo ter um coração cuidadoso em relação a ela.

Quando mais nova, Brenda não temia nada porque seu pai estava ao seu lado. Ele nunca a desonrou, nunca a ofendeu, nunca a assustou nem a deixou para baixo. Ela trocou tudo isso por um rapaz com pavio curto que gritou, brigou com ela e a insultou. Sou aquele que fez doer o seu estômago, forçando-a a enfrentar situações familiares desagradáveis sem tentar compreender toda a história, e às vezes até fazendo-a derramar-se em lágrimas. Ela nunca escolheu nada disso. Ela buscava uma proteção maior, mas eu lhe dei muito menos.

Você já chegou a dar menos? Sua esposa se arriscou muito e trocou muitas coisas para se casar com você. Foi um bom negócio para ela?

Honre a esperança dela

Em meu escritório, guardo uma fotografia de Brenda de quando ela tinha um ano de idade. A foto é em preto e branco e mede 20 por 25 cm. Seus olhinhos brilham e estão cheios de esperança e alegria de viver, seu sorriso travesso está ainda mais visível, suas bochechas redondas irradiam alegria e um espírito despreocupado. Aquele rosto está cheio de expectativa e curiosidade. Levei aquela foto de criança para o meu escritório porque ela me faz lembrar de que eu preciso honrar esta esperança.

Eu sou um homem e por isso tenho uma tendência à rebeldia. A vida às vezes pode se tornar muito difícil, e o trabalho quase me deixa louco. Tenho quatro filhos para sustentar e o pagamento dos funcionários para honrar. Tenho atividades na igreja, eventos esportivos, obrigações e assim por diante. Às vezes meu coração começa a se desintegrar. Ouço meu lado rebelde gritar por *meus* direitos, *meu* jeito e *minha* liberdade, e às vezes me sinto como se estivesse entrando aflito no carro e desaparecendo mundo afora. Triste, mas verdadeiro.

Mas não consigo fazer isso quando penso em Brenda. Durante longos dias de batalhas, sua foto de bebê sempre me lembra de que ela é minha cordeirinha, sempre esperançosa, sempre acreditando em mim, sempre olhando adiante por "nós". Eu quero o brilho daqueles olhos de bebê brilhando nos olhos da Brenda de hoje, décadas depois.

Você deve honrar sua esposa com um coração cuidadoso. Deus amou o amor de Urias por Bate-Seba. Será que Deus ama meu amor por Brenda? Será que Deus ama seu amor por sua esposa?

Não importa a aparência de nossa esposa, o que ela tem ou não tem feito, ou se as coisas têm acontecido de maneira diferente do que esperávamos. Devemos honrá-la e cuidar dela.

É claro que a vida pode se passar de maneira diferente. Muito diferente. Quando Brenda e eu nos casamos, esperávamos passar quatro anos juntos antes de termos filhos, um tempo para construir nosso relacionamento juntos. Nós havíamos nos conhecido apenas sete meses antes do nosso grande dia. Além disso, o pai de Brenda havia falecido dois meses antes do casamento. Ela se mudou para uma cidade a três horas de distância de sua cidade natal para começarmos nossa vida juntos. Ela sentia saudades do seu pai e não podia suportar a tristeza de sua mãe por causa da distância. Estávamos buscando uma igreja, não tínhamos amigos. Ela conseguiu um novo emprego e eu era praticamente novo no meu. Fazia vendas para ganhar comissão, mas o dinheiro era curto. Descontando os gastos, minha renda no primeiro ano ficava abaixo da linha de pobreza, e eu ainda tinha uma dívida de quinze mil dólares para pagar referente aos estudos e alguns negócios. Também tínhamos de lidar com problemas familiares.

Como já disse, nosso casamento quase sucumbiu sob aquela pressão. Então, inesperadamente, Brenda anunciou que estava grávida assim que completamos nosso primeiro aniversário de casamento.

Depois que Jasen nasceu, o garoto não conseguia dormir à noite. Tentamos todas as dicas, inclusive a de deixá-lo chorar por longos períodos, às vezes por horas. Nossa frustração era quase debilitante. Confusa, Brenda não conseguia recuperar o fôlego. Nossa vida não era bem o que esperávamos, e quase nunca eu tinha um coração cuidadoso.

Felizmente, diante de Deus e da geladeira, eu havia estabelecido meu propósito de "comer cascalhos". Ao ler sobre a história de Urias pela primeira vez, comecei a ver Brenda de uma nova maneira. Comecei a querer cuidar dela, apesar das circunstâncias. Comecei a tratá-la com ternura, zelando por ela apesar dos meus sentimentos. Decidi levantar-me com meu filho toda vez que ele acordasse à noite, ainda que Brenda não trabalhasse mais fora de casa desde que Jasen nasceu. Logicamente, já que ela não trabalhava e podia descansar a qualquer hora do dia, ela deveria ser a pessoa que poderia se levantar. Segundo alguns padrões, eu deveria ter dito: "Vamos lá, você é uma mulher agora. Esforce-se, coloque-se de pé e trabalhe!". Mas ela estava casada comigo, e ela era minha cordeirinha. Eu cuidava dela, ajudando-a quando mais precisasse. Talvez você esteja se perguntando como eu poderia fazer tudo isso nessas circunstâncias. Eu poderia fazer tudo porque meu foco não estava nas *condições*; eu escolhi focar nas *promessas* que eu tinha feito como seu marido e como um filho de Deus. Eu cuidei dela porque sou chamado a sacrificar meus sentimentos pelo bem dela. Eu cuidei dela porque devo me preocupar com suas necessidades primeiro. Resumindo, eu cuidei dela porque era o correto. E uma vez que os sentimentos corretos normalmente seguem ações corretas, logo se seguiu uma restauração de meus próprios sentimentos ternos por ela.

Uma promessa

Durante aquele mesmo período, notei algo peculiar. O esgotamento físico da amamentação, o sono mal dormido à noite (ela se levantava, amamentava e depois dava Jasen para mim), e a exaustão psicológica desgastaram Brenda. Se ela se levantasse pela manhã e se deparasse com uma cozinha imunda, imediatamente ficava desanimada e tinha dificuldades de começar o dia. Sua coragem se derreteu; ela achava mais fácil só ficar de pijama durante o dia todo. A vida parecia escura e sombria.

Não gostava que minha cordeirinha começasse seu dia deste modo. Sim, eu poderia ter pedido para Brenda se colocar em forma, ranger os dentes e usar todas as suas forças. Eu poderia ter lembrado a ela que ela não estava correspondendo às minhas expectativas. Mas, em vez disso, fiz uma promessa para minha esposa de que nunca mais eu iria dormir com uma cozinha suja.

Eu sabia que aquela promessa tinha um custo muito alto. Por causa da exaustão dela, aquilo significava que ela sempre iria para a cama e me deixaria sozinho para lavar toda a louça, arear todas as panelas e arrumar a cozinha. Significava que ela já estaria dormindo sempre que eu fosse para a cama, e eu ficaria também sem sexo. Significava que eu perderia um sono precioso, mas eu também sabia que poderia demonstrar cuidado por minha ovelhinha de maneiras que ela nunca pensou serem possíveis. Eu nunca quebrei minha promessa.

Cuidei de Brenda quando os sentimentos já não existiam mais, e eles retornaram. Finalmente, ela cresceu, transformando-se na mulher que é hoje.

Ela é tudo que eu sabia que seria. Aliás, ela é muito mais do que isso. Ela enxergou meu coração cuidadoso e parou de falar em divórcio. Hoje, quando conversamos sobre a palavra de Deus e sobre viver conforme os padrões dele, tenho credibilidade porque demonstrei meu valor a ela no tempo mais difícil de nossa vida.

Sua canção

Se cuidar significa algo, então significa amar sua esposa por quem ela é *hoje*, e não algum outro dia. É fazer concessões em relação a todas as surpresas e inconsistências que foram escondidas até que a vida a impulsionasse em uma nova direção.

Sua esposa tem um coração que ainda bate como o coração de uma cordeirinha, um coração que ainda salta pelas campinas da esperança e do desejo, esperando pelo amor. Pode ser muito difícil de enxergar. Talvez o pai dela fosse um alcoólatra ou alguém que abusava dela em vez de protegê-la. Talvez ela não seja lá muito cristã. Talvez tivesse uma vida promíscua antes de conhecê-lo.

Talvez tudo isso seja verdade. Mas sabemos que outras coisas *também* são verdadeiras. Confiando em você, ela abriu mão de sua liberdade individual, acreditando que você lhe daria amor e proteção. Ela é a cordeirinha de Deus, independentemente do sofrimento e do pecado que já vivenciou, e ele encarregou você de cuidar dela.

Vamos passar para a parte 7, onde você vai aprender o que pode acontecer quando a pureza finalmente se afirma em seu casamento e como lidar com esses novos desenvolvimentos de forma amorosa como um casal.

Parte VII

Restaurando sua sexualidade juntos

19

Sexualidade deteriorada

• • • • • • • • •

Depois de receber uma quantidade imensa de *e-mails* e de vivenciar esta mensagem por duas décadas, assim como acompanhar os avanços da pesquisa sobre o cérebro durante esse mesmo período, percebemos que ficou faltando uma seção muito importante na primeira edição de *A batalha de todo homem*: como um marido pode reconstruir o relacionamento sexual com sua esposa depois de se recuperar do vício em pornografia.

Preservar a intimidade conjugal dentro da aliança do casamento pode ser uma tarefa complicada e cheia de desafios mesmo na melhor das circunstâncias, mas o fato é que assim que seu vício em pornografia for revelado à sua esposa, o caminho para um relacionamento sexual restaurado pode parecer uma causa perdida. Isso acontece porque, tão logo se afasta da pornografia, você talvez descubra que sua sexualidade está "quebrada" no que se refere ao desempenho sexual com uma mulher real, de carne e osso, como sua esposa.

Fred: O problema fundamental

Nos dias atuais, a pornografia tem um impacto intenso e debilitante sobre a sexualidade masculina. Não tinha essa prevalência vinte anos atrás. Naquela época, abandonar a pornografia e evitar o atrativo visual *melhorava* a intimidade sexual com sua esposa. Foi isso o que descobri quando parei repentinamente de olhar os anúncios de *lingerie* nos jornais e em tudo mais — os efeitos positivos foram praticamente imediatos. Embora o aumento de meu desejo por Brenda tenha mudado nosso equilíbrio por um tempo, nada de fato mudou no quarto, exceto a frequência elevada. Eu não tinha nenhuma indicação de problema de desempenho e, de acordo com meus *e-mails*, as coisas ainda são assim para muitos homens hoje.

Para muitos outros, porém, está acontecendo exatamente o oposto, pois a paisagem pornográfica mudou dramaticamente de lá para cá. O psiquiatra canadense Dr. Norman Doidge destacou o seguinte em sua obra clássica *The Brain that changes itself*:

> Trinta anos atrás, a pornografia "pesada" normalmente significava exibição *explícita* de relação sexual entre dois parceiros excitados, mostrando suas genitálias...
> Hoje, a pornografia evoluiu e é cada vez mais dominada por temas sadomasoquistas e sexo forçado, ejaculação no rosto das mulheres e sexo anal violento, todos eles envolvendo enredos que misturam sexo com ódio e humilhação. A pornografia pesada agora explora o mundo da perversão.[1]

Em resumo, a pornografia explícita e misógina de hoje, agora disseminada pelo acesso sem precedentes a transmissão de vídeo, pode degradar de tal forma os caminhos neurais sexuais de um homem que temos uma epidemia de disfunção erétil entre homens de todas as idades, até mesmo entre aqueles na casa dos vinte ou trinta anos. Tornou-se tão comum que a aflição tem um nome oficial: disfunção erétil induzida por pornografia (DEIP).

Como é possível que homens na casa dos vinte anos tenham disfunção erétil? Eles estão no auge de seus níveis de testosterona!

A ideia de fato me deixa pasmo, mas somente até me aprofundar nas pesquisas mais recentes e descobrir que essa "nova pornografia" progressiva em essência redireciona seus caminhos neurais para o centro de prazer errado do seu cérebro. Quem é o responsável por isso?

Bem, o falecido Hugh Hefner, o mascate farsante sempre vestido de pijama, é quem começou isso. Quando a primeira revista *Playboy*, lançada por ele em 1953, chegou às bancas de jornal, apresentando Marilyn Monroe na capa e uma Marilyn nua no interior, sua abordagem "sofisticada" (e hoje exótica) da pornografia inicialmente chocou a todos. No final da década de 1960, porém, havia uma aceitação tácita por parte da cultura, e pelos homens em particular, de que não havia problema com esse tipo de pornografia, então chamada de "suave".

Steve: A fraude da Playboy

A propósito, posso lhe dizer exatamente como era esse pôster, porque ele ficou implantado no meu cérebro de quatro anos de idade quando o vi pendurado no escritório do meu avô. Jamais entenderei por que meus pais, batistas bastante tradicionais do sul dos Estados Unidos, achavam que não havia nada de mais em um menino pequeno ver imagens como aquelas, mas eles obviamente não tinham consciência do dano que essas imagens provocam.

Felizmente, você tem uma vantagem. Se leu o livro até aqui, então entende os danos e, embora seja muito mais difícil proteger uma mente jovem hoje em dia do que era no passado, simplesmente não há desculpas para não fazer tudo que puder para defender as crianças que Deus colocou sob seus cuidados.

Mas a maioria das pessoas de nossa cultura permanece em desvantagem porque foi ludibriada por Hefner e outros como ele, os quais transformaram a pornografia em tendência e separaram o sexo de um relacionamento conjugal comprometido. Chamaram isso de liberação sexual e declararam missão cumprida em sua marcha sobre nossa sexualidade e nossa sociedade, proclamando que ela se livrou das amarras de nosso passado vitoriano.

Isso soa como algo bem-intencionado e até mesmo merecedor de nosso agradecimento. Mas tudo que Hefner de fato fez foi glorificar a objetificação e a despersonalização das mulheres. O movimento #MeToo não começou com o magnata e mulherengo Harvey Weinstein, mas com um homem que usava um blazer de veludo cor de vinho e roupão o dia todo e levou todos nós a acreditar que ele experimentava o ápice da liberdade e da competência sexual masculina.

Mas Hefner era uma fraude, e aqueles que tinham proximidade com ele sabiam qual era. Suas antigas namoradas falaram e escreveram sobre suas experiências na cama com o fundador da Playboy, e está claro que a pornografia o castrou, tal como faz com todo e qualquer outro homem. A disfunção erétil o perseguia e sua performance era calculada em segundos, não em minutos. Além de tudo isso, certa vez ouvi um comentarista descrever a conversa particular que teve com Hefner, dizendo que, enquanto centenas de pessoas se reuniam em torno da piscina externa da mansão Playboy, com celebridades constantemente entrando e saindo daquele lugar, o que mais o impressionou foi a enorme e profunda solidão vista no olhar daquele homem que supostamente vivia o sonho carnal de todo homem.

Os pornógrafos não merecem nenhum agradecimento! De fato, colocamos todos os "feitos" obscenos desses supostos libertadores sob crítica total. Sua pornografia disseminada não entrega nada senão cadeias de vício, um aumento do comportamento sexual compulsivo e por fim um *decréscimo* de nosso prazer sexual, especial com nossa esposa.

Em termos culturais, porém, eles venceram: todos nós fomos profundamente ludibriados por essa tragédia irracional e infindável de mentiras. Como resultado, agora estamos recebendo os *e-mails* mais dolorosos que já vimos, vindos de esposas. Veja este que recebemos de Malia:

No início de nosso casamento, eu não satisfazia meu marido sexualmente, mas procurei me instruir sobre o corpo dele e o meu próprio, e isso mudou drasticamente minha abordagem no quarto. Sexualmente, eu o buscava de maneira ativa, mas ele ficou impotente e não conseguia mais fazer sexo comigo. Por centenas de vezes eu lhe perguntei: "Querido, por favor, me diga, como eu posso satisfazer suas necessidades sexuais?".

Ele sempre respondia que estava satisfeito, mas eu sabia que não estava. Como poderia estar? Eu estava disposta a fazer sexo com ele todas as vezes que ele quisesse e em todo tipo de locais diferentes, mas ele não respondia a mim.

Naquela época, eu não sabia de seu vício em pornografia, de modo que estava completamente confusa. Por repetidas vezes, eu lhe perguntava: "O que está acontecendo na sua vida? Por que você não está interessado em mim? Você está usando pornografia? Está tendo um caso?". Eu odiava fazer essas perguntas, mas precisava compreender aquela situação. Aquilo estava me deixando louca.

Ele sempre negava a pornografia e os casos, e simplesmente colocava a culpa de seus problemas sexuais no fato de estar ficando velho. Mas eu não acreditava. Ele não era tão velho assim.

Terminei descobrindo a pornografia e, agora, estou convencida de que ele havia sofrido tamanha lavagem cerebral por causa daquilo, a ponto de simplesmente não conseguir enxergar minha beleza. Quando saímos juntos, ele certamente tem prazer de olhar para outras mulheres sempre que tem oportunidade, de modo que sei que seus olhos ainda funcionam. Eles simplesmente não funcionam comigo.

Ele não se excita de forma alguma quando uso *lingerie* ou roupas curtas, e nem sequer se interessa por meu corpo nu. Caso você esteja pensando, sou muito bonita, magra e cuido de mim mesma. Não há problemas de beleza aqui.

Minha pergunta a você é tão direta quanto possível: quando uma esposa se esforça bastante para satisfazer as necessidades sexuais de seu marido e ele se afasta e nem sequer se excita com ela, o que ela deve fazer? Eu daria qualquer coisa para fazer sexo com meu marido. Ele ainda tem sexo o tempo todo, mas simplesmente não quer fazê-lo comigo. Ele só quer sexo com sua pornografia.

Sabemos exatamente o que Malia tem de fazer, e vamos compartilhar nossa resposta nas próximas páginas. Por ora, vamos apenas discordar da última linha de sua mensagem. Sabe, discordamos que seu marido só quer sexo com sua pornografia. Isso implica que ele ainda tem uma escolha nessa questão, mas provavelmente não é mais uma escolha para ele. Muito provavelmente isso se tornou uma questão de habilidade, e a pornografia é o único tipo de sexo que ele é capaz de ter. Sua sexualidade foi despedaçada e precisa desesperadamente de conserto.

Fred: A pornografia nunca é inofensiva

Os homens afirmam há muito tempo que a pornografia é uma forma totalmente inofensiva de entretenimento, e eu fazia o mesmo, com exceção daquela época no ensino fundamental quando nossos líderes de escoteiro ou técnicos de esporte nos advertiam que não deveríamos nos masturbar olhando pornografia, informando sobre um impacto potencialmente catastrófico: "Isso vai fazer nascer pelos na palma da sua mão".

Olhar para imagens de mulheres nuas não parecia tão inofensivo naquela época. Não estávamos plenamente seguros se eles estavam brincando ou não, mas todos nós tínhamos certeza de que uma palma da mão peluda seria suicídio social junto às meninas, de modo que ficávamos com aquela pequena pulga atrás da orelha quando espiávamos uma revista pornográfica. Com o passar do tempo, descobrimos poucas evidências de qualquer impacto de longo prazo da masturbação e da pornografia, de modo que nossos medos se dissiparam.

Naturalmente, nenhum de nós tinha ouvido falar de neuroplasticidade, de modo que era fácil dar uma risadinha e pensar: *Por que se preocupar com aquilo para o que olho na pornografia? Afinal de contas, o sangue de Jesus cobre todos os pecados. Não vou para o inferno! Eu fui perdoado.* Mas quem sabia que a descarga de dopamina era um fortíssimo agente de mudança neural? O sangue de Cristo pode cobrir o seu pecado, mas ele não afeta as consequências neuroplásticas do seu pecado. *Mas a pornografia nada mais é do que alguns* pixels *numa tela. Nada do que eu fizer na privacidade da minha casa machucará qualquer pessoa!* Costumávamos dizer isso também. Mas *realmente* machuca alguém. A pornografia machuca você, e a partir do que estamos vendo nessa epidemia de disfunção erétil, está ferindo muitas esposas também. A pornografia, enfim, não é tão inofensiva quanto pareceu um dia.

Os dois sistemas de prazer

Neste ponto, você provavelmente está pensando algo assim: *Mas o que "provoca" essa situação?* Certamente não é o seu pênis. Homens com disfunção erétil induzida por pornografia ainda conseguem ter uma ereção na frente de seu computador.

De fato, tudo acontece dentro do seu cérebro, que já descrevemos como seu maior órgão sexual. A compreensão de como as coisas deixam de funcionar começa com o entendimento de que você tem dois sistemas de prazer sexual separados em seu cérebro: o primeiro tem a ver com o prazer de excitação e o outro com o prazer de satisfação. O sistema de excitação está relacionado ao prazer apetitivo que você obtém enquanto imagina algo que deseja, como o sexo com sua pornografia na internet. A pornografia ativa o sistema apetitivo por meio de uma grande liberação de dopamina, o que eleva o nível de sua tensão sexual e coloca seu foco na intensidade da experiência sexual.

O segundo sistema de prazer tem a ver com uma satisfação profunda, ou o prazer consumatório, que resulta de ter sexo com uma mulher real de carne e osso. É um prazer calmante e gerador de satisfação cuja neuroquímica se baseia na liberação de endorfinas, que são semelhantes aos opiáceos. Isso acontece porque você experimenta um êxtase pacífico e eufórico e um profundo senso de intimidade com sua esposa quando faz amor com ela.

O Dr. Doidge enfatizou esses dois centros de prazer na obra *The Brain That Changes Itself* quando destacou que as mudanças neuroplásticas produzidas pela pornografia terminam por redirecionar o foco de nossa sexualidade e ajustar nossos gostos sexuais. Eis aqui o que ele escreveu, com nossas inserções entre colchetes e ênfases em itálico:

> Ao fornecer um infindável harém de objetos sexuais, a pornografia ativa excessivamente o sistema apetitivo [às custas do sistema consumatório, cujo propósito é ser o centro primário de prazer sexual]. Aqueles que veem pornografia desenvolvem novos mapas em seu cérebro, baseados nas fotos e vídeos que veem. Uma vez que o cérebro perde aquilo que não é usado, ao desenvolvermos uma área de mapa, *desejamos mantê-la ativa* [o que aumenta e exacerba nossa tensão sexual]. Assim como nossos músculos ficam impacientes por exercício depois de ficarmos sentados o dia inteiro, do mesmo modo nossos sentidos estão famintos para serem estimulados [e assim desejamos outra sessão de pornografia].

Os homens que veem pornografia no computador são impressionantemente semelhantes aos ratos nas gaiolas do NIH [Institutos Nacionais de Saúde, na sigla em inglês], apertando o botão para obter uma dose de dopamina ou de seu equivalente [que, em seus estudos no NIH, tinham o propósito de medir a força de certas drogas]. Embora não soubessem, eles haviam sido seduzidos a sessões de treinamento pornográfico que satisfizeram todas as condições exigidas para a mudança plástica de seus mapas cerebrais. Uma vez que os neurônios que disparam juntos terminam por se ligar, aqueles homens receberam enormes quantidades de prática, conectando aquelas imagens aos centros de prazer do cérebro, com a arrebatadora atenção necessária para a mudança plástica. Eles imaginavam aquelas imagens quando estavam longe do computador ou enquanto faziam sexo com a namorada, reforçando-as.[2]

Desse modo, toda vez que aqueles homens sentiam a excitação sexual relacionada àquelas lembranças ou à masturbação e ao orgasmo em razão daquelas imagens mentais, a dopamina, o neurotransmissor da recompensa, era liberada, o que consolidava as novas conexões neurais que estavam em construção nos centros de prazer sexual do cérebro. Essa dopamina não apenas recompensava o mau comportamento atual como também facilitava e acelerava qualquer mau comportamento futuro ao reforçar esses novos caminhos.

Doidge continuou:

> O conteúdo daquilo que eles consideravam excitante mudou conforme os *sites* introduziram temas e roteiros que alteravam o cérebro deles *sem que se dessem conta*. [Os novos temas e roteiros realmente mudaram os gostos sexuais daqueles homens também em nível neuronal.] Pelo fato de a plasticidade ser competitiva, os mapas cerebrais para imagens novas e excitantes aumentaram à custa daquilo que os atraía anteriormente [o que, agora, estava esmaecendo e se decompondo] — eis a razão, creio eu, que os levou a começar a achar suas namoradas não tão atraentes.[3]

Também é por isso que viciados casados não conseguem responder sexualmente à sua esposa. Seus mapas neurais transformaram seu foco sexual e o desviaram da *intimidade* para a *intensidade*. Lembre-se de que a pornografia na internet faz mais do que elevar o nível de dopamina em favor de um pico de prazer. As imagens obscenas literalmente mudam a estrutura física do cérebro de modo que ele *requer pornografia* para até mesmo gerar a resposta de recompensa, em vez de requerer sexo com uma mulher de verdade.

Vamos simplificar o que realmente está acontecendo dentro do cérebro voltando à metáfora de trens e trilhos que usamos anteriormente para explicar o conceito de mudança neuroplástica. No seu sistema cerebral de trilhos neurais você tem dois terminais sexuais: um é chamado de Estação Apetitiva e o outro é chamado de Estação Consumatória.

Por natureza, sabemos que a Estação Consumatória deve ser o seu terminal sexual primário. Afinal de contas, Deus fala sobre sexo na Bíblia apenas no contexto de dois. Isso é significativo porque apenas o sexo entre duas pessoas gera um orgasmo que entrega a neuroquímica da satisfação e da intimidade. Está claro que Deus desejava que a Estação Consumatória fosse sua parada principal juntamente com sua esposa. Ele até mesmo declarou que sua sexualidade não pertence apenas a você, mas também a ela (1Co 7.4), o que deixa bem óbvio que você nem sequer tem o direito de desfrutar da Estação Apetitiva sozinho, sem a permissão dela.

Contudo, em algum ponto do caminho, você descobriu que a "intimidade" sexual consigo mesmo é muito mais fácil do que fazer sexo com uma mulher de verdade. Quando não há exigência de intimidade e nenhuma conexão real com outra alma, você não precisa se preocupar com as necessidades sexuais *dela* nem o prazer *dela*. No fim, o que você fez foi substituir seus caminhos primários, direcionando sua viagem primária para a Estação Apetitiva e estabelecendo um conjunto ainda mais forte de trilhos que se espalham na direção de lugar nenhum.

Quando seus motores sexuais exigem subidas cada vez mais íngremes até o topo por meio de níveis de pornografia cada vez mais explícitos e perversos, você não se importa — ou nem sequer percebe. Você continua consolidando seus trilhos até que cada pedaço de sua estimulação sexual aponte de volta para o seu novo terminal sexual.

Agora, porém, quando sua esposa puxa você gentilmente para os braços dela e lhe dá um beijo longo e apaixonado, ela percebe que não tem o bilhete para embarcar. O seu trem não para mais na estação dela. Os trilhos para a Estação Consumatória estão cobertos de mato, desolados e solitários pela falta de uso, e os motores da intimidade estão largados de lado, inúteis, enferrujando na chuva, descarrilados há muito tempo.

Mas esse não precisa ser o fim da história. Você pode reconstruir os trilhos para a Estação Consumatória e restituir o bilhete de sua esposa para que ela viaje, porque desaprender e enfraquecer as conexões sinápticas entre neurônios é um processo tão plástico quanto foi lançar os trilhos errados anteriormente. Essa é de fato uma ótima notícia!

Se você estiver a fim, vamos começar a destruir alguns trilhos no próximo capítulo.

20

Daqui para a intimidade

• • • • • • • • •

Como vimos no capítulo anterior, o impacto neuroplástico da pornografia muda seu foco sexual, indo da intimidade para a intensidade, e desvia seus caminhos neurais sexuais para a Estação Apetitiva. O que talvez seja ainda pior é o fato de que o mesmo processo muda seus gostos sexuais em um nível sináptico, afastando-os de sua esposa.

Deus compreende perfeitamente a natureza viciante desse sistema de prazer apetitivo com seu foco total na intensidade, mas o que ele deseja para você é algo mais profundo e melhor: uma conexão de alma que você talvez ainda não tenha experimentado em sua vida a dois, mesmo depois de anos de casados.

Como chegar lá? A resposta é tão simples quanto o princípio de usar ou perder: você precisa parar de usar os caminhos sinápticos excessivamente estimulados — que agem como uma droga — que levam ao centro de prazer errado e precisa começar a reconstruir seus trilhos abandonados e deteriorados para chegar ao centro de prazer correto.

Uma breve revisão dos princípios básicos da mudança neuroplástica pode ser útil aqui. Lembre-se: quando você interrompe uma atividade (como uma abstinência repentina de pornografia da internet e de outras vasilhas exteriores de prazer sexual) e não usa mais essas conexões neurais, as sinapses desses caminhos enfraquecem e por fim esmaecem, se rompem e morrem. O princípio de usar ou perder rege todo o processo neuroplástico, quer você esteja no processo de aprendizado ou de desaprendizado.

Lembre-se também de que, com base em suas decisões conscientes relacionadas a comportamento diário e experiências, você pode tanto fortalecer suas sinapses quanto permitir que elas definhem. Em outras palavras, você tem controle direto sobre seus caminhos neurais, o que é extraordinariamente útil em seu processo de desaprendizado.

Lembra-se de como o cérebro de Ethan desaprendeu o que sabia sobre a hora do cochilo de sua filha Skylar? Ele interrompeu seu hábito de se masturbar ao meio-dia todas as segundas-feiras por meio de um conjunto de decisões consistentes e conscientes que permitiram que ele desaprendesse aqueles caminhos neurais corrompidos. Ele escolheu deliberadamente deixar aquelas conexões sinápticas enfraquecerem, decomporem e morrerem. Tal como Ethan, você também deve abandonar seus caminhos corrompidos, e realmente não importa o quão corrompidos eles estejam. O mesmo princípio de usar ou perder se aplica àqueles trilhos que levam à Estação Apetitiva.

Ao aplicar esse princípio fundamental, você desaprenderá o seu velho foco na intensidade quando cortar totalmente a pornografia, o que faz com que os caminhos neurais pervertidos enfraqueçam pela falta de uso. Você também aprenderá um novo foco na intimidade à medida que começar a fazer sexo com sua esposa em vez de consigo mesmo.

Quanto tempo levará o processo de cura?

Bloquear a sensualidade visual e desaprender o caminho que leva à intensidade é o verdadeiro foco deste livro. Você já estudou como manter seus olhos sob controle e viu que aqueles perímetros de defesa impõem mudanças profundas e amplas em seu cérebro. À medida que você dá estes passos para desviar e parar de alimentar seus olhos, uma onda subconsciente de cura sináptica se desenvolve de forma bastante natural, sem qualquer esforço adicional de sua parte.

Quanto tempo leva esse processo de cura?

Bem, é difícil dizer, pois existem muitas variáveis envolvidas. Uma mulher escreveu o seguinte sobre seu marido:

> Ele tentava iniciar alguma coisa sexual e então, bem no meio, ele parava e dizia: "Acho que devemos esperar!". Aquilo me deixava louca, e eu pensava: *Será que ele gosta de mim? Por acaso ele está só brincando comigo?* Era bastante confuso, até o dia em que ele me contou sobre a pornografia. Ele deixou de usar seu computador por mim, mas ainda foram necessários nove meses até que ele tivesse uma ereção e realizasse um ato sexual pleno comigo.

Essa história faz com que eu (Fred) relembre uma conversa similar que tive com Ben, um contato comercial da cidade de Des Moines. Ele não tinha ouvido falar sobre *A batalha de todo homem* antes de nos conhecermos, mas assim que me conheceu, decidiu ler o livro. Em pouco tempo ele conseguiu se libertar de um hábito de pornografia que durava décadas.

Somos bons amigos hoje e, recentemente, discutimos os efeitos fulminantes da pornografia pesada de hoje em dia e a epidemia de disfunção erétil provocada por pornografia. Durante nossa conversa, ele admitiu que também tinha sido vítima disso.

— O que aconteceu depois que você abandonou a pornografia, Ben? — perguntei.

— Foram necessários nove longos meses para superar os efeitos da pornografia, mas desde então, eu e minha esposa conseguimos fazer sexo juntos com regularidade.

Essas duas histórias não querem dizer que nove meses é algum tipo de número mágico e, portanto, não fique paranoico em relação a isso. Simplesmente achamos que esses exemplos da vida real podem dar a você uma ideia da quantidade de tempo envolvido numa restauração.

Assim que você der o primeiro passo (não permitir que seus olhos vejam pornografia na internet), seus velhos mapas sexuais vão naturalmente se degradar com o passar do tempo em seu próprio ritmo, como sugerem as duas histórias contadas acima. Mas gostaríamos de sugerir um caminho ainda mais rápido em direção à cura. Existe um segundo passo que vai ao mesmo tempo incrementar a construção de *novos* trilhos que levam de volta ao centro de prazer correto, a Estação Consumatória.

Restauração da intimidade conjugal

Você precisará da ajuda da sua esposa neste passo, mas antes de entrar no processo, eu (Fred) quero chamar sua atenção de volta para uma coisa dita no capítulo 2 sobre meus primeiros dias de namoro com Brenda. Mencionei que havíamos decidido nos manter puros antes do casamento; contudo, de fato nos beijávamos, e era simplesmente maravilhoso! Foi a minha primeira experiência com o paradoxo da obediência: a recompensa fisicamente gratificante que resultava da obediência aos padrões sexuais de Deus. Descobri que muito embora tivesse renunciado a amassos e masturbação mútua, que havia sido meu procedimento operacional padrão com mulheres com as quais havia namorado anteriormente, eu na verdade obtinha mais satisfação íntima por ir mais devagar e diminuir algumas coisas com Brenda. Um beijo não era mais um pré-requisito sem graça no caminho para o ato sexual; um beijo havia se tornado excitante de novo.

Queremos que você experimente o prazer desse paradoxo de obediência também. Veja como funciona: você pode incrementar a intimidade com sua esposa ao reduzir a velocidade de tudo o que for sexual com ela. Isso certamente parece um paradoxo, não é?

Conselheiros seculares certamente diriam isso. Eles têm insistido com seus pacientes há anos para fazerem exatamente o oposto para reverter a disfunção erétil (DE): aumentar a velocidade das coisas ao assistir pornografia com a esposa antes de ir para a cama. Obviamente, essa é a última coisa que deveriam fazer, uma vez que a pornografia costuma ser a causa, não a cura, da DE ultimamente.

Além disso, reduzir a velocidade das coisas não é o paradoxo que aparenta ser, pelo menos não de uma perspectiva neuroplástica. Considere o seguinte: por meio do ato de reduzir a velocidade das coisas, você dará fim às atividades sexuais que iluminavam seus velhos mapas neurais, o que permite que eles esmaeçam. Você também adicionará atividades sexuais mais íntimas e mais simples que acendem neurônios diferentes — neurônios que podem se ligar e se consolidar em novos mapas sintonizados na direção da intimidade.

Chamamos o processo de pele com pele, e funciona assim. Primeiro, encontrem um antigo programa de televisão do qual ambos gostem — um que não tenha qualquer tipo de conteúdo sexual, preferivelmente algo engraçado e inocente de alguma série antiga de televisão. Esses programas são perfeitos para os seus propósitos pois estão repletos de tiradas hilárias clássicas de humor, sem ter uma gota de tensão sexual. (Bem, se você boceja quando ouve falar de programas de TV antigos, aguente firme. Você vai nos agradecer mais tarde.)

Assim que você e sua esposa tiverem escolhido um episódio de meia hora, tirem todas as peças de suas roupas, estendam um cobertor no chão na frente do televisor (obviamente, vocês escolherão um lugar privado onde as crianças não se intrometam) e um travesseiro onde colocar a cabeça. Não façam nada a não ser ficarem deitados ali enquanto assistem ao programa. Não toquem um no outro e não cubram nenhuma parte do corpo com o cobertor. Fiquem apenas ali dando risadas ao lado um do outro, nus. Vocês ficarão surpresos ao perceber como isso relaxa e cria um senso de intimidade e conexão emocional entre vocês.

Quando o programa terminar, permita que sua esposa recline no seu travesseiro e não faça nada a não ser desfrutar os próximos momentos. Comece a tocá-la levemente, mas não nos lugares comuns, como em volta dos seios ou dos genitais. Toque sua barriga levemente. Toque seu cabelo, seus ombros, suas coxas e suas panturrilhas. Lembre-se de que você não está tentando gerar tensão sexual. Você não está tentando se mover rapidamente na direção da relação sexual. Está apenas buscando intimidade. Está buscando sua esposa.

Para ser bem franco, você só está ali para ouvir a respiração dela e perceber atentamente como ela responde a cada toque. Está ali para se conectar com ela como pessoa, a sua preciosa cordeirinha, e não como uma parceira sexual. Dê tempo ao tempo. Vá devagar. Faça carinho nela. Preste atenção nas reações dela. Aprenda sobre ela e com ela.

Depois de algum tempo (talvez quinze minutos), comece a beijar seus lábios, mas *apenas* seus lábios, não seus seios e nem o seu pescoço. Mantenha suas mãos paradas por ora em vez de percorrer o corpo dela. Mantenha um único foco, que é redescobrir a maravilha de um beijo. Nada é mais íntimo do que beijar, nem mesmo o ato sexual em si. Passem pelo menos dez ou quinze minutos apenas se beijando, de forma lenta e apaixonada, como se fossem dois jovens amantes de novo e o relógio tivesse voltado para uma época mais inocente. Sinta a paixão dela. Sinta o amor dela por você. Sinta a batida do coração dela.

Deixe que as coisas sigam para onde forem a partir daqui, mas não se apresse. Encontre *sua esposa* e faça sexo com *ela*, não com o corpo dela. Você talvez descubra que nunca de fato fez sexo com ela por muitos anos.

Pele com pele tira seu foco do evento sexual e o desvia para longe da *sua* intensidade e do *seu* orgasmo. Isso precisa acontecer se você quiser voltar à verdadeira intimidade. Com a pornografia, o sexo precisava girar em torno das suas reações e do seu clímax. Ninguém mais estava ali.

Mas ficar pele com pele tem a ver com as reações *dela* e o clímax *dela*, o que força seu sistema apetitivo a murchar ou enfraquecer e permite que seu sistema consumatório ganhe vida com prazer que satisfaz. É um tempo para conectar-se intimamente com ela e agradá-la, aquela preciosa cordeirinha que você tanto preza. Ao fazer isso, todo o foco da sua sexualidade voltará para a intimidade e para o prazer *dela*, e isso removerá a pressão mental e o seu medo inoportuno de problemas de desempenho.

Separe um tempo para experimentar o paradoxo da obediência. Deixe que sua esposa perceba que você está concentrado nela. Deixe o sexo mais lento para aumentar a velocidade do desaprendizado em seu cérebro. Oramos para que, à medida que você fizer isso, cada um dos seus mapas sexuais corrompidos esmaeça e seque.

Fred: Restaurando seu gosto por ela

Nas minhas duas últimas décadas de vida em liberdade sexual, descobri certos entendimentos de textos bíblicos que não pude incluir na versão original de *A batalha de todo homem* porque ainda não tinha a profundidade da experiência e da compreensão. Um deles está enterrado tão profundamente em Provérbios 5.18-23 que só o captei por acaso depois de viver em pureza com Brenda por um longo período:

> Seja abençoada a sua fonte!
> > Alegre-se com a mulher de sua juventude!
>
> Ela é gazela amorosa, corça graciosa;
> > que os seios de sua esposa o satisfaçam sempre
> > e você seja cativado por seu amor todo o tempo!
>
> Por que, meu filho, se deixar cativar pela mulher imoral,
> > ou acariciar os seios da promíscua?
>
> Pois o Senhor vê com clareza o que o homem faz
> > e examina todos os seus caminhos.
>
> O perverso é cativo dos próprios pecados;
> > são cordas que o apanham e o prendem.
>
> Ele morrerá por falta de disciplina
> > e se perderá por sua grande insensatez.

Essa passagem ensina que os seus gostos sexuais são maleáveis e vão se flexionar e alongar juntamente com a aparência da sua esposa à medida que ela envelhecer. Não é fácil perceber essa verdade num primeiro olhar, mas saiba de uma coisa: manter a fidelidade visual à sua esposa moldará positivamente seus gostos sexuais em favor dela. Deus criou você dessa maneira.

Um par de seios

Não entendia o que Deus estava dizendo aqui em Provérbios quando era um jovem marido, provavelmente porque, naquela época, meus olhos ficaram travados nestas duas linhas:

> que os seios de sua esposa o satisfaçam sempre
> e você seja cativado por seu amor todo o tempo!
>
> (v. 19)

Infelizmente, sempre tive a mesma resposta imatura a essa passagem: *É fácil fazer isso hoje! Mas o que acontecerá quando formos mais velhos?* Não conseguia imaginar ser cativado sexualmente quando ficasse mais velho por um par de seios de setenta anos de idade, fosse os de Brenda ou qualquer outro. Costumava balançar a cabeça desanimado, refletindo: *Acho que essa é apenas mais uma lei de Deus que terei de obedecer rangendo os dentes. Às vezes, a obediência é fácil. Em outras ocasiões, é difícil.*

Felizmente, com o passar do tempo, outras passagens das Escrituras passaram a ocupar um lugar central na minha vida, especialmente esta:

> Por que, meu filho, se deixar cativar pela mulher imoral,
> ou acariciar os seios da promíscua?
>
> (v. 20)

Assim que comecei a formar uma aliança com meus olhos, percebi que essa passagem falava alto e bom som sobre nossa natureza visual e nossos vícios. Se você disciplinar seus olhos para que se satisfaçam apenas com os seios *de sua esposa*, então estará seguro. Mas se vaguear visualmente e nesciamente abraçar com os olhos a multidão de seios jovens no ciberespaço ou em outro lugar, você provavelmente será capturado por essas mulheres imorais, preso em vício pelas cordas dos caminhos sinápticos criados pelo pecado.

Está bem claro que disciplinar os olhos promove segurança incalculável a todos nós, homens.

Mas conforme o tempo foi passando, descobri que essa disciplina também libera uma bênção ainda mais rica de Deus: você não precisará ranger os dentes ou se forçar a se deleitar com sua esposa à medida que ela ficar mais velha.

Mas como isso é possível?

Facilmente, como se vê. Se você se alegrar apenas com a mulher de sua juventude e deixar que apenas os seios de sua esposa satisfaçam seus olhos com o passar dos anos, seus gostos sexuais vão literalmente evoluir e mudar juntamente com o corpo dela à medida que envelhecer. Essa capacidade já está dentro de você como homem, o que significa que sua obediência hoje vai *capacitar* você a se alegrar com sua esposa no futuro, sem esforço e sem um ato forçado de sua vontade. Isso brotará naturalmente de sua constituição como homem.

Finalmente entendi que essa passagem não era uma ordem para nos dispormos a ficar excitados por um par de seios de setenta anos de idade, mas sim um guia sobre como liberar nossa capacidade nata de fazer isso. Até mesmo hoje, especialmente se tiver menos de quarenta anos de idade, você provavelmente não consiga compreender isso, mas creio que, à medida que entender por si mesmo como a bênção de Deus se mostra numa vida obediente com o passar do tempo, você vai se dar conta disso.

Uma montanha-russa perversa

Brenda pesava cinquenta e nove quilos quando nos casamos, e foi exatamente nesse peso que ela permaneceu até o nascimento de nosso quarto e último filho. Mais ou menos naquela época, o peso que tinha na gravidez não diminuiu com facilidade, e seu peso aumentou com o passar dos anos, quilo por quilo, até um ponto em que a balança acusou oitenta e nove quilos. (Não se preocupe — ela me deu permissão para contar esta história.)

Muito embora Brenda estivesse exatos trinta quilos mais pesada do que quando nos casamos, ela era tão impressionantemente sensual para mim quanto era na nossa noite de núpcias, e os quilos adicionais não diminuíram minha paixão sexual por ela. Quanto a Brenda, ela certamente sabia que não tinha a mesma aparência de antes, mas meu desejo natural por ela fez maravilhas para sua autoestima.

Contraste isso com a reação de Cody ao ganho de peso de sua esposa, conforme expressa neste *e-mail*, que ecoa uma história que já ouvi de inúmeros homens:

> Quando Michelle e eu nos casamos, ela era uma mulher magra, embora encorpada, que me deixava louco! Depois de dois anos de casamento, porém, ela começou

a ganhar peso. Eu disse algumas coisas que a machucaram profundamente, o que só colocou lenha na fogueira. Então, ela ganhou ainda mais peso, o que me levou à depressão.

Sabe, sempre tinha imaginado minha futura esposa como uma mulher magra de parar o trânsito por quem eu estaria não apenas *apaixonado* para sempre, como também alguém que eu *desejaria* para sempre. Assim que ela começou a ganhar peso, passei a olhar para outras mulheres em revistas, em filmes e na internet.

Talvez você esteja pensando por que o ganho de peso de Brenda não me afetou da mesma maneira. Isso é fácil de responder. Os gostos sexuais de Cody ainda estavam ligados a mulheres jovens e magras, e ele cobiçava através de imagens em revistas, filmes e internet que alimentavam esses gostos. Essa excitação sexual entregava doses recompensadoras de dopamina, o que consolidou seus gostos sexuais no lugar errado. Naturalmente, à medida que Michelle ganhava peso, os gostos dele não conseguiam mudar juntamente com ela.

Mas eu disciplinei meus olhos muito tempo atrás, e não desejava mulheres jovens e magras na mídia. Meus gostos sexuais estavam ligados somente a Brenda, de modo que, à medida que seu corpo mudou ao longo de sua vida, o mesmo aconteceu com os meus gostos. Ela ficava surpresa por ver quão apaixonadamente eu continuava a desejá-la.

Passei a amar essa capacidade inerente que altera meus gostos sexuais à medida que Brenda muda, mas essa capacidade enfrentou o derradeiro teste em meu casamento. Duas vezes, na verdade.

Quando Brenda chegou pela primeira vez aos oitenta e nove quilos, ela decidiu fazer um *check-up*. Seu médico descobriu que um problema na tireoide era o culpado oculto e prescreveu uma medicação para equilibrar as coisas. Brenda lentamente começou a perder peso.

Bem na época em que chegou aos setenta e cinco quilos, Brenda recebeu o golpe mais traumático de sua vida: sua linda mãe, Gwen, havia sido diagnosticada com um câncer de pulmão em estágio terminal e recebeu a notícia de que teria menos de um ano de vida.

O peso de Brenda despencou como um rolo compressor descendo uma ladeira, perdendo quase vinte quilos em cerca de três semanas. O terrível estresse da deterioração da saúde de sua mãe lançou seu metabolismo nas alturas, consumindo todos aqueles quilos extras. Na época em que alcançou cinquenta e sete quilos, Brenda passou da noite para o dia de uma mulher com corpo e curvas de tirar o fôlego para uma pré-adolescente anoréxica.

Permita-me dar uma ideia do quão chocante essa perda de peso foi para mim, como marido. Certa manhã, acordei atordoado depois de uma longa noite de sono agitado. Ao tirar os pés da cama para colocá-los no chão, olhei na direção da parede de nosso quarto em um estupor vazio e entorpecido. Ouvi um som suave do meu lado esquerdo. Olhei de lado e vislumbrei o perfil de uma completa estranha de calcinha e sutiã em pé ao lado da cama, preparando-se para colocar sua calça jeans.

Um grito silencioso rasgou minha alma. *Oh, não! O que foi que eu fiz?*

Em meu estupor, tinha certeza de que minha vida estava arruinada. Quase que imediatamente, porém, o choque e a surpresa do momento incendiaram meus sentidos e os colocaram em alerta total e, assim, acordei plenamente e percebi quem era de fato aquela estranha. *Oh, graças a Deus! É Brenda!*

A mudança de aparência de Brenda foi drástica a esse nível. Agora, imagine quão impressionantemente diferente aquele corpo me parecia sob as cobertas à noite.

Sua transformação abrupta teve um impacto alarmante sobre meus sentidos sexuais. Quando aquela mulher interessada pressionava seu corpo contra o meu, nada lembrava Brenda, mas parecia uma total estranha. Eu tinha uma dificuldade real em responder sexualmente a ela e, às vezes, parecia uma atitude arriscada até mesmo ter uma ereção. Nunca falhei de fato, mas os medos estavam brincando em minha mente.

Mas como isso é possível? Ela está magra como uma supermodelo, e esse não é o sonho de todo homem?

Esse desenvolvimento inesperado atingiu-me com a verdade de um jeito novo: nossos gostos sexuais não são rígidos, e sim tão plásticos quanto o restante de nosso cérebro. De fato, cunhei um princípio naquela época que agora está apoiado pelas pesquisas sobre o cérebro: Você se tornará atraído sexualmente a qualquer pessoa com a qual estiver fazendo sexo com regularidade.

Pense nisto. Por anos, fiz amor com uma mulher maravilhosamente curvilínea e encorpada que me deixava louco de paixão. Eu não estava tendo preliminares visuais com qualquer mocinha magra e atlética vestindo um *top* que por acaso cruzasse meu caminho. Não estava tendo encontros com estrelas de cinema esbeltas para me masturbar vendo suas cenas cinematográficas na cama. Em resumo, não havia para mim sexo regular que mantivesse meus gostos por mulheres jovens e esguias.

Quando uma gata magra foi jogada na minha cama sem aviso, não consegui ter um desempenho de acordo com meus padrões normais. Ela não era atraente para mim — pelo menos não ainda. Precisava de tempo para me ajustar e, depois de um mês ou dois fazendo sexo com uma Brenda mais magra e esguia, meus gostos mudaram de novo.

Alguns anos depois, porém, a tireoide de Brenda piorou, e os remédios se tornaram menos eficientes. Ela seguiu por aquele caminho lento e familiar até os oitenta e quatro quilos. Desta vez, não tive problemas em ajustar meus gostos, porque o ganho foi tão lento que ela continuou excitante para mim por toda a subida.

Então, o desastre bateu à porta novamente. Do nada, Brenda foi derrubada por um problema sério nas costas, com uma dor ciática causticante que a apunhalava pela perna, descendo até os dedos. Ficar em pé era excruciante. Deitar-se era excruciante. A única maneira que conseguia dormir era sentada na mesa da cozinha com a cabeça apoiada nas mãos. As noites duravam para sempre e os dias eram intermináveis. Teve início então a Dieta do Estresse versão 2.0, que queimou quilos como manteiga derretendo numa frigideira. Ela passou a pesar sessenta quilos num piscar de olhos. Foi de um especialista para outro durante quatro terríveis meses, e nenhum conseguiu encontrar a causa da dor que sentia. Estávamos a apenas uma semana de uma cirurgia de fusão espinhal quando a condição desapareceu da noite para o dia. Sua dor sumiu tão rapidamente quanto surgiu.

O sexo foi retomado e adivinhe o que aconteceu? Exatamente os mesmos medos sobre desempenho começaram a atacar minha mente. Uma vez que Brenda estava de volta ao peso de sessenta quilos, eu estava dormindo de novo com uma estranha. Foram necessários alguns meses de sexo com a nova Brenda para me sentir completamente confortável na cama de novo.

Depois dessa segunda vez no liquidificador, finalmente comecei a entender o que Deus estava tentando nos dizer em Provérbios 5.18-23. Não se esqueça: eu não me masturbei por anos. Não cobicei mulheres bonitas no trabalho por anos. Nem sequer surfei na internet em busca de fotos sensuais de atrizes jovens.

Toda derradeira vasilha de prazer sexual estava sendo servida por Brenda. Eu permitia que apenas os seios *dela* me refrescassem e satisfizessem. Nunca abracei visualmente os seios de outras mulheres e, por causa disso, fui capaz de ficar exultante diante de Brenda, sem levar em conta seu peso, sem pensar em sua idade. Quando passei a ter olhos apenas para Brenda, logo soube que minha sexualidade mudaria juntamente com ela porque Deus havia construído dentro de mim a capacidade de que meus gostos seguissem a direção dela.

Deus é bom demais! A maleabilidade de nossos gostos sexuais é um dom inestimável. Talvez a maior bênção seja o fato de que ela remove o lado visual de nossa sexualidade da equação conjugal, permitindo que nos conectemos mais facilmente com a alma que reside *dentro* do corpo dela, que nada mais é do que uma tenda temporária. De acordo com o apóstolo Paulo, "enquanto vivemos nesta tenda que é o corpo terreno, gememos e suspiramos, mas isso não significa que queremos ser despidos. Na verdade, queremos vestir nosso corpo novo, para que este corpo mortal seja engolido pela vida" (2Co 5.4).

Como se vê, você não deve mais fazer sexo com a "tenda" dela. Você deve fazer sexo com o que está do lado de dentro: sua alma e seu espírito. A tenda dela, assim como a sua, tem uma glória efêmera.

Você já viu aquelas barracas para uma só pessoa na internet? É essencialmente o que nosso corpo é. Embora você seja visual, como homem você não deve se concentrar em tendas ou em apenas fazer sexo com uma tenda; você deve fazer sexo com a maravilhosa alma humana que está *dentro* da tenda da sua esposa.

Rejeitei este estranho e obsessivo mundo de tendas muito tempo atrás, quando iniciei minha batalha pela pureza. Como resultado, quando olho para Brenda hoje, não vejo mais a sua tenda; é ela quem eu vejo.

Ah, claro que sim, Fred.

Por que isso surpreende você? Está obcecado pela tenda da sua esposa, pelo peso dela e o tamanho de seu sutiã? Talvez você fique deprimido quando as medidas ficam fora dos seus parâmetros. Se é o caso, você foi enfeitiçado, e o Senhor insiste que você mude seu pensamento: "Assim, eu lhes digo com a autoridade do Senhor: não vivam mais como os gentios, levados por pensamentos vazios e inúteis" (Ef 4.17).

Olha, eu sou homem. Serei visual até o dia da minha morte. Para um número muito grande de nós, porém, a sexualidade é dominada por nossos olhos, mesmo depois de aprendermos a desviar nosso olhar e pararmos de buscar satisfação fora do casamento. Embora nunca venhamos a dizer isto para nossa esposa, nossa atitude é clara: *Ok, consegui colocar meus olhos sob controle, e você está com a aparência melhor do que nunca! Já fiz a minha parte. Já me livrei do meu estoque de pornografia e parei de olhar para as gostosas de fio dental. Mas você precisa fazer a sua parte, meu bem. Torne-se uma delas! Sempre magra. Sempre disponível. Sempre sorrindo com aquele olhar que diz "venha aqui", pronta para a ação. Torne-se aquilo de que abri mão por você!*

O fato é que alguns autores cristãos estão em essência instruindo as esposas a se tornarem estrelas pornô para seus maridos, insistindo que é responsabilidade da mulher se tornar aquilo que seu marido deixou de buscar em outro lugar para obter prazer visual.

Sabe, não vejo problema em você e sua esposa aprenderem novas habilidades no quarto. O livro clássico de Ed e Gayle Wheat, intitulado *Sexo e Intimidade*, foi imensuravelmente útil para Brenda e eu assim que nos casamos e estávamos aprendendo como agradar um ao outro fisicamente. Se vocês nunca leram juntos um livro como esse, devem fazê-lo.

Mas deixe-me perguntar uma coisa: fazer de sua esposa uma estrela pornô leva você na direção certa? Se você precisa destruir os trilhos que levam à Estação Apetitiva e voltar para o plano original de Deus, para a intimidade na Estação Consumatória, de que maneira esse plano pode ajudar você a chegar lá? Afinal de contas, ao fazer isso, você ainda está percorrendo os mesmos velhos trilhos que levam ao *playground* da intensidade, consolidando seu foco ali com a ajuda da recompensa da dopamina. Você simplesmente trocou a estrela pornô para a qual está olhando. Você está verdadeiramente se conectando de maneira íntima com sua esposa, a filha preciosa de Deus, de coração para coração? Ou ainda está simplesmente correndo atrás de suas fantasias, usando sua esposa como apoio?

O problema com essa abordagem é que não está acontecendo nenhuma transformação subjacente de nossa sexualidade corrompida. Ela ainda não está focada em nossa esposa. Ainda não tem a ver com o estabelecimento de uma conexão interior de valor. Ainda tem a ver apenas com beleza exterior e fantasias e em obter nosso prazer através dos olhos. Se nossa esposa não corresponder, vamos nos afastar e olhar para outro lugar em busca de beleza e excitação? Essa não parece ser uma resposta espiritual.

Não há nada de errado com a beleza exterior, mas ela não deveria dominar nossa sexualidade, assim como nossos olhos também não, especialmente devido ao fato de a plasticidade de nosso cérebro permitir que nossos gostos sejam flexíveis e se amoldem a nossa esposa, contanto que preparemos nosso coração para deixar que isso aconteça. Deus lhe deu o mandamento para que você sempre se alegre com a mulher da sua juventude, mas isso não será possível se você continuar cobiçando moças jovens e esbeltas.

Se você *parar* de cobiçar, porém, Deus tem algo melhor à sua espera: uma parceira maravilhosa com a qual poderá envelhecer e que pode continuar a satisfazê-lo, mesmo na melhor idade. Se permitir que seus gostos mudem em razão de caminhar na verdade de Deus e permanecer disciplinado com seus olhos, você será alegrado pela esposa da sua juventude até o final de sua vida.

Brenda é mais sensual para mim hoje do que antes porque não estou mais fazendo sexo apenas com sua tenda. Estou me encontrando com aquela mulher adorável e arrebatadora dentro dela que mostra "a beleza que vem de dentro e que não desaparece, a beleza de um espírito amável e sereno" (1Pe 3.4).

Felizmente, Deus também criou *você* a partir de um projeto maravilhoso, incluindo seu cérebro plástico e seus gostos sexuais maleáveis. Seja disciplinado com seus olhos e permita que o projeto de Deus desempenhe a parte que lhe cabe em seu casamento. Isso trará libertação e você será alegrado pela alma da sua esposa todos os dias de sua vida.

Agora vá e faça isso acontecer.

CADERNO DE EXERCÍCIOS

Possíveis dúvidas sobre este caderno de exercícios

· · · · · · · · · ·

O que o caderno de exercícios de *A batalha de todo homem* vai fazer por mim? Este caderno de exercícios vai conduzi-lo por estudos bíblicos sérios, um exame profundo de sua vida pessoal e uma aplicação honesta da verdade bíblica de modo a ajudá-lo a vencer a guerra da tentação sexual e, assim, viver uma vida pura do jeito de Deus.

Você encontrará ajuda realista diretamente da Palavra de Deus para treinar ativamente seus olhos e sua mente para cada vez mais ver e pensar de acordo com os padrões de Deus. Acreditamos que completar este caderno de exercícios é fundamental para a aplicação e a absorção do material presente em *A batalha de todo homem*.

Este caderno de exercícios é suficiente ou também preciso ler *A batalha de todo homem*? Embora existam excertos de *A batalha de todo homem* em cada capítulo (cada um deles marcado no início e no final pelo símbolo 📖), recomendamos que você leia o trecho no contexto do livro para ter uma ideia do quadro geral e assim compreender plenamente os conceitos apresentados.

As lições parecem longas. Preciso passar por todos os passos de cada uma delas? Este caderno de exercícios foi planejado para promover a exploração de todo o conteúdo, mas você talvez considere que é melhor concentrar seu tempo e discussão em algumas sessões e perguntas mais do que em outras.

Para ajudar na determinação do seu ritmo, planejamos o guia de modo que possa ser usado mais facilmente por meio de uma abordagem de oito ou doze semanas.

- Para a caminhada de oito semanas, simplesmente siga a organização básica já apresentada, com as oito diferentes lições semanais.

- Para a caminhada de doze semanas, as lições 2, 4, 5 e 6 podem ser divididas em duas partes (você encontrará o local da divisão marcado no texto).

(Além disso, é claro, você pode decidir seguir em um ritmo diferente — mais rápido ou mais devagar — quer esteja trabalhando com o guia individualmente ou junto com um grupo.)

Acima de tudo, tenha em mente que o propósito deste guia é conduzi-lo a aplicar em sua vida, de forma específica, as verdades bíblicas ensinadas em *A batalha de todo homem*. O amplo escopo das perguntas incluídas em cada estudo semanal tem o propósito de ajudar você a abordar a aplicação prática a partir de ângulos diferentes, juntamente com reflexão pessoal e autoexame. Por isso, é importante reservar um tempo adequado para refletir em oração sobre cada pergunta; assim será muito mais valioso para você do que passar apressadamente por todo o guia.

Como devo proceder para montar um pequeno grupo de estudo deste guia?
Você terá um proveito muito maior deste caderno de exercícios se conseguir estudá-lo junto com um pequeno grupo de homens que pensem da mesma forma. E o que fazer se você não conhecer nenhum grupo que esteja estudando este guia? Crie um grupo você mesmo!

Se você levar um exemplar deste livro e mostrá-lo aos homens cristãos que conhece, ficará surpreso ao perceber quantos demonstrarão interesse em se juntar a você para explorar este assunto juntos. E isso não vai exigir um compromisso longo deles. O caderno de exercícios está claramente organizado de modo que vocês possam completar uma lição por semana e concluí-lo em apenas oito semanas — ou, se vocês quiserem seguir em um passo mais lento, podem seguir as instruções fornecidas para cobrir exatamente o mesmo conteúdo em uma caminhada de doze semanas.

Seu encontro de uma vez por semana pode acontecer durante o horário de almoço de um dia no trabalho, pela manhã antes de começar a trabalhar ou numa noite no meio da semana, ou até mesmo numa manhã de sábado. O local pode ser um escritório ou uma sala de reuniões no trabalho, uma sala em um clube ou restaurante, uma sala de aula da igreja ou ainda no porão ou no estúdio da casa de alguém. Escolha um lugar onde sua discussão não seja ouvida por pessoas de fora, de modo que os homens se sintam confortáveis em compartilhar de maneira clara e franca.

Este caderno de exercícios segue um projeto simples e fácil de ser usado. Primeiro, cada homem do grupo completa a lição de uma determinada semana sozinho. Então, quando vocês se reunirem naquela semana, todos podem discutir as perguntas do grupo que aparecem no item "A conversa de todo homem" presente na lição de cada semana. Naturalmente, se vocês tiverem tempo, também podem discutir mais amplamente qualquer uma das outras perguntas ou tópicos da lição daquela semana — garantimos que os homens do seu grupo vão achar que vale a pena explorar isso. E é bem provável que eles próprios tenham um monte de perguntas pessoais relacionadas para trazerem à discussão.

Será melhor ter uma pessoa no seu grupo designada como facilitador. Essa pessoa *não é* um palestrante ou professor, mas simplesmente é aquele que tem a responsabilidade de fazer a discussão caminhar e garantir que cada homem do grupo tenha oportunidade de participar plenamente.

No começo, relembre aos homens a regra básica de que qualquer coisa compartilhada no grupo deve *permanecer* no grupo — tudo é confidencial. Isso fará com que todos se sintam seguros quanto a compartilhar de maneira honesta e aberta dentro de um ambiente de confiança.

Por fim, encorajamos que, durante cada reunião do grupo, vocês tenham um tempo para orar — orações conversacionais, de frases curtas, expressas de maneira honesta perante Deus. Muitos homens não se sentem confortáveis em orar em voz alta na frente de outros, de modo que, de maneira compreensiva, faça tudo que puder para ajudá-los a superar essa barreira.

1

Onde estamos?

•••••••••

Tarefa de leitura desta semana:
Introdução e capítulos 1—3 de *A batalha de todo homem*

📖 Antes de experimentar a vitória sobre o pecado sexual, você se sente ferido e confuso. *Por que não consigo vencer esta batalha?*, você reclama, frustrado. À medida que a luta avança e a pilha de perdas aumenta, você pode começar a duvidar de tudo sobre si mesmo, até mesmo de sua salvação. Na melhor das hipóteses, você acha que está profundamente ferido; na pior, acha que é uma pessoa maligna. Você deve se sentir muito sozinho, visto que um homem fala muito pouco sobre essas coisas.

Mas você não está sozinho. Muitos homens têm caído em seus próprios abismos sexuais, como você está prestes a ver. 📖

— Do capítulo 3 de *A batalha de todo homem*

A VERDADE DE TODO HOMEM
(*Sua jornada pessoal rumo à Palavra de Deus*)

Ao começar este estudo, peça a ajuda do Espírito Santo para ouvir e obedecer à palavra pessoal que Deus tem para você. Leia e medite nas passagens bíblicas a seguir, que têm a ver com a santidade de Deus e o chamado que ele faz à pureza. Deixe que o Senhor lembre você de que ele o está chamando à pureza porque deseja o melhor para você. Lembre-se também de que ele se deleita em você como aquele que é feito à sua imagem e deseja que você seja cada dia mais semelhante a ele.

Vocês ouviram o que foi dito: "Não cometa adultério". Eu, porém, lhes digo que quem olhar para uma mulher com cobiça já cometeu adultério com ela em seu coração.

Mateus 5.27-28

Quem se atreve a acusar os escolhidos de Deus? Ninguém, pois o próprio Deus nos declara justos diante dele. Quem nos condenará, então? Ninguém, pois Cristo Jesus morreu e ressuscitou e está sentado no lugar de honra, à direita de Deus, intercedendo por nós. O que nos separará do amor de Cristo? Serão aflições ou calamidades, perseguições ou fome, miséria, perigo ou ameaças de morte? [...]

Mas, apesar de tudo isso, somos mais que vencedores por meio daquele que nos amou. E estou convencido de que nem morte nem vida, nem anjos nem demônios, nem o que existe hoje nem o que virá no futuro, nem poderes, nem altura nem profundidade, nada, em toda a criação, jamais poderá nos separar do amor de Deus revelado em Cristo Jesus, nosso Senhor.

Romanos 8.33-35,37-39

"Venham, vamos resolver este assunto",
  diz o Senhor.
"Embora seus pecados sejam como o escarlate,
  eu os tornarei brancos como a neve;
embora sejam vermelhos como o carmesim,
  eu os tornarei brancos como a lã."

Isaías 1.18

1. O que as palavras de Jesus dizem a você sobre a profunda preocupação que ele tem por sua vida de pensamentos?
2. Que conforto você recebe das palavras de Paulo aos crentes de Roma? De que maneira essa passagem está relacionada aos seus sentimentos de culpa depois de ter cedido à cobiça?
3. No que se refere ao pecado de um crente, como você faria a distinção entre rebelião e imaturidade? Qual é a atitude de Deus em relação a nós à medida que crescemos — e tropeçamos — em nossas tentativas de caminhar em santidade com ele? (Pense na forma como você se relaciona com seus próprios filhos, se você os tiver.)
4. "Brancos como a neve" é a imagem que o profeta faz da santidade de Deus. Até que ponto você anseia pela santidade e pela pureza em sua vida? De que maneira as palavras de Isaías lhe dão esperança?

A ESCOLHA DE TODO HOMEM
(*Perguntas para reflexão e exame pessoal*)

📖 Você está numa posição difícil. Vive em um mundo inundado por imagens sensuais disponíveis 24 horas por dia em uma variedade de meios: impressos, televisão, vídeo, internet e celular. 📖

📖 Depois de lecionar sobre o assunto da pureza sexual masculina na escola dominical no final dos anos 1980, fui abordado um dia por um homem que disse: "Sempre pensei que por ser homem eu não seria capaz de controlar meus olhos errantes. Não sabia que poderia haver um jeito". 📖

5. Por que você acha que buscar a integridade sexual é um tópico tão controverso? Quão realista é essa busca para você?
6. Que nível de consciência você tem das imagens sensuais ao seu redor? De que maneira você tem lidado — ou *não lidado* — com esse bombardeio diário de sexualidade?
7. Você já considerou que seus olhos errantes eram incontroláveis? No passado, em que situações houve maior probabilidade de você perder o controle? O que o ajudou a exercer controle?

A CAMINHADA DE TODO HOMEM
(*Seu guia para a aplicação pessoal*)

📖 Steve: Não consigo nem dizer como era seu rosto, pois absolutamente nada acima do seu pescoço ficou registrado em minha mente naquela manhã. Meus olhos se deleitaram com aquele banquete de carne resplandecente, enquanto ela passava à minha esquerda, e eles continuaram a seguir aquela forma graciosa durante sua corrida em direção ao sul. Simplesmente por instinto lascivo, como se hipnotizado por sua maneira de correr, eu virava cada vez mais a cabeça, estendendo o pescoço para capturar cada momento possível em minha câmera de vídeo mental.

E então, *blam*!

Eu ainda poderia estar maravilhado com aquele inesquecível espécime de atletismo feminino se meu Mercedes não tivesse entrado em outro carro que havia parado em minha faixa. 📖

📖 Fred: Havia um monstro espreitando, e ele aparecia todo domingo de manhã, quando me jogava em minha poltrona confortável e abria o jornal. Rapidamente encontrava os encartes de lojas de departamentos e começava a olhar as páginas coloridas, cheias de modelos posando somente de calcinha e sutiã. Sempre estavam sorrindo. Sempre disponíveis. Eu adorava admirar aquelas páginas de publicidade. Eu mesmo me justificava: *Sei que está errado, mas é algo tão pequeno. Está muito longe de ser uma revista erótica, certo? E eu já desisti disso, não foi?*

Então, eu me divertia com o jornal de domingo, procurando as calcinhas nas propagandas e criando fantasias na mente. 📖

8. Você considera que essas situações relatadas por Steve e Fred são comuns entre os homens cristãos que você conhece?
9. Pense por um momento no acidente de carro sofrido por Steve. Em quantos problemas você já se meteu no decorrer dos anos graças aos seus próprios olhos? Qual incidente especialmente doloroso se destaca para você neste momento?
10. Os olhos de Fred eram particularmente vulneráveis aos anúncios sensuais em jornais. Em quais situações seus próprios olhos são mais vulneráveis? Quais passos você deu até aqui para evitar tais situações?
11. Lembre-se de que, no capítulo 2, Fred fala que, por seu pecado, estava pagando um preço no relacionamento que tinha com Deus, com sua esposa, com seus filhos e com sua igreja. Em quais dessas áreas da vida você acha que o pecado sexual fere mais rapidamente e de maneira mais óbvia? De que maneira isso acontece com você?
12. De forma silenciosa, reveja o que você escreveu e aprendeu no estudo desta semana. Se outros pensamentos ou pedidos de oração vierem à sua mente e ao seu coração, talvez você queira tomar nota deles.
13. a. Para você, qual foi o conceito ou verdade mais significativo no estudo desta semana?
b. Como você falaria com Deus sobre isso? Escreva sua resposta como uma oração a ele.
c. O que você acredita que Deus quer que você faça em resposta ao estudo desta semana?

A CONVERSA DE TODO HOMEM

(*Tópicos e perguntas construtivas para discussão em grupo*)

Principais destaques do livro para leitura em voz alta e discussão

📖 Quando somos parcialmente viciados com certeza experimentamos fortes e aparentemente irresistíveis atrações compulsivas, mas geralmente não somos compelidos a agir para evitar alguma dor, pelo menos não na mesma intensidade que os homens nesses níveis mais altos de dependência. Em vez disso, somos compelidos pela euforia química e pela satisfação sexual que ela proporciona.

Isso diz algo, não é? E só pode significar uma coisa. Deve haver algo *dentro* de nossa constituição como homens que nos torna particularmente suscetíveis ao vício sexual, e deve haver algo *fora* de nós, em nossa cultura, que torna essa ladeira traiçoeira assim tão escorregadia.

Para que possamos ficar livres, devemos primeiro explorar nossa constituição como homens e por que nossa cultura sensual é tão atraente para nós, apesar do nosso amor por Cristo. Só então seremos capazes de nos defender do vício sexual 📖

PERGUNTAS PARA DISCUSSÃO

A. Quais partes dos capítulos 1—3 de *A batalha de todo homem* foram mais úteis ou encorajadoras para você e por quê?
B. Quais elementos das histórias contadas por Steve e Fred causaram maior impacto em você? Por quê?
C. Como você resumiria a diferença entre desejo sexual normal e vício em sexo?
D. Você concorda que o sexo pode ser uma maneira de tentar escapar da dor interna? Qual é a sua própria experiência com isso?
E. Por que você acha que o pecado sexual cria uma barreira para a adoração íntima a Deus?
F. Como você explicaria para outro homem o que os autores definem como vício parcial?
G. Até que ponto você concorda ou discorda da alegação do livro de que, para a maioria dos homens, o pecado sexual se baseia em picos de prazer em vez de em vício verdadeiro?
H. Para você, quais aspectos de nossa cultura obcecada por sexo e encontrados diariamente são particularmente difíceis de lidar?

2

Como chegamos aqui (Parte A)

• • • • • • • • •

**Tarefa de leitura desta semana:
Capítulos 4—5 de *A batalha de todo homem***

📖 Para a maioria de nós homens, ser seduzido pelo pecado sexual é algo que acontece fácil e naturalmente, assim como escorregar em um chão molhado. [...]

A maioria dos homens espera se libertar da tentação sexual de forma tão natural como se envolveu nela — como uma espinha que estoura. Talvez você esperasse que, em cada aniversário, estaria livre da impureza sexual, como eu pensava. Mas isso nunca aconteceu.

Depois, talvez você tenha pensado que o casamento o libertaria naturalmente, sem luta. Mas — como foi o caso para muitos de nós — isso também não aconteceu. 📖

— Do capítulo 4 de *A batalha de todo homem*

A VERDADE DE TODO HOMEM
(*Sua jornada pessoal rumo à Palavra de Deus*)

Leia e medite nas seguintes passagens bíblicas, que lidam com o julgamento e a misericórdia de Deus — uma combinação demonstrada de forma poderosa na cruz de Cristo. Ali, o *julgamento* de Deus sobre o pecado nos libertou *com misericórdia* da obrigatoriedade de experimentar a destruição do pecado. Ao estudar, relembre que o plano de Deus é libertar os pecadores e então usá-los para alcançar outros.

Portanto, como filhos amados de Deus, imitem-no em tudo que fizerem. Vivam em amor, seguindo o exemplo de Cristo, que nos amou e se entregou por nós como oferta e sacrifício de aroma agradável a Deus.

Que não haja entre vocês imoralidade sexual, impureza ou ganância. Esses pecados não têm lugar no meio do povo santo. [...]

Pois antigamente vocês estavam mergulhados na escuridão, mas agora têm a luz no Senhor. Vivam, portanto, como filhos da luz! Pois o fruto da luz produz apenas o que é bom, justo e verdadeiro. Procurem descobrir o que agrada ao Senhor.

Efésios 5.1-3,8-10

A vontade de Deus é que vocês vivam em santidade; por isso, mantenham-se afastados de todo pecado sexual. Cada um deve aprender a controlar o próprio corpo e assim viver em santidade e honra, não em paixões sensuais, como os gentios que não conhecem a Deus. Nesse assunto, não prejudiquem nem enganem um irmão, pois o Senhor punirá todas essas práticas, como já os advertimos solenemente. Pois Deus nos chamou para uma vida santa, e não impura.

1Tessalonicenses 4.3-7

Tem misericórdia de mim, ó Deus,
    por causa do teu amor.
Por causa da tua grande compaixão,
    apaga as manchas de minha rebeldia. [...]
Restaura em mim a alegria de tua salvação
    e torna-me disposto a te obedecer.
Então ensinarei teus caminhos aos rebeldes,
    e eles voltarão a ti.

Salmos 51.1,12-13

1. O que o sacrifício pessoal de Cristo significa para você? De que maneira ele é um motivo persuasivo para uma vida de santidade?
2. O que significa, para você, viver como filho da luz? Como você percebe quando está se tornando vulnerável às trevas?
3. Como você reage à perspectiva de castigo pelo pecado? No passado, o que costumava ser o melhor motivador ou encorajador para mantê-lo longe da impureza sexual? O que você tem feito para fortalecer essa motivação na sua vida?
4. Primeiramente, ofereça a Deus as palavras do salmo 51 como uma oração sincera e pessoal. Depois, reserve um momento para imaginar como Deus poderia usar você no futuro para ministrar a outro homem sobre a pureza sexual.

A ESCOLHA DE TODO HOMEM
(Perguntas para reflexão e exame pessoal)

📖 Quando Mark se inscreveu para minhas aulas de assuntos pré-matrimoniais, ele me disse:

— Toda essa questão de impureza tem sido uma bagunça. Fui fisgado há anos e estou contando com meu casamento para me ver livre disso. Poderei fazer sexo sempre que desejar. Satanás não poderá mais me tentar!

Quando nos encontramos alguns anos depois, não foi surpresa ouvir que o casamento não tinha resolvido o problema dele. Ele disse: [...]

— Não quero parecer um viciado em sexo ou coisa parecida, mas provavelmente tenho muitos desejos não correspondidos agora, assim como os tinha antes de me casar. 📖

📖 Então, você não saiu naturalmente do seu pecado sexual, e o casamento também não resolveu o seu problema. [...]

Veja, é hora de você se livrar das falsas esperanças e aceitar a verdade. [...] Se você está cansado da impureza sexual e do relacionamento medíocre e distante de Deus que é resultado disso, pare de esperar que o casamento ou alguma queda de hormônios resolva os problemas. 📖

5. Se você fosse o Fred na conversa acima, como responderia a Mark?
6. Você concorda que o casamento não necessariamente é a cura para a impureza sexual? Quais são as implicações práticas disso para você?
7. Se você já se envolveu com impureza sexual, como experimentou o relacionamento distante com Deus citado pelos autores?
8. Que tipos de atitudes ou ações enfraquecidas você exibiu com o passar dos anos?

A CAMINHADA DE TODO HOMEM
(Seu guia para a aplicação pessoal)

📖 Se você está cansado da impureza sexual e do relacionamento medíocre e distante de Deus que é resultado disso, pare de esperar que o casamento ou alguma queda de hormônios resolva os problemas.

Se você deseja mudar, terá de lutar por isso. A liberdade nunca é de graça. A pureza lhe custará algo. Você vai precisar se impor, encontrar suas vulnerabilidades e, então, lutar contra elas com todo o seu coração. Espere uma batalha. É o caminho de volta ao topo. 📖

📖 Evitar completamente a imoralidade sexual é uma atitude santa e honrada — devemos nos arrepender da impureza, fugir e deixar nosso corpo distante dela, enquanto vivemos pelo Espírito. Passamos muito tempo vivendo como pagãos na entrega à paixão. É hora de mudar. 📖

9. Que tipo de preços ocultos você pagou por deixar de ser puro em relação aos seus desejos sexuais? (Reserve um momento para sentar-se calmamente com seu arrependimento e sua tristeza por isso. Invoque a presença do Senhor enquanto experimenta essa dor.)
10. Se você é casado, o que o surpreendeu em relação a suas experiências sexuais com sua esposa?
11. Em oração, considere o que será necessário para que você evite completamente a imoralidade sexual nas semanas e nos anos futuros. (Pense em quaisquer mudanças em sua autoimagem e/ou na imagem que você tem de Deus que possam ser requeridas. Considere também quais formas de prestação de contas você talvez tenha de estabelecer.)
12. De forma silenciosa, reveja o que você escreveu e aprendeu no estudo desta semana. Se outros pensamentos ou pedidos de oração vierem à sua mente e ao seu coração, talvez você queira tomar nota deles.

A CONVERSA DE TODO HOMEM
(Tópicos e perguntas construtivas para discussão em grupo)

Principais destaques do livro para leitura em voz alta e discussão

📖 O sexo possui significados diferentes para homens e mulheres. Os homens primariamente recebem intimidade apenas antes e durante o ato sexual. As mulheres conquistam a intimidade através do toque, do compartilhamento, do abraço e da comunicação. É mesmo surpreendente que a frequência do sexo seja menos importante para as mulheres do que para os homens? 📖

📖 Larry descobriu que Linda estava muito mais interessada em sua própria carreira do que em satisfazê-lo sexualmente. Ela não era apenas desinteressada em sexo, mas utilizava isso como uma arma manipuladora para fazer tudo do seu jeito. Consequentemente, Larry não fazia sexo com frequência. Duas vezes no mês era muito, e uma vez a cada dois meses era a norma.

O que Larry deveria dizer a Deus? 📖

📖 Não somos vítimas indefesas aqui. A verdade é que, como homens, simplesmente escolhemos, consciente ou subconscientemente, misturar nossos próprios padrões de conduta sexual com os padrões de Deus. Em algum lugar ao longo do caminho, o padrão de Deus pareceu antinatural ou difícil, então nós criamos um combinado mais suave, mais leve — algo novo, confortável, medíocre. 📖

PERGUNTAS PARA DISCUSSÃO

A. Quais partes do capítulo 4 de *A batalha de todo homem* foram mais úteis ou encorajadoras para você e por quê?
B. Você concorda com a descrição dos autores sobre a maneira como o sexo tem significado diferente para homens e mulheres? (Opcional: De que maneira você acrescentaria algo ou modificaria a descrição que eles fizeram para torná-la mais relevante para sua própria situação?)
C. Responda à pergunta que surge no final da história de Larry: O que Larry deveria dizer a Deus? Se você fosse o melhor amigo de Larry, qual seria seu conselho?
D. Se um homem misturou seus padrões de sexualidade com os de Deus, quais são os primeiros passos que ele pode dar para voltar aos trilhos? (Façam juntos uma sessão de *brainstorm* sobre ações práticas que um homem pode realizar com base em sua experiência e/ou seu estudo até aqui.)
E. Em suas próprias palavras, e de uma maneira prática que seja proveitosa para homens cristãos hoje, como você resumiria os padrões de Deus para a pureza sexual?

> Nota: Se você está seguindo a caminhada de doze semanas,
> deixe o restante desta lição para a próxima semana.
> Se estiver na caminhada de oito semanas, siga adiante.

A ESCOLHA DE TODO HOMEM
(Perguntas para reflexão e exame pessoal)

📖 A excelência é um padrão misto, não um padrão fixo. [...]

Será que é realmente lucrativo para os cristãos se contentar com esse meio-termo de excelência? É suficiente este lugar onde os custos são baixos e onde existe um equilíbrio entre o paganismo e a obediência? É claro que não! Enquanto nos negócios é muito lucrativo *parecer* perfeito, no domínio espiritual é meramente *confortável* parecer perfeito. Mas espiritualmente nunca é lucrativo. [...]

Como seguidores de Cristo, devemos aspirar pelo padrão fixo da obediência se desejamos um dia encontrar a liberdade sexual. 📖

📖 Se você não liquidar todo indício de imoralidade — até aqueles que são comuns —, será capturado pela sua inclinação, como homem, de ser atraído pela satisfação sexual e pela euforia química através dos olhos, e seus padrões mistos cairão nas mãos do inimigo.

Mas você não pode lidar com seus olhos masculinos enquanto não lidar primeiro com o seu cérebro tipo "S" e rejeitar seu direito de misturar seus padrões. Enquanto pergunta "Quão santo posso ser?", você deve orar e se comprometer com um novo relacionamento com Deus, completamente alinhado com seus caminhos e seu chamado à obediência. 📖

13. Como você explicaria a diferença entre a busca pela excelência e a busca pela perfeição (por meio da obediência)?
14. Você acredita que tem direito a, pelo menos às vezes, misturar seus próprios padrões com os padrões de Deus?
15. Considere a diferença de atitude refletida nas perguntas a seguir:
    a. Até onde posso ir e ainda ser chamado de cristão?
    b. Quão santo eu posso ser? Como essas atitudes provavelmente se manifestariam nas ações de um homem?

A CAMINHADA DE TODO HOMEM
(*Seu guia para a aplicação pessoal*)

📖 Mas isso nunca é suficiente para Deus porque ele não quer que seus filhos tenham apenas seu DNA; ele quer que tenhamos também seu caráter. Eu nunca teria desenvolvido um caráter divino se ficasse nesse meio-termo, ponderando: *Até onde eu posso ir e ainda parecer cristão o suficiente?* Para atingir a maturidade, eu precisava fazer uma pergunta diferente: *Quão santo eu posso ser?* 📖

📖 Em muitas áreas, costumamos estar sentados juntos no meio-termo da excelência, a uma boa distância de Deus. Quando desafiados por padrões divinos mais elevados, nosso cérebro tipo "S" subconscientemente toma conta nos bastidores. O problema é que não parecemos muito diferentes dos que nos rodeiam. Também não parecemos muito diferentes dos não cristãos. 📖

16. Como você responderia a alguém que lhe perguntasse: "Por que eu deveria eliminar qualquer indício de impureza sexual?".
17. Pense cuidadosamente em algumas das tentações e/ou práticas impuras que você tem conseguido eliminar de seus dias até aqui. Quais indícios ainda permanecem?
18. De forma bem realista, qual tem sido para você o custo de ser cristão nestes dias? Faça uma lista de algumas de suas etiquetas de preço espirituais. O que essa lista o leva a pensar?
19. Qual será o provável desafio que você terá a seguir, bem à sua frente, no que se refere a controlar seus olhos e mente? Quais preparativos você fez para estar pronto para o ataque da tentação?
20. a. Para você, qual foi o conceito ou verdade mais significativo no estudo desta semana?
b. Como você falaria com Deus sobre isso? Escreva sua resposta como uma oração a ele.
c. O que você acredita que Deus quer que você faça em resposta ao estudo desta semana?

A CONVERSA DE TODO HOMEM
(*Tópicos e perguntas construtivas para discussão em grupo*)

Principais destaques do livro para leitura em voz alta e discussão

📖 O que você almeja na vida: excelência ou obediência? Qual é a diferença? Almejar a obediência é almejar a perfeição, não a "excelência", o que na verdade é algo inferior. Sua resposta a essa pergunta revela se o seu espírito ou o seu cérebro masculino está pensando por você.
Sua resposta revela também qual é a cultura que possui seu coração: a cultura do reino de Cristo ou a do mundo. 📖

📖 A excelência é enganosa. Ela ajuda para que possamos parecer bem e nos encaixar confortavelmente na multidão, em vez de pagar o preço da verdadeira obediência. 📖

📖 A impureza sexual se tornou crescente na igreja porque, como indivíduos, ignoramos o custoso trabalho da obediência aos padrões de Deus.

Se você não liquidar todo indício de imoralidade — até aqueles que são comuns —, será capturado pela sua inclinação, como homem, de ser atraído pela satisfação sexual e pela euforia química através dos olhos, e seus padrões mistos cairão nas mãos do inimigo. 📖

PERGUNTAS PARA DISCUSSÃO

F. Quais partes do capítulo 5 de *A batalha de todo homem* foram mais úteis ou encorajadoras para você e por quê?

G. Por que é tão mais fácil aprender sobre oração do que orar? Aprender sobre pureza do que praticar a pureza? Quais são alguns dos altos custos envolvidos?

H. Analisem juntos a história do rei Josias em 2Crônicas 34. Leia em voz alta o versículo 8 e os versículos 14-33. De que forma você vê o exemplo de Josias nessa passagem como um modelo de obediência? De que outras coisas o exemplo de Josias é modelo aqui?

I. Em que situações existe maior probabilidade de seus olhos brincarem livremente? Conversem sobre ações ou atitudes que ajudam a controlar seus olhos. (Esteja preparado para compartilhar o que funciona para você.)

3

Como chegamos aqui (Parte B)

• • • • • • • • •

Tarefa de leitura desta semana:
Capítulos 6—7 de *A batalha de todo homem*

📖 Você está perante uma importante batalha. Decidiu que a escravidão do pecado sexual não vale seu amor pelo pecado sexual. Você está comprometido a remover cada indício dele. Mas como? Sua masculinidade o assombra como seu pior inimigo.

Se entramos no pecado sexual naturalmente — pelo simples fato de sermos homens —, então como conseguiremos sair? Não podemos eliminar nossa masculinidade e também nem queremos fazer isso. 📖

— Do capítulo 7 de *A batalha de todo homem*

A VERDADE DE TODO HOMEM
(Sua jornada pessoal rumo à Palavra de Deus)

Ao iniciar seu estudo, peça a ajuda do Espírito Santo para ouvir as palavras pessoais que ele tem para você e para obedecer a elas. Leia as passagens bíblicas a seguir e medite nelas; todas têm a ver com o chamado de Deus à fidelidade no casamento. Ao ler, tenha em mente que Deus não está chamando você a qualquer coisa que seja estranha a ele próprio. As Escrituras proclamam, repetidas vezes, a total fidelidade do Senhor a você!

Não cometa adultério.

Êxodo 20.14

Pois o mandamento é lâmpada,
    e a instrução é luz;
e as correções da disciplina
    são o caminho que conduz à vida.

> Eles o protegerão da mulher imoral,
>> das palavras sedutoras da promíscua.
> Não cobice sua beleza;
>> não deixe que seus olhares o seduzam.
> Pois a prostituta o levará à pobreza,
>> mas dormir com a esposa de outro homem lhe custará a vida.
> Pode um homem carregar fogo junto ao peito
>> sem que a roupa se queime?
> Pode alguém caminhar sobre brasas
>> sem que os pés se queimem? [...]
> Mas o homem que comete adultério não tem juízo,
>> pois destrói a si mesmo.
>
> Provérbios 6.23-28,32

> Ele o cobrirá com as suas penas
>> e o abrigará sob as suas asas;
>> a sua fidelidade é armadura e proteção.
>
> Salmos 91.4

1. Quais são algumas das terríveis consequências da cobiça e do adultério? Como um homem destrói a si mesmo nos braços de outra mulher?
2. Quando pensa na fidelidade de Deus para com você, quais acontecimentos ou circunstâncias do passado vêm à sua mente? (Passe alguns momentos em silêncio agradecendo e louvando a Deus.)
3. O que você sente ao saber que o amor de Deus é como a proteção afetuosa e próxima que uma ave oferece aos seus filhotes? De que maneira a fidelidade de Deus age como "armadura e proteção" em sua vida?
4. Depois de cair em tentação, quão fácil ou difícil é para você correr imediatamente para as "asas" de Deus? Por quê?

A ESCOLHA DE TODO HOMEM
(Perguntas para reflexão e exame pessoal)

📖 O olho de um homem por si só, pode executar preliminares sexuais. Isso é fato. E sem mesmo tocar numa mulher.

Normalmente pensamos nas preliminares sexuais como algo tátil ou físico, como acariciar ou beijar um seio. Mas as preliminares são qualquer ação sensual que naturalmente prepara o corpo para a relação sexual, que inflama a paixão, levando-nos por etapas que nos fazem querer ir até o fim. Não precisa ser tátil. [...]

Não tenha dúvida quanto a isso: a satisfação sexual visual é uma forma de preliminar sexual. 📖

📖 Eu compreendi melhor como se parece a hombridade após a leitura de um boletim de notícias pelo autor e conferencista Dr. Gary Rosberg. Ele disse ter visto um par de mãos que o fez lembrar das mãos de seu pai, que já havia falecido. Gary continuou a se lembrar do que as mãos de seu pai significavam para ele. Então, transferiu seus pensamentos para as mãos de Jesus, ressaltando esta simples verdade: "Foram mãos que nunca tocaram uma mulher com desonra". 📖

5. Alguma vez você já considerou os perigos da preliminar visual? Qual é sua reação à declaração do autor sobre isso?
6. Que papel a satisfação sexual visual está desempenhando em sua vida atualmente? Qual é seu nível de consciência dela?
7. Pense na reputação das mãos de Jesus por um instante. Que legado suas mãos deixarão a respeito de você?
8. Leia Gálatas 6.7-8. Como você tem visto a verdade desse princípio em sua própria vida?

A CAMINHADA DE TODO HOMEM
(*Seu guia para a aplicação pessoal*)

📖 Eu [Fred] me lembro muito bem daquele momento — o local exato na estrada Merle Hay, em Des Moines — quando tudo veio à tona imediatamente. Eu havia pecado contra Deus com meus olhos mais de um milhão de vezes. Meu coração se derretia em culpa, dor e tristeza. Dirigindo pela estrada, agarrei-me violentamente ao volante e, com os dentes cerrados, gritei: "É isso! Vou conseguir. Estou fazendo uma aliança com meus olhos. Não me importo o que vai me custar, e não me importo se eu morrer tentando. Tudo vai acabar aqui. Vai acabar aqui!".

Eu estabeleci uma aliança e a construí tijolo por tijolo. Mais tarde, eu e Steve lhe mostraremos a planta para fazer esta parede de tijolos, mas por enquanto estude a minha volta por cima:
- Tomei uma decisão objetiva.
- Decidi de uma vez por todas mudar.

Não consigo descrever como cheguei a esse ponto. Um dilúvio de frustrações de anos de fracasso fluiu de meu coração. Simplesmente aconteceu! Eu não estava completamente convencido de que poderia confiar em mim até então, mas tinha finalmente entrado na batalha. Por meio da aliança com meus olhos, todos os meus recursos mentais e espirituais estavam agora direcionados a um único alvo: minha impureza.

Em suma, eu também havia optado pela verdadeira hombridade. Resolvi batalhar para superar minhas tendências masculinas naturais e embarquei em uma grande aventura para colocar o inimigo sob meus pés. 📖

📖 Deus tinha orgulho de Jó? Não há dúvida disso! Ele aplaudia a fidelidade de seus servos com palavras do mais alto louvor. [...]

Em Jó 31.1, vemos Jó fazer esta revelação surpreendente: "Fiz uma aliança com meus olhos de não olhar com cobiça para nenhuma jovem".

Uma aliança com os olhos! Você quer dizer que ele prometeu aos seus olhos não cobiçar uma mulher? Impossível, isso não pode ser verdade!

Mas Jó foi bem-sucedido; caso contrário, ele não teria feito esta promessa: "Se meu coração foi seduzido por uma mulher, ou se cobicei a esposa de meu próximo, que minha esposa se torne serva de outro homem; que outros durmam com ela" (Jó 31.9-10). 📖

9. Fred havia fracassado "um milhão de vezes". Quantas vezes já aconteceu com você? Você acredita que será preciso acontecer algo crítico como o de Fred para que chegue a um ponto de decidir fazer uma aliança? Por que sim ou por que não?

10. Você já sentiu que a graça de Deus era a única maneira de sair desse seu ciclo de fracasso de força de vontade? Como você respondeu?

11. Para você, o que significa descansar na graça salvadora de Deus? Como saberá quando estiver pronto para fazer dessa a sua resposta padrão durante as tentações mais difíceis?

12. Se fosse fazer uma aliança com seus olhos neste exato momento, como a escreveria?

13. De forma silenciosa, reveja o que você escreveu e aprendeu no estudo desta semana. Se outros pensamentos ou pedidos de oração vierem à sua mente e ao seu coração, talvez você queira tomar nota deles.

14. a. Para você, qual foi o conceito ou verdade mais significativo no estudo desta semana?

b. Como você falaria com Deus sobre isso? Escreva sua resposta como uma oração a ele.

c. O que você acredita que Deus quer que você faça em resposta ao estudo desta semana?

A CONVERSA DE TODO HOMEM
(*Tópicos e perguntas construtivas para discussão em grupo*)

Principais destaques do livro para leitura em voz alta e discussão

📖 Os olhos fornecem aos homens os meios para cometerem o pecado a torto e a direito. Não precisamos de um encontro ou de uma amante. Não precisamos nem mesmo esperar que uma mulher apareça em nosso apartamento. Temos olhos e podemos atrair a satisfação sexual através deles, a qualquer momento. Somos ativados pela nudez feminina de qualquer modo, jeito ou forma. 📖

📖 "A ciência moderna nos permite entender que a natureza subjacente de um vício em pornografia é quimicamente quase idêntica a um vício em heroína: O diferente é apenas o sistema de entrega e a sequência de passos." [Você encontrará a fonte dessa informação na página 76.]

Se você pensar bem, todo esse processo neurológico é incrível. Com base em suas decisões conscientes em relação a seu comportamento e experiências diários, você pode tanto sustentar suas sinapses como permitir que elas definhem. Em outras palavras, você tem controle sobre seus caminhos neurais, o que é extremamente útil em sua batalha pela pureza. 📖

PERGUNTAS PARA DISCUSSÃO

A. Quais partes dos capítulos 6 e 7 de *A batalha de todo homem* foram mais úteis ou encorajadoras para você e por quê?

B. Os homens são rebeldes por natureza. Obviamente, este não é um traço dado por Deus, mas um resultado de nossa natureza pecaminosa como seres humanos caídos. Pense em outros traços da masculinidade. Até que ponto cada um deles é um dom de Deus e até que ponto é o resultado de nossa natureza pecaminosa?

C. Como você descreveria a diferença entre masculinidade e hombridade?

D. De que maneira as recentes descobertas da ciência do cérebro trazem nova esperança às nossas lutas com a cobiça sexual?
E. Você aceita plenamente a conclusão de que um homem de verdade é aquele que coloca em prática a Palavra de Deus? Por que sim ou por que não?
F. Qual é a importância da comunhão com outros homens cristãos no que se refere à sua habilidade de ser um praticante da Palavra de Deus? Quais são as oportunidades de formar relacionamentos de prestação de contas dentro do seu grupo? Fale sobre isso!

4

Opção pela vitória

• • • • • • • • •

**Tarefa de leitura desta semana:
Capítulos 8—10 de *A batalha de todo homem***

📖 Quando conversamos com homens corajosos [...] veteranos da Segunda Guerra Mundial que personificam o título do livro de Tom Brokaw, *The Greatest Generation* [*A maior geração*] —, eles dizem que não se sentem heróis. Eles simplesmente tinham um trabalho a ser cumprido. Quando as rampas dos aviões que aterrissavam eram abertas, eles engoliam em seco e diziam: "Chegou a hora!". Era hora de lutar.

Em sua luta contra a impureza sexual, essa hora já não chegou? Com certeza, responder ao ataque será difícil. Também foi para nós. [...]

Sua vida e seu lar estão debaixo de um paredão devastador de uma sexualidade que metralha e fuzila a paisagem de forma impiedosa. Neste momento, você está em um avião aterrissando, aproximando-se cada vez mais da terra firme e da revelação final dos fatos. Deus lhe deu as armas e o treinou para a batalha.

Você não pode permanecer no avião para sempre. 📖

— Do capítulo 8 de *A batalha de todo homem*

A VERDADE DE TODO HOMEM
(*Sua jornada pessoal rumo à Palavra de Deus*)

Ao iniciar este estudo, leia e medite nas passagens bíblicas a seguir, que têm a ver com sua identidade e poder em Cristo. Lembre-se de que Cristo já lutou a batalha contra o pecado em seu favor — e venceu. Agora é hora de viver nessa vitória! Peça ao Espírito Santo que o conduza a aplicações práticas e específicas para sua vida diária.

Que vocês tenham cada vez mais graça e paz à medida que crescem no conhecimento de Deus e de Jesus, nosso Senhor.

Deus, com seu poder divino, nos concede tudo de que necessitamos para uma vida de devoção, pelo conhecimento completo daquele que nos chamou para si por meio de sua glória e excelência. E, por causa de sua glória e excelência, ele nos deu grandes e preciosas promessas. São elas que permitem a vocês participar da natureza divina e escapar da corrupção do mundo causada pelos desejos humanos.

2Pedro 1.2-4

Então, uma vez que morremos com Cristo, cremos que também com ele viveremos. Temos certeza disso, pois Cristo foi ressuscitado dos mortos e não mais morrerá. A morte já não tem nenhum poder sobre ele. Quando ele morreu, foi de uma vez por todas, para quebrar o poder do pecado. Mas agora que ele vive, é para a glória de Deus.

Da mesma forma, considerem-se mortos para o poder do pecado e vivos para Deus em Cristo Jesus. Não deixem que o pecado reine sobre seu corpo, que está sujeito à morte, cedendo aos desejos pecaminosos. Não deixem que nenhuma parte de seu corpo se torne instrumento do mal para servir ao pecado, mas em vez disso entreguem-se inteiramente a Deus, pois vocês estavam mortos e agora têm nova vida. Portanto, ofereçam seu corpo como instrumento para fazer o que é certo para a glória de Deus. O pecado não é mais seu senhor, pois vocês já não vivem sob a lei, mas sob a graça de Deus [...].

Estão livres da escravidão do pecado e se tornaram escravos da justiça.

Romanos 6.8-14,18

Levamos cativo todo pensamento rebelde e o ensinamos a obedecer a Cristo.

2Coríntios 10.5

1. De acordo com Pedro, o que exatamente Deus concedeu a você? Qual é a fonte de sua capacidade de "participar da natureza divina"? Em que momento você sentiu mais poderosamente a glória e a excelência de Jesus em sua vida?
2. Se temos tudo de que necessitamos para uma vida de devoção, o que nos impede de ter pureza sexual constante e duradoura? (Pense no que significa considerar-se morto para o poder do pecado.)
3. No auge da tentação sexual, o que significará para você não deixar "que nenhuma parte de seu corpo se torne instrumento do mal para servir ao pecado", como Paulo diz? Nesse ponto, o que será necessário para que nos entreguemos inteiramente a Deus? (Pense por alguns instantes no papel

que sua força de vontade é capaz ou não de desempenhar neste ponto da batalha.)
4. Quando seus pensamentos estão normalmente mais "cativos"? Quando existe maior probabilidade de que eles vagueiem livremente?

A ESCOLHA DE TODO HOMEM
(*Perguntas para reflexão e exame pessoal*)

📖 Eu também estava com raiva. Estava cansado de pecar, cansado de Satanás e cansado de mim. Não queria mais esperar. Assim como o povo de Israel, comecei a me rejeitar (Ez 6.9). Desejava vencer imediatamente e de forma definitiva, não em algum lugar da estrada da vida, quando os anos poderiam trazer a vitória pela porta dos fundos. Eu queria vencer quando a batalha estivesse no auge

Você também pode. Se você não vencer agora, nunca saberá se é verdadeiramente um homem de Deus que realmente está buscando seus propósitos. 📖

📖 O pecado sexual não é apenas um jogo ou apenas mais uma forma de entretenimento cativante. Ele deforma os caminhos para os centros de prazer do seu cérebro; literalmente muda seus gostos sexuais, e vai acabar por trancá-lo espiritualmente e jogar fora a chave. Se você vai se envolver na batalha, saiba disto: vai ter de lutar para sempre. Não haverá vitória nesta área de sua vida até que escolha a hombridade e escolha a vitória com todas as suas forças. 📖

5. Quão furioso você está em relação à batalha? Em uma escala de 1 a 10, quão convencido você está de que a vontade de Deus é que você vença a batalha e seja sexualmente puro?
6. Em uma escala de 1 a 10, até que ponto você diria que verdadeiramente odeia o pecado da impureza sexual em qualquer forma?
7. Em uma escala de 1 a 10, até que ponto você verdadeiramente espera vencer a batalha pela pureza sexual? Quais são suas motivações para alcançar isso?
8. Caso veja alguns aspectos do filho perdido (ou "filho pródigo") dentro de si, onde você está na sua jornada? Ainda está saindo em busca de aventura no grande mundo selvagem? Está sofrendo perda e desespero? Está a caminho de casa?

A CAMINHADA DE TODO HOMEM
(*Seu guia para a aplicação pessoal*)

📖 Preste atenção nas palavras a seguir, ditas pelo pregador Steve Hill. Ele abordou sua própria saída do vício das drogas e do álcool, além do pecado sexual: "Não existe tentação que seja incomum para o homem. Deus enviará uma rota de fuga, mas você precisa estar disposto a aceitar esse caminho, amigo." 📖

📖 Deus está esperando por você. Mas ele não está esperando no altar da igreja, esperando que você apareça pela enésima vez para chorar um tanto. Ele já está no campo de batalha, olhando para seu relógio, esperando que você chegue e se disponha a entrar nessa batalha. Por meio do Senhor, você tem o poder espiritual para superar todos os níveis de imoralidade sexual, mas se não estiver disposto a fazer uso desse poder, nunca vai se libertar do hábito. 📖

9. Qual é sua maior motivação para alcançar e manter a pureza sexual?
10. Relembre algumas das vezes em que você cedeu à tentação sexual. Sempre houve uma "rota de fuga" aberta para você? Em uma situação especifica, o que você acha que o impediu de seguir por essa rota de fuga?
11. Leia Romanos 12.1-2. Imagine abolir completamente a fantasia sexual em sua vida. Quanta tristeza isso traria a você? Está pronto para experimentar essa dor como um ato de adoração sacrificial?
12. Quem age como parceiro de prestação de contas em sua vida neste momento? Se não houver ninguém, quem poderia ser esse homem para você?
13. De forma silenciosa, reveja o que você escreveu e aprendeu no estudo desta semana. Se outros pensamentos ou pedidos de oração vierem à sua mente e ao seu coração, talvez você queira tomar nota deles.
14. Pensando em alcançar a pureza sexual que é a vontade de Deus para você, como imagina seu relacionamento com Deus num futuro próximo? E o relacionamento com sua esposa? O futuro legado que deixará para seus filhos? Seu ministério na igreja, tanto no futuro próximo como em longo prazo?
15. a. Para você, qual foi o conceito ou verdade mais significativo no estudo desta semana?
    b. Como você falaria com Deus sobre isso? Escreva sua resposta como uma oração a ele.
    c. O que você acredita que Deus quer que você faça em resposta ao estudo desta semana?

A CONVERSA DE TODO HOMEM
(*Tópicos e perguntas construtivas para discussão em grupo*)

Principais destaques do livro para leitura em voz alta e discussão

📖 Você sabe muito bem que a impureza sexual não é como um tumor que está crescendo sem controle dentro de você. Você a trata assim quando o foco de suas orações é alguma dramática intervenção espiritual, como a libertação, enquanto suplica para que alguém venha e a remova. Na verdade, a impureza sexual é uma série de decisões infelizes de sua parte — às vezes como resultado de um caráter imaturo — e a libertação não o conduzirá a uma maturidade instantânea. O trabalho com o caráter precisa ser feito para que os caminhos sinápticos deformados em seu cérebro possam morrer, visto que, pela graça, "somos instruídos a abandonar o estilo de vida ímpio e os prazeres pecaminosos"; enfim, "neste mundo perverso, devemos viver com sabedoria, justiça e devoção" (Tt 2.12).

Lembre-se disto: Santidade não é uma coisa nebulosa ou mítica. Você não precisa esperar que alguma nuvem santa se forme ao seu redor. Da perspectiva da prática diária, é simplesmente uma série de escolhas acertadas. Você será santo quando optar por não pecar. 📖

📖 Como dissemos anteriormente, você já tem tudo de que precisa dentro de si para vencer esta batalha. [...] No milissegundo que é preciso para fazer essa escolha, o Espírito Santo vai começar a guiá-lo e caminhar com você através da luta.

Afinal, é a vontade de Deus que você tenha pureza sexual, embora possa não pensar assim, uma vez que esta não tem sido a sua experiência constante. 📖

📖 O poder da amizade e da intimidade se estende muito além de compartilhar dicas e opiniões, por mais maravilhoso que isso seja. Se você acha que não precisa de conexão porque é um homem de verdade, ousamos dizer que exatamente *porque* você é um homem de verdade é que precisa de conexão. Sendo macho até as entranhas, você tem na sua sexualidade um ponto fraco, que sempre estará aberto ao ataque quando você estiver desconectado de outros, não importa o quão fortes suas defesas internas pareçam hoje.

Sabe, nesses relacionamentos, não é apenas a prestação de contas que fortalece a conexão; é a própria intimidade. 📖

PERGUNTAS PARA DISCUSSÃO

A. Quais partes dos capítulos 8—10 de *A batalha de todo homem* foram mais úteis ou encorajadoras para você e por quê?
B. Qual é o problema de orar pedindo libertação ano após ano?
C. Descreva da maneira mais clara e concisa que puder a provisão que Deus criou para nós.
D. Converse em termos práticos sobre o que o verbo *escolher* significa para você.
E. Por que um "homem de verdade" precisa ter uma conexão forte com outro homem cristão? O que impede os homens de terem tais amizades?
F. Reservem alguns momentos como grupo para refletir em silêncio sobre estas perguntas e como elas se aplicam e estão relacionadas a você:
  1. Por quanto tempo você permanecerá sexualmente impuro?
  2. Por quanto tempo defraudará sexualmente a sua esposa?
  3. Por quanto tempo retardará o crescimento da unidade com sua esposa, uma unidade que você prometeu a ela anos atrás?

> Nota: Se você está seguindo a caminhada de doze semanas,
> deixe o restante desta lição para a próxima semana.
> Se estiver na caminhada de oito semanas, siga adiante.

A ESCOLHA DE TODO HOMEM
(Perguntas para reflexão e exame pessoal)

📖 A maior arma de Satanás contra você é o engano. Ele sabe que Jesus já comprou sua liberdade. Ele também sabe que, depois que você perceber a simplicidade dessa batalha, irá vencê-la muito rapidamente, então ele o engana e o confunde. Ele o ilude com o pensamento de que você é uma vítima indefesa, alguém que precisará de anos de terapia. 📖

📖 Seu objetivo é a pureza sexual. Aqui está uma definição boa e funcional dela — boa devido à sua simplicidade: *Você é sexualmente puro quando seu prazer sexual provém de ninguém ou nada além de sua esposa.*

Em outras palavras, vitória significa cessar a satisfação sexual que é obtida de coisas externas ao casamento. [...]

Seu objetivo na guerra contra a luxúria é o de delinear três perímetros de defesa em sua vida:

1. Com seus olhos.
2. Em sua mente.
3. Em seu coração. 📖

16. Você já se viu como uma vítima indefesa da tentação sexual? De acordo com Steve e Fred, qual avaliação é a mais honesta?
17. Como você reage à definição que os autores dão para *pureza sexual*? Até que ponto você está pronto para usar essa definição na prática diária enquanto luta pela pureza sexual?

A CAMINHADA DE TODO HOMEM
(*Seu guia para a aplicação pessoal*)

📖 Quer a verdade? A impureza é um hábito. Vive como um hábito. Quando uma garota atraente anda ao seu lado, seus olhos têm o mau hábito de acompanhá-la, deslizando para cima e para baixo. [...]

O fato de a impureza ser meramente um hábito surge como uma surpresa para muitos homens. [...]

Se a impureza fosse genética ou fosse um feitiço arrebatador, você não teria esperança. Mas, uma vez que a impureza é um hábito, isso pode ser mudado. Você tem esperança, porque se ela vive como um hábito, também pode morrer como um hábito. Para Fred, foram necessárias umas seis semanas para mudar o hábito de seus olhos, mas isso é quase um recorde. 📖

📖 Não entenda errado. Não estamos dizendo que seus hábitos não tenham nenhuma relação com suas emoções ou circunstâncias. Glen nos disse: "Meu pecado sexual se tornou muito pior quando eu estava sob pressão para cumprir prazos no trabalho, e especialmente quando minha esposa e eu brigávamos ou não nos sentíamos amados e apreciados. Naquela época, parecia que eu era compelido a pecar sexualmente e não conseguia dizer não". 📖

18. Avalie por que os autores acreditam que a impureza e a masturbação são hábitos. Até que ponto você concorda ou discorda desse raciocínio?
19. Pense em alguns dos hábitos que você "matou" no passado. Você acredita que o hábito da impureza também pode morrer? O que lhe dá esperança?
20. a. Para você, qual foi o conceito ou verdade mais significativo no estudo desta semana?

b. Como você falaria com Deus sobre isso? Escreva sua resposta como uma oração a ele.

c. O que você acredita que Deus quer que você faça em resposta ao estudo desta semana?

A CONVERSA DE TODO HOMEM
(*Tópicos e perguntas construtivas para discussão em grupo*)

Principais destaques do livro para leitura em voz alta e discussão

📖 A masturbação é o caminho da menor resistência — uma amante imaginária, uma amante pornográfica com um sorriso permanente. Uma amante que nunca diz não, uma que nunca rejeita. Uma que nunca abandona e sempre é discreta. Uma que fortalece o ego do homem em meio a momentos de dúvida interna, que sempre diz: "Vai dar tudo certo", por maior que seja a pressão. Este é um caminho escolhido, um caminho disponibilizado pelos olhos impuros que atiçam o fervor sexual, fornecendo uma fonte inesgotável de amantes. 📖

📖 Embora possa não haver *opressão* espiritual envolvida em sua batalha, sempre haverá *oposição* espiritual. O inimigo está constantemente próximo do seu ouvido. Ele não quer que você ganhe esta luta, e conhece as mentiras que, quase sempre, corroem a confiança dos homens e a vontade deles de vencer. Espere ouvir muitas e muitas mentiras. 📖

📖 O primeiro assunto é a prestação de contas. Para muitos homens que estão dispostos a lutar pela pureza sexual, um passo importante é encontrar apoio na prestação de contas, seja em um grupo de estudo bíblico para homens, seja em um grupo menor de um ou dois que sirvam como parceiros de prestação de contas, ou buscando aconselhamento.

Para ser um parceiro de prestação de contas, chame um amigo, talvez alguém mais velho e bem respeitado na igreja, para encorajá-lo no calor da batalha. O ministério de homens em sua igreja também pode ajudá-lo a encontrar alguém que possa orar por você e que possa lhe fazer perguntas difíceis. 📖

PERGUNTAS PARA DISCUSSÃO

G. Quais são os três perímetros de defesa que os autores dizem que devemos construir para alcançar o objetivo da pureza sexual?

H. Os autores dizem que "a maior arma de Satanás contra você é o engano". Na sua opinião, quais são as mentiras mais eficientes de Satanás?
I. Qual é sua experiência quanto a buscar amor nos lugares errados? Você concorda que isso tem sido uma escolha? De que maneira a rejeição ou o amor perdido tende a alimentar essa escolha?
J. Conversem sobre os níveis de confiança em seu grupo à luz da terceira citação acima. Discutam algumas maneiras pelas quais vocês podem manter a confiança entre todos na área da pureza sexual.
K. Quantos homens do seu grupo possuem um parceiro de prestação de contas? Como seria possível encontrar um parceiro de prestação de contas para qualquer homem que não tem um?

5

Vitória com seus olhos

• • • • • • • • •

**Tarefa de leitura desta semana:
Capítulos 11—13 de *A batalha de todo homem***

📖 Quando seus olhos desejarem olhar para uma mulher, você deve treiná-los para que se desviem imediatamente. (Mais tarde vamos explicar como desviar o olhar com as mulheres que conhecemos.) Mas por que devem se desviar imediatamente? Afinal, uma olhadela não é a mesma coisa que cobiça, certo? Se definirmos cobiça como olharmos boquiabertos até a baba escorrer, então uma olhadela não é o mesmo que cobiça. Mas se definirmos cobiça como qualquer olhar que gera aquela pequena euforia química, um pequeno estalo, então temos algo um pouco mais difícil de se mensurar. [...]

Você consegue dizer exatamente quando esse primeiro olhar envia o impulso através de suas vias sinápticas para os centros de prazer do cérebro? [...] Esta euforia química provavelmente acontece mais cedo no processo e muito mais rapidamente do que você imagina. 📖

— Do capítulo 11 de *A batalha de todo homem*

A VERDADE DE TODO HOMEM
(*Sua jornada pessoal rumo à Palavra de Deus*)

Leia e medite nas seguintes passagens bíblicas, que têm a ver com os maravilhosos aspectos visuais da criação de Deus. Deixe que o Senhor o abençoe enquanto recorda que ele lhe deu visão para que você possa desfrutar da beleza e da maravilha deste mundo. O objetivo final, é claro, é que seu coração possa se elevar em louvor pelo maravilhoso poder e glória de Deus. Por que deixar que seus olhos persigam objetivos menos dignos?

Ó Senhor, nosso Senhor, teu nome majestoso enche a terra;
    tua glória é mais alta que os céus! [...]

Quando olho para o céu e contemplo a obra de teus dedos,
   a lua e as estrelas que ali puseste, pergunto:
Quem são os simples mortais, para que penses neles?
   Quem são os seres humanos, para que com eles te importes?

Salmos 8.1,3-4

Os céus proclamam a glória de Deus;
   o firmamento demonstra a habilidade de suas mãos.
Dia após dia, eles continuam a falar;
   noite após noite, eles o tornam conhecido.
Não há som nem palavras,
   nunca se ouve o que eles dizem.

Salmos 19.1-3

Meus olhos estão sempre voltados para o Senhor,
   pois ele livra meus pés de armadilhas.

Salmos 25.15

1. Considere a majestade de Deus expressa pelos céus. Quando você experimentou essa maravilha em um céu noturno? Dê graças por isso!
2. De que maneira as coisas criadas "tornam [Deus] conhecido"? O que você já viu de Deus na natureza?
3. Se você tem usado seus olhos mais para a cobiça do que para a adoração, o que gostaria de dizer ao Senhor sobre isso neste momento? Quais ações práticas poderiam ajudá-lo a manter seus olhos "sempre voltados para o Senhor" hoje?

A ESCOLHA DE TODO HOMEM
(Perguntas para reflexão e exame pessoal)

📖 Um homem normal não pode assistir a um programa de esportes sem ser acometido por comerciais que mostram um bando de mulheres seminuas andando em alguma praia com brutamontes tomando cerveja. O que um homem deve fazer? 📖

📖 Para obter a pureza sexual como a definimos, devemos deixar de alimentar os olhos e eliminar gradualmente as vasilhas de satisfação sexual que vêm de fora do nosso casamento. Quando você para de alimentar os olhos e elimina o "sexo não saudável" de sua vida, irá procurar por "comida saudável" — sua esposa. E não se surpreenda. Ela é a única coisa que existe no armário, e você está faminto! 📖

4. Pense no dilema deste homem diante da televisão. Qual é a solução de Fred? Defina *desviar os olhos*.
5. Quantas vasilhas de satisfação você acha que recebe de "sexo não saudável" em um dia comum? O que significa, para você, deixar de alimentar os olhos? Você está pronto para desejar sua esposa mais intensamente?

A CAMINHADA DE TODO HOMEM
(*Seu guia para a aplicação pessoal*)

📖 Eu [Fred] não tenho como determinar a melhor defesa para suas fraquezas (pois não sei quais são), mas deixe-me compartilhar como eu defendi a minha própria para que você tenha uma ideia do processo. [...]

Regra 1: Quando eu pegava uma revista ou um encarte, se eu percebesse logo que meu motivo subjacente era ver algo sensual (e não propagandas de coisas para o carro ou belas paisagens), eu desistia do meu direito de pegar aquela revista ou aquele encarte, mesmo deixando de economizar com os cupons que poderiam estar ali. 📖

📖 Meu corpo começou a lutar contra tudo isso de maneiras interessantes. [...]
Sempre que sou pego por um desses truques, vocifero para mim mesmo em aguda repreensão: *Você fez uma aliança com os olhos! Não pode fazer mais isso!* Nas primeiras duas semanas, devo ter dito isso milhões de vezes, mas a confissão repetida da verdade finalmente produziu uma transformação em mim. 📖

6. Dê uma olhada nas maiores áreas de fraqueza de Fred no capítulo 11. Quais seriam elas em sua própria lista de fontes (que não a sua esposa) das quais você extrai satisfação sexual em termos visuais? (Passe tempo suficiente elaborando uma lista que não despreze nenhuma área importante.)
7. Agora, separe tempo suficiente para elaborar táticas de defesa em cada área identificada.
8. Fred diz que não consegue definir os métodos de defesa que vão funcionar melhor para você, mas o que você achou das regras que ele estabeleceu? O que acha da regra 1? Quais regras você está considerando para si mesmo?

9. Você está preparado para a retaliação do seu corpo e de sua mente, como aconteceu com Fred? Para quais formas de rebelião interior você provavelmente terá de se preparar nessa batalha?
10. De forma silenciosa, reveja o que você escreveu e aprendeu no estudo desta semana. Se outros pensamentos ou pedidos de oração vierem à sua mente e ao seu coração, talvez você queira tomar nota deles.

A CONVERSA DE TODO HOMEM
(*Tópicos e perguntas construtivas para discussão em grupo*)

Principais destaques do livro para leitura em voz alta e discussão

📖 Imagine que seu nível atual de apetite sexual exija dez vasilhas de satisfação sexual por semana. Estas vasilhas de prazer *deveriam* ser preenchidas pelo seu único e legítimo canal, a esposa que Deus lhe deu. Mas como os homens absorvem a satisfação sexual através dos olhos, é possível sem muito esforço preencher nossas vasilhas a partir de outras fontes. 📖

📖 *Espere um minuto, Fred*, você pode dizer. *Diminuir de dez para seis vasilhas me parece injusto. Se eu seguir seu caminho, estarei sendo sexualmente enganado, só porque estou obedecendo a Deus!*

Garanto que você não vai se sentir enganado. Primeiro, sem a constante hiperestimulação de seu desejo sexual de caráter visual, seu apetite sexual vai voltar ao normal, às especificações de fábrica. Em segundo lugar, com todo o seu ser sexual agora concentrado em sua esposa, o sexo com ela será transformado de tal maneira que sua satisfação irá extrapolar qualquer escala conhecida. Sim, mesmo consumindo menos vasilhas. É uma garantia pessoal, endossada pela fé, pelo crédito e pela autoridade da Palavra de Deus. 📖

PERGUNTAS PARA DISCUSSÃO

A. Quais partes dos capítulos 11 e 12 de *A batalha de todo homem* foram mais úteis ou encorajadoras para você e por quê?
B. Qual é a sua reação à analogia das vasilhas? Foi útil para você conseguir enxergar sua necessidade sexual dessa maneira? Por quê?
C. Como você acha que a maioria das esposas responderia a um marido

recém-enamorado dela? Como você aconselharia um amigo nessa situação para que ele consiga ajudar sua esposa a aprender o que está acontecendo?

D. Em sua opinião, qual percentual de homens provavelmente vai reagir à ideia de parar de alimentar seus olhos com a frase "estou sendo enganado"? Por quê? Qual é a resposta do autor?

> Nota: Se você está seguindo a caminhada de doze semanas,
> deixe o restante desta lição para a próxima semana.
> Se estiver na caminhada de oito semanas, siga adiante.

A ESCOLHA DE TODO HOMEM
(Perguntas para reflexão e exame pessoal)

📖 Você precisará de um bom versículo bíblico para ser sua espada. [...]
Seu escudo — um versículo de proteção sobre o qual você pode refletir e do qual pode retirar forças até mesmo quando não estiver no auge da batalha — pode ser até mais importante que sua espada, porque ele coloca a tentação fora do alcance dos seus ouvidos. 📖

11. Por que você precisa de uma espada e de um escudo, de acordo com este capítulo? Qual é o valor deles em sua busca pela pureza sexual?
12. Quais são os méritos do versículo de abertura de Jó 31 para ser usado como espada? Quais argumentos você acha que Satanás e suas forças provavelmente usariam para desafiar esse versículo?
13. Quais são os méritos de 1Coríntios 6.18-20 para ser usado como escudo? Quais argumentos você acha que Satanás e suas forças provavelmente usariam para desafiar esse versículo?
14. Quais aspectos da estratégia dos autores para desviar e parar de alimentar os olhos fazem mais sentido para você? Que perguntas você ainda tem sobre esses planos?

A CAMINHADA DE TODO HOMEM
(Seu guia para a aplicação pessoal)

📖 Podemos ter medo de que a tentação seja forte demais para nós nesta batalha, mas, honestamente, a tentação não tem poder algum sem nossos próprios questionamentos arrogantes e o suposto direito de escolher nosso comportamento. Assim que nos tornamos cristãos, não temos mais essa escolha. 📖

📖 A longo prazo, você ainda terá de monitorar seus olhos? Sim, porque a tendência natural dos seus olhos é para o pecado, então você logo retornará aos maus hábitos se for descuidado. Mas com o mínimo de esforço, bons hábitos se tornam permanentes. [...]

Depois de mais ou menos um ano — embora isso possa levar mais tempo —, quase todas as grandes batalhas irão cessar. A tarefa de desviar seus olhos se tornará muito mais enraizada em você. Seu cérebro, agora sob intensa vigilância, raramente escorregará mais, tendo desistido há muito tempo de suas oportunidades de retornar aos velhos tempos de ter euforia com prazeres pornográficos. 📖

15. Quais versículos você escolherá como sua espada e seu escudo?
16. Quais são algumas das perguntas importantes no âmbito da tentação sexual que você não tem mais o direito de fazer a si mesmo?
17. Que tipo de resultados e reações de curto prazo você espera em sua busca pela pureza sexual? Que tipo de resultados e reações de longo prazo você espera em sua busca pela pureza sexual?
18. Quais são os fatores mais importantes em sua própria vida que vão garantir o sucesso de toda essa estratégia em favor da pureza através dos seus olhos?
19. a. Para você, qual foi o conceito ou verdade mais significativo no estudo desta semana?
    b. Como você falaria com Deus sobre isso? Escreva sua resposta como uma oração a ele.
    c. O que você acredita que Deus quer que você faça em resposta ao estudo desta semana?

A CONVERSA DE TODO HOMEM
(*Tópicos e perguntas construtivas para discussão em grupo*)

Principais destaques do livro para leitura em voz alta e discussão

📖 Certa ocasião, quando passava a noite em um hotel, desci ao salão atrás de uma máquina de gelo. Em cima da máquina estava uma revista erótica.

Acreditando que eu tinha o direito de decidir qual deveria ser meu comportamento, fiz a seguinte pergunta: *Devo ou não olhar esta revista?*

No momento em que fiz esta pergunta, abri a porta para receber conselhos de fora. Comecei a ver os pontos positivos e negativos. Mas muito pior que isso, fiquei aberto ao conselho de Satanás. Ele desejava ser ouvido sobre esse assunto. [...]

Neste ponto repousa o poder da tentação. Podemos ter medo de que a tentação seja forte demais para nós nesta batalha, mas, honestamente, a tentação não tem poder algum sem nossos próprios questionamentos arrogantes.

Considerando novamente os detalhes do nosso plano, temos de admitir que ele parece um pouco maluco. Defesas, truques do cérebro, desvios dos olhos, renúncia de direitos. Cara! É capaz que o próprio Jó ficasse um pouco assustado.

Por outro lado, talvez devêssemos esperar que um plano firme acabasse dando essa impressão mesmo. Pense em todos os homens que são chamados à pureza, e, ainda assim, poucos parecem saber como conseguir isso.

PERGUNTAS PARA DISCUSSÃO

E. Quais partes do capítulo 13 de *A batalha de todo homem* foram mais úteis ou encorajadoras para você e por quê?

F. Você já "esteve ali" na máquina de gelo com Fred? O que você fez numa situação similar?

G. De acordo com Fred, qual é o problema de entrar numa conversa com nós mesmos sobre como devemos reagir a uma tentação em particular?

H. Fred e Steve admitem que seu plano para a pureza pode parecer levemente maluco. Você teve essa reação no decorrer deste estudo? Fale sobre isso!

6

Vitória com sua mente

• • • • • • • • •

**Tarefa de leitura desta semana:
Capítulos 14—16 de *A batalha de todo homem***

📖 A boa notícia é que o perímetro de defesa dos olhos trabalha juntamente com você para construir o perímetro da mente. A mente precisa de um objeto para a luxúria, então quando os olhos visualizam imagens sexuais, a mente já tem muito com o que festejar. Sem estas imagens, a mente possui um repertório vazio. Ao parar de alimentar os olhos, você também deixa de alimentar a mente. 📖

— Do capítulo 14 de *A batalha de todo homem*

A VERDADE DE TODO HOMEM
(*Sua jornada pessoal rumo à Palavra de Deus*)

Ao iniciar o estudo desta semana, leia e medite nas passagens bíblicas a seguir, que tratam da nossa apreciação à graça, ao amor e ao poder de Deus. Lembre-se de que você pode optar por encher sua mente com pensamentos sobre a bondade de Deus durante o dia todo. Pense nessas coisas!

> Responde às minhas orações, ó S<small>ENHOR</small>,
>   pois o teu amor é bom.
> Cuida de mim,
>   pois a tua misericórdia é imensa.
> Não te escondas de teu servo;
>   responde-me sem demora, pois estou aflito.
> Vem e resgata-me;
>   livra-me de meus inimigos!
>
> Salmos 69.16-18

> Todo louvor seja a Deus, o Pai de nosso Senhor Jesus Cristo, que nos abençoou em Cristo com todas as bênçãos espirituais nos domínios celestiais. Mesmo antes de criar o mundo, Deus nos amou e nos escolheu em Cristo para sermos santos e sem culpa diante dele. Ele nos predestinou para si, para nos adotar como filhos por meio de Jesus Cristo, conforme o bom propósito de sua vontade. Deus assim o fez para o louvor de sua graça gloriosa, que ele derramou sobre nós em seu Filho amado. Ele é tão rico em graça que comprou nossa liberdade com o sangue de seu Filho e perdoou nossos pecados. Generosamente, derramou sua graça sobre nós e, com ela, toda sabedoria e todo entendimento.
>
> Efésios 1.3-8

> Por fim, irmãos, quero lhes dizer só mais uma coisa. Concentrem-se em tudo que é verdadeiro, tudo que é nobre, tudo que é correto, tudo que é puro, tudo que é amável e tudo que é admirável. Pensem no que é excelente e digno de louvor.
>
> Filipenses 4.8

1. Alguma vez você já orou as palavras do salmo 69 como o rei Davi orou? Você possui essa mesma confiança de um pecador na bondade, no amor e na misericórdia de Deus?
2. Medite nas bênçãos proclamadas em Efésios 1.3-8. Faça uma lista das riquezas espirituais derramadas sobre você como filho adotado do Pai celestial. De que forma você viverá como filho dele hoje?
3. Até que ponto sua mente precisará de transformação para que possa cumprir a ordem do apóstolo em Filipenses 4.8?

A ESCOLHA DE TODO HOMEM
(Perguntas para reflexão e exame pessoal)

> Sua mente é metódica. A mente permitirá a entrada desses pensamentos impuros somente se eles se encaixarem ao modo como você vê o mundo. Quando você definir o perímetro de defesa para sua mente, a visão de mundo do seu cérebro será transformada por uma nova matriz de pensamentos permitidos ou admissíveis. [...]
> Esta transformação da mente leva algum tempo, enquanto você espera que a antiga poluição sexual seja eliminada. É como viver perto de um riacho que fica poluído quando uma tubulação de esgoto quebra perto da nascente. Depois que

as equipes de manutenção consertam a tubulação de esgoto, ainda vai demorar um tempo para que a água de todo o rio fique limpa. 📖

📖 Você alguma vez ficou "à espreita junto à porta" do seu próximo? Isso pode significar aquela vez em que você apareceu à tardinha para visitar a esposa de seu amigo, tomar um café com ela, e então se encantou com sua sabedoria, seu cuidado e sua sensibilidade. Lamentou por ela ter de suportar um marido tão bruto e insensível. Você a abraçou enquanto ela chorava. Você estava espreitando à porta do seu próximo. 📖

4. Por que é mais difícil controlar a mente do que os olhos? De que maneira seus olhos vão trabalhar junto com sua mente em sua busca pela pureza sexual?
5. O que os autores querem dizer com "ficar à espreitar junto à porta" e "espreitar mentalmente"? Qual é a sua própria experiência em relação a isso?

A CAMINHADA DE TODO HOMEM
(*Seu guia para a aplicação pessoal*)

📖 De acordo com Jesus, fazer isso mentalmente é a mesma coisa que fazer fisicamente (Mt 5.28). 📖

📖 Atualmente, sua mente corre como um cavalo indomável. Além disso, sua mente "acasala" onde quiser com mulheres atraentes e sensuais. Elas estão em todos os lugares. Com uma mente indomável, como você pode parar a corrida e o acasalamento? Com um curral ao redor dela. 📖

6. Com que seriedade você considera as palavras de Jesus em Mateus 5.28?
7. Como você explicaria o conceito dos autores sobre o curral no que se refere à pureza sexual de seus pensamentos? O que o curral representa e o que ele realiza?
8. Que utilidade você acha que esse conceito de curral tem para você?
9. De forma silenciosa, reveja o que você escreveu e aprendeu no estudo desta semana. Se outros pensamentos ou pedidos de oração vierem à sua mente e ao seu coração, talvez você queira tomar nota deles.

A CONVERSA DE TODO HOMEM
(*Tópicos e perguntas construtivas para discussão em grupo*)

Principais destaques do livro para leitura em voz alta e discussão

📖 Mas o perímetro de defesa da mente se parece menos com um muro e mais com a área de alfândega em um aeroporto internacional. A alfândega age como um filtro, evitando que elementos perigosos entrem no país. De forma semelhante, o perímetro de defesa da mente processa adequadamente as mulheres atraentes em seu "país", filtrando as sementes forasteiras da atração antes mesmo que os pensamentos impuros possam ser gerados. Esse perímetro interrompe a espreita. 📖

📖 Jake: "Sabia que aquele beijo acabaria com a minha carreira na igreja, mas não resisti." 📖

PERGUNTAS PARA DISCUSSÃO

A. Quais partes do capítulo 14 de *A batalha de todo homem* foram mais úteis ou encorajadoras para você e por quê?
B. Como você explicaria o processo, conforme apresentado neste capítulo, pelo qual a mente limpa a velha poluição sexual? Que encorajamento a compreensão desse processo lhe dá?
C. O que os autores querem dizer com a ideia de "área de alfândega mental"? Descreva esse processo em termos práticos.
D. O que os autores querem dizer com a ideia de "parar de alimentar as atrações"?
E. Relembre a história de Fred sobre seu interesse em Judy durante o ensino médio — e o desastre que foi o encontro com ela no dia do baile de formatura. "Minha atração por Judy morreu naquela noite. Os fatos desagradáveis [...] a mataram!." Discuta o problema de preencher os espaços em contraste com deixar que os fatos façam seu trabalho de reduzir a atração.

Nota: Se você está seguindo a caminhada de doze semanas,
deixe o restante desta lição para a próxima semana.
Se estiver na caminhada de oito semanas, siga adiante.

A ESCOLHA DE TODO HOMEM
(Perguntas para reflexão e exame pessoal)

📖 Há dois tipos de mulheres que irão se aproximar do seu curral:
- Mulheres que você acha atraentes
- Mulheres que acham você atraente

As duas categorias exigem defesas semelhantes, e cada uma delas deve ter as atrações não alimentadas até que trotem em direção ao horizonte. A seguir está uma análise mais detalhada. 📖

10. Quais são os princípios mais importantes para se ter defesas eficientes contra pensamentos impuros sobre mulheres que você acha atraentes?
11. Quais são os princípios mais importantes para se ter defesas eficientes contra pensamentos impuros sobre mulheres que acham você atraente?
12. Qual é seu nível de tentação em relação a antigas namoradas ou ex-mulheres? E quanto a esposas de amigos? Na sua opinião, quais são as sugestões mais úteis nessa área?

A CAMINHADA DE TODO HOMEM
(Seu guia para a aplicação pessoal)

📖 Sempre aja como um careta. Os pegadores flertam... aprenda a "desflertar". Os pegadores provocam... aprenda a "desprovocar". Se uma mulher sorri com um olhar astuto, aprenda a sorrir com um olhar levemente confuso, para "des--sorrir". Se ela conversar sobre coisas que são legais, converse sobre coisas que não sejam legais para ela, como sua esposa e seus filhos. Ela vai achar que você é suficientemente agradável, mas um tanto insosso e desinteressante. *Perfeito.* 📖

📖 Não é que você não confia na esposa do seu amigo. É que você não quer que nada se inicie. Ela deve ser como uma irmã para você, sem qualquer indício de atração entre vocês.

Você sempre terá *algum* relacionamento com a esposa de um amigo, mas limite-o a quando seu amigo estiver por perto. Isso nem sempre é possível, mas estas regras simples podem protegê-lo dos ataques-surpresa dentro do curral. 📖

13. O que os autores querem dizer com a ideia de "fazer o papel de careta" e quão eficiente você acha que essa tática pode ser no seu caso particular?
14. Relembre os quatro "escudos" contra ataques-surpresa relacionados às

esposas dos amigos. Considere se cada sugestão pode ser colocada em prática em sua própria vida.
15. A partir da estratégia dos autores como um todo para a pureza — desviar, parar de alimentar, colocar no curral, fazer o papel de careta e assim por diante — o que é mais importante para garantir o sucesso em sua própria vida?
16. a. Para você, qual foi o conceito ou verdade mais significativo no estudo desta semana?
b. Como você falaria com Deus sobre isso? Escreva sua resposta como uma oração a ele.
c. O que você acredita que Deus quer que você faça em resposta ao estudo desta semana?

A CONVERSA DE TODO HOMEM
(*Tópicos e perguntas construtivas para discussão em grupo*)

Principais destaques do livro para leitura em voz alta e discussão

📖 No caso daquelas mulheres que já estão dentro do seu curral, a situação se torna ainda mais complicada. Essas mulheres não irão embora para o horizonte. Elas estão em seu curral hoje e provavelmente estarão amanhã também, e no dia seguinte. Isso significa que você deve eliminar essas atrações de outra maneira.
Vamos dar uma olhada nas duas principais categorias de mulheres que estão dentro do seu curral:
- Antigas namoradas e ex-mulheres
- Esposas dos seus amigos 📖

📖 Purificar os olhos e a mente é mais do que uma ordem — é também um sacrifício. E quando você fizer este sacrifício, quando renunciar a seus próprios desejos, as bênçãos fluirão. Sua vida espiritual experimentará nova saúde, alegria e estabilidade, e sua vida conjugal florescerá à medida que você aprende a sacrificar seus próprios desejos pelos desejos dela. 📖

PERGUNTAS PARA DISCUSSÃO
F. Quais partes dos capítulos 15 e 16 de *A batalha de todo homem* foram mais úteis ou encorajadoras para você e por quê?

G. Quais táticas foram apresentadas para manter pensamentos puros em relação a antigas namoradas e ex-mulheres? Qual é a sua opinião quanto à eficácia delas?

H. Quais táticas foram apresentadas para manter pensamentos puros em relação às esposas dos seus amigos? Por que é importante avaliar essa estratégia? (Passem alguns minutos conversando sobre as implicações práticas para o seu grupo.)

7

Vitória com seu coração

• • • • • • • • • •

**Tarefa de leitura desta semana:
Capítulos 17—18 de *A batalha de todo homem***

📖 Vamos agora conversar sobre o terceiro perímetro, aquele perímetro mais interno do seu coração. Para construir esta seção de suas defesas, você deve se ocupar com os propósitos de Deus de cuidar de sua esposa. [...]

Se os cristãos se dedicassem totalmente aos propósitos de Deus, isso se refletiria primeiro em nosso casamento. Mas as taxas de divórcio, adultério e insatisfação matrimonial na igreja cristã revelam o verdadeiro estado de nosso coração.

Conhecemos bem poucos homens que se dedicam totalmente a seu casamento, e menos homens ainda que se dedicam totalmente à pureza, mas ambas as situações são desejos de Deus para você. O propósito de Deus para seu casamento é de que ele reflita o relacionamento de Cristo com a sua igreja, que você e sua esposa sejam um só. 📖

— Do capítulo 17 de *A batalha de todo homem*

A VERDADE DE TODO HOMEM
(*Sua jornada pessoal rumo à Palavra de Deus*)

Ao iniciar este estudo, reserve algum tempo para ler e meditar sobre as passagens bíblicas a seguir, que têm a ver com a beleza da noiva — a noiva de Cristo e a sua própria noiva. Tenha em mente que, por séculos, o livro de Cântico dos Cânticos frequentemente tem sido visto como uma alegoria de como Cristo se sente em relação à sua noiva (todos os crentes).

> Você é linda, minha querida,
>   como você é linda!
> Seus olhos por trás do véu
>   são como pombas. [...]

Seus lábios são como uma fita vermelha;
   sua boca é linda. [...]
Você é inteiramente linda, minha querida;
   não há em você defeito algum! [...]

Você conquistou meu coração,
   minha amiga, minha noiva.
Você o cativou com um só olhar de relance [...]
Seu amor é delicioso,
   minha amiga, minha noiva. [...]

Sua cabeça é majestosa como o monte Carmelo,
   e o brilho de seu cabelo irradia nobreza;
   o rei é prisioneiro de suas tranças.
Como você é linda!
   Como você é agradável, meu amor,
   e cheia de delícias!

Cântico dos Cânticos 4.1,3,7,9-10; 7.5-6

1. Você percebe o desejo de Jesus por você como sendo parte de sua noiva? Por sua vez, o seu coração anseia por ele dessa maneira?
2. Pelo fato de que nosso relacionamento conjugal precisa ser semelhante ao relacionamento de Cristo com a igreja, nossos sentimentos por nossa esposa devem ser semelhantes aos dessas passagens. Você consegue se alegrar com a esposa da sua juventude? (Se ela não é tudo que você esperava, lembre-se de que Deus lhe concedeu esta cordeirinha preciosa.)
3. Você é capaz de fazer hoje um compromisso de cuidar dela?

A ESCOLHA DE TODO HOMEM
(Perguntas para reflexão e exame pessoal)

📖 Você cuida de sua esposa com amor sacrificial? Você sente por sua esposa as mesmas emoções expressas nessas passagens [de Cântico dos Cânticos]? Devo admitir que eu nem sempre me senti assim. [...]

E você? Seu coração também está distante de sua esposa?

Se assim for, você provavelmente chegou lá da mesma forma que eu: falhando em alcançar os propósitos de Deus para o casamento. O padrão de Deus é o de cuidar incondicionalmente, não importa o que aconteça. Sem condições. Mas o fato é que incluímos nossas próprias ideias e diluímos os padrões divinos, adicionando termos hipócritas para elaborar "contratos condicionais". [...]

Quando impomos condições como essas, fixamos nosso olhar no que esperamos receber de nosso casamento como foco principal. 📖

4. Revise cuidadosamente o ensinamento de Efésios 5.25-33 à luz de tudo que você aprendeu neste livro e em seu estudo durante as semanas anteriores. Por que você acha que tantos maridos tendem a resistir ao ensinamento dessa passagem?
5. Declare com suas próprias palavras o que a passagem de Cântico dos Cânticos ensina sobre o seu casamento e o relacionamento de Cristo com a igreja. Quais devem ser as atitudes corretas e as convicções conforme ensinadas nessa passagem? Quais são os padrões corretos e ideais? Quais são as ações e os hábitos corretos?
6. Para você, o que de fato significa cuidar de sua esposa?
7. Você tem tentado manter sua esposa presa a alguma cláusula contratual no decorrer dos anos? Se sim, quais? Você tinha consciência de estar fazendo isso? O que precisa mudar agora?

A CAMINHADA DE TODO HOMEM
(Seu guia para a aplicação pessoal)

📖 Sua esposa renunciou à liberdade dela por você. Ela abandonou seus direitos para buscar a felicidade em outro lugar. Trocou a liberdade por algo que ela considerou mais valioso: seu amor e sua palavra. Os sonhos dela estão ligados aos seus, sonhos de compartilhamento, de comunicação e de unidade.

Ela se comprometeu em ser só sua sexualmente. A sexualidade dela é seu bem mais protegido, seu jardim secreto. Ela confiou que você seria digno deste presente, mas você arrogantemente não deixou de espiar o lixo sensual, poluindo e ajuntando imundície em seu jardim. Ela merece mais, e você deve honrar isto. 📖

📖 Em meu escritório, guardo uma fotografia de Brenda de quando ela tinha um ano de idade. A foto é em preto e branco e mede 20 por 25 cm. Seus olhinhos brilham e estão cheios de esperança e alegria de viver, seu sorriso travesso está ainda mais visível, suas bochechas redondas irradiam alegria e um espírito despreocupado. Aquele rosto está cheio de expectativa e curiosidade. Levei aquela foto de criança para o meu escritório porque ela me faz lembrar de que eu preciso honrar esta esperança. 📖

8. Do que sua esposa abriu mão em favor de você? Quais são as coisas mais importantes que sua esposa já lhe deu?
9. Quais são as principais questões ligadas à honra em seu casamento? Quais são as maneiras mais importantes por meio das quais você pode fortalecer e honrar a esperança da sua esposa?
10. O que você pode fazer hoje para honrar sua esposa mais fielmente? O que pode fazer amanhã? O que você pode fazer, como novo hábito, pelo resto da vida de vocês juntos?
11. De forma silenciosa, reveja o que você escreveu e aprendeu no estudo desta semana. Se outros pensamentos ou pedidos de oração vierem à sua mente e ao seu coração, talvez você queira tomar nota deles.
12. a. Para você, qual foi o conceito ou verdade mais significativo no estudo desta semana?
b. Como você falaria com Deus sobre isso? Escreva sua resposta como uma oração a ele.
c. O que você acredita que Deus quer que você faça em resposta ao estudo desta semana?

A CONVERSA DE TODO HOMEM
(*Tópicos e perguntas construtivas para discussão em grupo*)

Principais destaques do livro para leitura em voz alta e discussão

📖 Mas o que o padrão do relacionamento de Cristo com a sua igreja tem a ver com nossa pureza sexual? Em nosso coração, com frequência temos atitudes e expectativas egoístas em relação a nossa esposa. Quando essas expectativas não são correspondidas, ficamos amuados e frustrados. Nossa vontade de manter os perímetros de defesa exteriores vai se desgastando. *Bem, se ela vai ser assim, por que eu deveria me esforçar tanto para ser puro? Ela não merece.*

Então você retalia desviando o coração e tirando a própria responsabilidade de amá-la e cuidar dela. 📖

📖 Urias sabia qual era seu lugar. Ele estava satisfeito por fazer parte dos propósitos de Deus, e queria cumprir com seu papel.

Para ser como Urias, devemos conhecer nosso lugar e estar contentes com ele. 📖

📖 Em nossa sociedade, temos cursos de "treinamento da sensibilidade" e de "enriquecimento cultural". Acreditamos que, se pudermos ensinar às pessoas os sentimentos "corretos", elas agirão corretamente. Na Bíblia, porém, Deus nos diz o contrário: devemos agir primeiro da forma correta e depois os sentimentos corretos virão.

Se você não se sente com vontade de cuidar, faça-o mesmo assim. Seus sentimentos corretos chegarão muito em breve. 📖

PERGUNTAS PARA DISCUSSÃO

A. Quais partes dos capítulos 17 e 18 de *A batalha de todo homem* foram mais úteis ou encorajadoras para você e por quê?

B. Em que momento você se sentiu frustrado porque as expectativas que tinha em relação à sua esposa não foram atendidas? Considere a ideia de compartilhar um exemplo recente. Como você normalmente retalia por expectativas não atendidas?

C. Leia as passagens de Cântico dos Cânticos presentes no subtítulo "O exemplo de Cristo" no capítulo 17. Como você analisaria os sentimentos comunicados naquelas passagens? Qual é a utilidade dessas passagens como ferramentas para entender qual é o envolvimento emocional apropriado que você deve ter com sua esposa?

D. Leia a citação acima sobre Urias e, então, relembre a história de Davi, Bate-Seba, Urias e Natã (presente em 2Sm 11—12) conforme resumida pelos autores. É bem provável que você já tenha lido essa história antes. Ao analisá-la novamente, o que lhe chama a atenção, agora que você já estudou cuidadosamente a pureza sexual e firmou o compromisso de buscá-la? Quais são as lições mais importantes dessa história para o casamento de homens cristãos de hoje?

E. Você concorda que primeiramente precisamos agir de maneira correta e, então, os sentimentos corretos surgirão? Por que sim ou por que não? Você tem alguma prova disso?

8

Restaurando sua sexualidade juntos

• • • • • • • • • •

Tarefa de leitura desta semana:
Capítulos 19—20 de *A batalha de todo homem*

📖 Bloquear a sensualidade visual e desaprender o caminho que leva à intensidade é o verdadeiro foco deste livro. Você já estudou como manter seus olhos sob controle e viu que aqueles perímetros de defesa impõem mudanças profundas e amplas em seu cérebro. À medida que você dá estes passos para desviar e parar de alimentar seus olhos, uma onda subconsciente de cura sináptica se desenvolve de forma bastante natural, sem qualquer esforço adicional de sua parte. 📖

— Do capítulo 20 de *A batalha de todo homem*

A VERDADE DE TODO HOMEM
(*Sua jornada pessoal rumo à Palavra de Deus*)

Ao iniciar este estudo, separe um tempo para ler e meditar nas passagens bíblicas a seguir, que descrevem lindamente o valor de concentrar toda sua atenção na esposa com a qual Deus o abençoou.

> Seja abençoada a sua fonte!
>   Alegre-se com a mulher de sua juventude!
> Ela é gazela amorosa, corça graciosa;
>   que os seios de sua esposa o satisfaçam sempre
>   e você seja cativado por seu amor todo o tempo!
> Por que, meu filho, se deixar cativar pela mulher imoral,
>   ou acariciar os seios da promíscua?
>
> Pois o Senhor vê com clareza o que o homem faz
>   e examina todos os seus caminhos.
> O perverso é cativo dos próprios pecados;

são cordas que o apanham e o prendem.
Ele morrerá por falta de disciplina
e se perderá por sua grande insensatez.

Provérbios 5.18-23

1. Considerando tudo que aprendemos neste livro e nos estudos, por que é tão importante para um homem manter o foco em sua esposa?
2. Quais são os benefícios e recompensas espirituais da fidelidade total à "mulher de sua juventude"?
3. Por outro lado, quais os custos que o que esses versículos de Provérbios revelam quanto a ser infiel com seus olhos ou cobiçar uma mulher que não é a sua esposa?
4. Faça uma lista de algumas razões pelas quais é melhor "[alegrar-se] com a mulher de sua juventude".

A ESCOLHA DE TODO HOMEM
(*Perguntas para reflexão e exame pessoal*)

📖 A maioria das pessoas de nossa cultura permanece em desvantagem porque foi ludibriada por Hefner e outros como ele, os quais transformaram a pornografia em tendência e separaram o sexo de um relacionamento conjugal comprometido. Chamaram isso de liberação sexual e declararam missão cumprida em sua marcha sobre nossa sexualidade e nossa sociedade, proclamando que ela se livrou das amarras de nosso passado vitoriano. 📖

📖 A pornografia explícita e misógina de hoje, agora disseminada pelo acesso sem precedentes a transmissão de vídeo, pode degradar de tal forma os caminhos neurais sexuais de um homem que temos uma epidemia de disfunção erétil entre homens de todas as idades, até mesmo entre aqueles na casa dos vinte ou trinta anos. Tornou-se tão comum que a aflição tem um nome oficial: disfunção erétil induzida por pornografia (DEIP). 📖

5. Que influências negativas sobre sua vida você experimentou como resultado da popularização da pornografia promovida pela revista *Playboy*, de Hefner, e outras publicações similares?
6. Que tentações você está experimentando agora vindas de todas as fontes de pornografia?

7. Que táticas você está usando para se proteger da exposição — até mesmo a exposição acidental — à pornografia disponível em todos os seus dispositivos eletrônicos?

A CAMINHADA DE TODO HOMEM
(*Seu guia para a aplicação pessoal*)

> 📖 Deus compreende perfeitamente a natureza viciante desse sistema de prazer apetitivo com seu foco total na intensidade, mas o que ele deseja para você é algo mais profundo e melhor: uma conexão de alma que você talvez ainda não tenha experimentado em sua vida a dois, mesmo depois de anos de casados. 📖

8. Quais seriam as qualidades de uma conexão íntima de alma entre marido e mulher?
9. Você acredita que possui essa conexão com sua esposa? Por que sim ou por que não?
10. Quais serão as vantagens de uma forte conexão de alma com sua esposa quando vocês entrarem nos anos finais de sua vida?

A CONVERSA DE TODO HOMEM
(*Tópicos e perguntas construtivas para discussão em grupo*)

Principais destaques do livro para leitura em voz alta e discussão

> 📖 Não há nada de errado com a beleza exterior, mas ela não deveria dominar nossa sexualidade, assim como nossos olhos também não, especialmente devido ao fato de a plasticidade de nosso cérebro permitir que nossos gostos sejam flexíveis e se amoldem a nossa esposa, contanto que preparemos nosso coração para deixar que isso aconteça. Deus lhe deu o mandamento para que você sempre se alegre com a mulher da sua juventude, mas isso não será possível se você continuar cobiçando moças jovens e esbeltas. 📖

> 📖 Foi a minha primeira experiência com o paradoxo da obediência: a recompensa fisicamente gratificante que resultava da obediência aos padrões sexuais de Deus. [...] Eu na verdade obtinha mais satisfação íntima por ir mais devagar e diminuir algumas coisas com Brenda. Um beijo não era mais um pré-requisito sem graça no caminho para o ato sexual; um beijo havia se tornado excitante de novo. 📖

📖 Se você se alegrar apenas com a mulher de sua juventude e se deixar que apenas os seios de sua esposa satisfaçam seus olhos com o passar dos anos, seus gostos sexuais vão literalmente evoluir e mudar juntamente com o corpo dela à medida que envelhecer. Essa capacidade já está dentro de você como homem, o que significa que sua obediência hoje vai *capacitar* você a se alegrar com sua esposa no futuro, sem esforço e sem um ato forçado de sua vontade. Isso brotará naturalmente de sua constituição como homem. 📖

📖 Se você *parar* de cobiçar, porém, Deus tem algo melhor à sua espera: uma parceira maravilhosa com a qual poderá envelhecer e que pode continuar a satisfazê-lo, mesmo nos anos dourados. Se permitir que seus gostos mudem em razão de caminhar na verdade de Deus e permanecer disciplinado com seus olhos, você será alegrado pela esposa da sua juventude até o final de sua vida. 📖

PERGUNTAS PARA DISCUSSÃO

A. Quais partes dos capítulos 19 e 20 de *A batalha de todo homem* foram mais úteis ou encorajadoras para você e por quê?

B. O que você aprendeu neste estudo sobre a plasticidade do cérebro que pode ajudá-lo a vencer a batalha pela pureza sexual?

C. Como você descreveria a verdadeira libertação sexual em termos de como Deus desejava que ela fosse?

D. O livro descreve o paradoxo da obediência como uma recompensa fisicamente gratificante que vem da obediência aos padrões sexuais de Deus. Por que tal obediência é um paradoxo ou algo contraditório na cultura de "liberação" sexual de hoje?

E. Mesmo que o sexo com sua parceira possa ser excitante e satisfatório, por que a intimidade física também é desafiadora para nós, homens?

F. Em suas próprias palavras, descreva o que Fred quis dizer quando escreveu "você deve fazer sexo com a maravilhosa alma humana que está *dentro* da tenda da sua esposa".

G. Neste momento — e à medida que envelhecer — como você pode continuar a melhorar em alegrar-se com "a mulher de sua juventude"?

H. Reserve um momento para refletir sobre tudo aquilo que você estudou e discutiu durante as semanas anteriores. Comentem sobre uma ou mais destas perguntas:

1. Pelo que você pode agradecer a Deus como resultado deste estudo?

2. O que você sente que Deus mais quer que você entenda neste momento sobre esse tópico?
3. De que maneiras específicas você acredita que ele quer que você confie nele e lhe obedeça?

Notas

Capítulo 3
[1] Patrick J. Carnes, PhD, *Out of the Shadows: Understanding Sexual Addiction*, 3ª ed. (Center City, MN: Hazelden, 2001), p. 19-20.
[2] Carnes, *Out of the Shadows*, p. 37.
[3] David Kinnaman, *The Porn Phenomenon*, Barna, 5 de fevereiro de 2016, <www.barna.com/the-porn-phenomenon>.

Capítulo 5
[1] Simon Baron-Cohen, *The Essential Difference: Male and Female Brains and the Truth About Autism* (New York: Basic Books, 2004), p. 32-33, 36-38, 41, 45.

Capítulo 6
[1] Jeffrey Satinover, MS, MD, "U.S. Senate Hearing Testimony on Pornography Part 4," Oxbow Academy, 17 de novembro de 2004, <https://oxbowacademy.net/educationalarticles/senate_hearing_porn4>.
[2] Stuart Shepard, "Porn Is Like Heroin in the Brain," Focus on the Family, 19 de novembro de 2004, <www.freerepublic.com/focus/news/1284238/posts?page=92>.
[3] Danny Huerta, MSW, LCSW, LSSW, "Kids Viewing Porn—How Pervasive Is It?," Focus on the Family, 2018, <www.focusonthefamily.com/parenting/sexuality/kids-and-pornography/kids-viewing-porn-how-pervasive-is-it>.

Capítulo 7
[1] John Eldredge, *Wild at Heart: Discovering the Secret of a Man's Soul* (Nashville: Thomas Nelson, 2001), p. 9.

Capítulo 9
[1] Dr. Caroline Leaf, "Why We Keep Making the Same Mistakes + Tips to Break Bad Habits," *Dr. Leaf's Blog*, 9 de maio de 2019, <https://drleaf.com/blog/why-we-keep-making-the-same-mistakes-tips-to-break-bad-habits>.
[2] Belinda Luscombe, "Porn and the Threat to Virility," *Time*, 31 de março de 2016, <http://time.com/magazine/us/4277492/april-11th-2016-vol-187-no-13-u-s>.
[3] Fred publicou o livro *Tactics: Securing the Victory in Every Young Man's Battle* (Colorado Springs, CO: Waterbrook, 2006), no qual mostra como lidar com as raízes emocionais da masturbação. Mesmo sendo originalmente voltado para a juventude, o livro pode ajudar qualquer homem de qualquer idade a abandonar a masturbação.

Capítulo 19
[1] Norman Doidge, MD, *The Brain That Changes Itself: Stories of Personal Triumph from the Frontiers of Brain Science* (New York: Penguin, 2007), p. 102.
[2] Idem, p. 108-109.
[3] Idem, p. 109.

Compartilhe suas impressões de leitura,
mencionando o título da obra, pelo e-mail
opiniao-do-leitor@mundocristao.com.br
ou por nossas redes sociais

Esta obra foi composta com tipografia Palatino
e impressa em papel Pólen Natural 70 g/m² na gráfica Imprensa da Fé